岩 波 文 庫

33-902-1

説

岩 波 書 店

Poincaré

LA SCIENCE ET L'HYPOTHÈSE

2e éd.

1906

序　文

科学について表面的な見方しかしていない人にとっては、科学的真理はまったく疑いをいれないもののように見えるだろう。科学の論理は不可謬（ふかびゅう）であり、たしかに学者たちがときどき誤ることはあるとしても、それは彼らがいくつかの規則を誤解したために生じるのである。

数学上のさまざまな真理は、少数の明証的な命題から、完璧な推論の連鎖を通して導き出されたものである。それらの真なる命題はわれわれに対して制約を課すだけでなく、自然そのものにも制約を課している。それらはいってみれば、世界の創造主さえも縛るものであるから、創造主が選択を許されているのはただ、いくつかの比較的少数の解に関してだけだということになる。それゆえ、われわれは創造主が世界創造に際してどんな選択をしたのかを知ろうとするなら、いくつかの実験を行ってみればよいのである。われわれはそれぞれの実験にもとづき、ひとつながりの数学的演繹を辿ることで、多数の結果を導くことができるのであるから、各々の実験によって、宇宙の片隅についてのしっかりとした知識を得ることができるにちがいない。

世間の人々の多くや、物理学について勉強し始めたばかりのリセ〔初版当時、五年制中高教育〕の生徒たちは、ここにこそ科学の確実性ということの起源があると考えている。彼らは実験と数学の役割ということを、このような仕方で理解している。そして、百年前の科学者たちが、経験からはできるだけ少量の素材を借りるだけで世界を構築しようと夢見たときも、彼らは実験や数学についての同じような理解をもっていた。

しかしながら、人々はその後、科学についてもう少し深く反省するようになり、仮説というものが探究においてどれだけ大きな場所を占めるのかについて、理解できるようになった。人々は、数学者が仮説なしにはすますことができないこと、さらに、実験科学者の場合はそれ以上に仮説に依存していることを見て取った。そこで今度は、科学におけるすべてのこの種の構築は、はたして十分に堅固なものであるのだろうかと疑うようになり、ほんの少しの風で吹き飛ぶようなものだと思い込むようになった。こうした形の懐疑論は、これまた先の確実性への盲信と同じくらい、表面しか見ていないものである。一切を疑うことと一切を信じ込むことは、どちらも同じくらい便利な解決法である。どちらも同じように、さらに深く反省するという手間を省いてくれるからである。

それゆえ、われわれにとって必要なのは、科学に対して性急な有罪判決を下すことではなくて、仮説の役割ということを注意深く吟味することである。そうすれば、われわれは探究において仮説が必須であるばかりか、それがしばしば正当性をもったものでもあることを、認めるようになるだろう。われわれはまた、仮説といってもいろいろな種類があることを知るであろう。仮説の一つ目の種類は、検証可能なものであり、それはひとたび実験によって確証されるならば、非常に豊かな知見をもたらすような、もろもろの真理ということになる。もう一つの種類の仮説は、われわれを誤謬に陥れることなく、われわれ自身の思惟を固定させるのに有用な道具とみなされるだろう。最後に、仮説の第三の種類のものは、仮説といっても見かけ上そうであるにすぎず、実際には偽装された定義や規約に帰着するものである。

この第三の仮説こそ、とくに数学の諸分野のあちこちに見出されるものであり、数学に密接にかかわる諸科学のなかにも含まれているものである。こうした諸科学が厳密性を確保しているのは、まさにこのことによってである。これらの規約はわれわれの精神の自由な活動の産物であり、この領域のなかでは何らの制限も課せられていない。われわれの精神はそこでは自分が命令を下すので、それを断定的に肯定することができる。ただし、こうした命令はわれわれの科学に対して服従を強いるのであって、科学はたしかにそれなしでは成立できないが、しかし、それは自然そのものに課せられた命令ではない。そうだとすると、それらは恣意的なものだということになるだろうか。そうではない。仮説が恣意的なものであるならば、それらの命令は不毛なものになるだろう。実験はわれわれに仮説の選択をまかせるが、しかし最も都合のよい道を見つける作業を助けるという仕方で、この選択を導いているのである。われわれにおける仮説の命令は、したがって、絶対君主の命令のようでありつつ、その君主が賢明であって、枢密院の意見を仰ぎながら命令している、というのに似ている。

一部の人々は、諸科学の基礎的な原理において見出されるこうした自由な規約的性格というものに、大いに驚いた。彼らはこのことを過度に一般化することを望みつつ、他方では、この自由が恣意とは別物であることを失念した。彼らはそのために、唯名論と呼ばれる立場に行きついて、科学者たちが自分の作った定義によって欺かれているのではないか、彼らが発見したと称する世界は実際には彼らの気まぐれの産物にすぎないのではないのか、と危ぶんだ。* 科学が実際にこうした状況にあるなら、それはたしかに確実ではあるとしても、何らの効力ももたないものになることだろう。

＊ ル・ロア氏の論文「科学と哲学」(『形而上学・倫理学評論』一九〇一年)を参照。〔原注〕

科学がそうしたものであるなら、それはたしかに無力なものになるはずである。しかしながら、われわれは科学が実際に機能していることを、毎日自分たちの目で確かめている。このことは、科学が実在について何事かを知らせるというのでなければ、到底ありえないことである。ただし、科学が到達できるのは、ナイーヴな独断論者たちが考えるように、もろもろの事物自体に対してではない。科学が達するのは、諸事物同士の間の関係についてだけである。この関係以外に、科学が認識できるような実在は何もないのである。

さて、これこそが、本書の議論を通してわれわれが辿りつくであろう結論である。とはいえ、この結論に達するために、われわれは算術と幾何学から始めて、力学と実験物理学にまで至る、一連の科学を通覧する必要がある。

数学における推論の本性はいかなるものであろうか。それは普通の人々が信じているように、本当に演繹的なものなのだろうか。詳しく分析してみれば、それがまったくその種のものではなくて、ある程度まで帰納的な推論の本性をもっていること、それが豊かな知見をもたらすのは、こちらの本性によるのだということが、示されるであろう。だからといって、それが絶対的な厳密性という性格を失うというわけではない。われわれは以下で、まずこのことを示すことにしたい。

このような考察によって、さまざまな数学が探究者の手に与える道具として、その一つの機能をはっきりと知ることができたら、われわれはその次に、もう一つの基礎的な概念、すなわち数学的な意味での大小、つまり量という概念について分析を加える必要がある。われわれは数学的量を自然のなかに見出すのであろうか、それとも、自然に対して自分の方から導入するのであろうか。そして、もしも後者が正しいとしたら、すべてを偽りとしてしまう危険を冒してはいないだろうか。われわれの感覚を通して与えられる生のデータと、数学者たちが量と呼ぶきわめて複雑で精妙な概念とを比較してみると、われわれはたしかにそこに横たわる大きな断絶を認めざるをえない。したがって、われわれが一切の事物をそこへと押し込めようとする、量というこの枠組みを作ったのは、われわれ自身だということになる。とはいえ、その枠組みは勝手に作られたものではない。それはいってみればオーダーメードで作られたのであり、われわれはそれゆえに、さまざまな事象についてその本質的な性質をゆがめることなく、その枠組みにはめ込むことができるのである。

われわれが世界に対して押し付けるもう一つの枠組みは空間である。幾何学の第一原理はどこから来たのであろうか。それは論理によってわれわれの精神に課せられているのだろうか。ロバチェフスキーは、非ユークリッド幾何学を創出することによって、そうではないことを示した。では、空間は感覚を通じてわれわれに開示されているのだろうか。これもまた間違いである。なぜなら、感覚がわれわれに示すことのできる空間は、幾何学の空間と完全に異なっているからである。幾何学は経験に由来しているのだろうか。この点についてもう少し詳しい吟味を行えば、そうではないことが明らかになるであろう。したがって、われわれは幾何学の諸原理が規約にすぎないということを結論せざるをえない。ただし、その規約は恣意的なものではない以上、われわれがこの世界とは別の世界(私はそれを非ユークリッド的世界と呼び、以下にその世界を想像してみるつもりである）に移動させられたら、別の規約を採用しなければならなくなるだろう。

力学の分野でもわれわれは同じような結論に導かれるはずであり、この科学の諸原理は、幾何学の場合よりもさらに直接に経験にもとづくものであるとしても、やはり幾何学の要請のもつ規約的性格を残していることを見ることになるだろう。ここまでの議論を見ると、唯名論が優勢であることになるのだが、われわれはここで、厳密な意味での物理科学〔自然諸科学〕に行き着く。そうすると、舞台の様子は一変してしまう。われわれはそこで仮説といってもまったく別種のものに出合うことになるが、そこに仮説のもつ豊かな生産性が見出されるのである。たしかに、一見したところこれらの理論はわれわれに、かなり脆弱（ぜいじゃく）なものと感じられることであろう。また、科学史の観点からいっても、これらの理論のいくつかは短命であったといえる。とはいえ、それらは完全に死んでしまったというわけではなく、それぞれの理論から何がしか残っているものがある。われわれが見極める必要があるのは、この残されたものである。なぜなら、そこにこそ、そしてそこにだけ、真の意味での実在があるから。

物理科学の方法は帰納法的推論に依存している。この推論はわれわれに、ある現象を初めて生じさせた状況をもう一度再現するならば、同じ現象がまた繰り返して生じるであろうことを期待させる。たしかに、この種の状況を構成する一切のものが本当に同時に再現できるのであれば、この原理は少しの心配もなく適用できるであろう。しかし、再現においてそんなことは決して生じない。最初に起きた状況のいずれかが、つねに欠けた形で再現されるであろう。そうであるとすると、これらの状況の差はまったく重要ではないと絶対的確信をもっていえるだろうか。明らかにそうではあるまい。それは真らしくはあるが、厳密な意味では確実でない。そしてここに、物理的諸科学における確率という概念が果たすことになる、相当に大きな役割というものが生じるのである。確率計算は、したがって、気晴らしの作業でもなければ、トランプ遊びの手引きでもない。われわれはこの計算の諸原理を究明しようと努めなければならない。私は以下にこの原理の探究の結果を記すが、それはきわめて不完全なものでしかない。というのも、われわれが物事の蓋然性の度合を識別するのは、漠然とした本能によってであり、この本能は分析の対象となることをどこまでも拒んでいるからである。

物理学者が研究において受け入れている種々の条件を確認した後に、私は本書の後半でその仕事ぶりを示すべきだと考えた。そのためにわれわれが見るのは、光学の歴史と電磁気学の歴史に登場するいくつかの事例である。われわれはそこで、フレネルやマクスウェルのいくつかの考えがどこから来たか、アンペールと何人かの電磁気学の創始者たちが無意識のうちにいかなる仮説を生み出したのかを、見ることになるだろう。

目次

凡例

一、本書は、Henri Poincaré, *La science et l'hypothèse*, 2e éd., revue et corrigée, Paris, Flammarion, 1906.(原著第二版)の全訳である。

一、原文で強調のためイタリック体になっている語句には傍点を付した。

一、原注は当該箇所に＊を付し、その段落が終わった後に訳出した。

一、本文中〔　〕で括(くく)った箇所は訳者による補足である。

一、巻末の「付録　人名解説」は訳者が独自に作成したものである。

一、この翻訳は、原著一九六八年版を底本としているが、構成・レイアウトなどは原著二〇一七年版にだいたいならった。

科学と仮説

第一部　数と量

第一章　数学的推論の本性について

一

数学という科学については、そもそもそれが可能だということが、一つの解決不可能な矛盾であるようにも思われる。もしもこの学問が演繹的（えんえきてき）であるのは単に見かけの上だけだというのであれば、誰もが夢にも疑ってみようとも思わないこの完全な厳密性は、どこから来るというのだろうか。また、反対に、数学が言明しているすべての命題の一つ一つが、形式的な論理学の諸規則から導出されるというのであれば、なぜ数学は一つの大掛かりな同語反復の塊（かたまり）だということになってしまわないのか。三段論法はわれわれに本質的に新しいことは何も教えてくれず、一切が同一律から派生するというのであれば、一切はそこへと戻っていくことができなければならない、ということになるだろう。そうだとすると、万巻に及ぶ数学書を埋め尽くす一切の定理の陳述は、AはAである、ということの婉曲表現だと認めるべきなのだろうか。

もちろん、われわれはすべての数学的推論(raisonnement mathématique)の根本に位置するところの諸公理にまでさかのぼることができる。それらの公理を矛盾律〔ある命題とその否定の命題が同時に成り立つことはないという論理法則〕へと帰着させることはできないと考え、しかもそこに、数学的必然性にはあずかることのない経験上の諸事実を見出すことはできないとしても、われわれには、それらをア・プリオリな総合判断に分類するという別の手があるだろう。といっても、これは困難を解決したということではない。それは単に命名したということでしかない。われわれにとって総合判断が何かということがもはや謎ではないとしても、最初の矛盾が消滅したわけではなく、ただ一歩後ろの方へ戻ったにすぎない。三段論法の推論は依然として、そこに対して与えられたものに何も付け加えることがないままである。そしてこの所与のものはいくつかの公理に還元できるから、三段論法に従った推論の結論には、これ以外のものを発見することができないのである。

どの定理についても、その証明過程において新たな公理の参入がなければ、新しい定理とはなりえない。推論がわれわれに与えてくれるのは、直接的な直観から借りてこられた直ちに自明な真理以外にはない。そこで、推論とはただ公理と結論との間に寄生する媒介者ということになるが、そうであるとすれば、推論が従う三段論法という仕掛けのすべての機能は、ただ自分たちが直観に負っている負債を隠蔽(いんぺい)するためだけに役立つと、考えるのではないだろうか。

われわれが数学の書物のどれかを開いてみると、ここでいっている矛盾はさらに強く迫ってくるはずである。数学書の著者はどの頁でも、既知の命題を一般化しようという意図を表明している。そうであるのならば、数学的方法とは個別から一般へと進む方法なのであろうか。そうだとすれば、どうしてそれが演繹的だといえるのだろうか。

最後に次のような疑問もある。もしも数の科学が純粋に分析的であるか、あるいは少数の総合判断から分析的に導出されうるというのならば、十分優秀な知性にとっては、そのすべての真理を一瞬にして認識することができるのではなかろうか。さらには、これらの真理を表わすために、普通のレヴェルの知性にとっても直ちに真理が明らかになるような、非常に簡単な言語が発明される望みさえあるといえるのではないか。

こうした不条理な結論を受け入れないとしたら、数学における推論には一種の創造的な力があり、それゆえにこそ、それは三段論法とは区別されるのだ、ということを認めざるをえないのである。

実際に、数学の推論と三段論法の相違はきわめて大きいとさえいわざるをえない。われわれはたとえば、二つの等しい数に同じ演算を一様に加えれば、その結果は等しいものを生む、という規則をしばしば使用する。しかし、この種の規則の使用に数学上の謎を解く鍵(かぎ)を見つけることはない。

こうした推論の規則は、厳密な意味での三段論法に還元できるかどうかはともかくとして、分析的性格を保っている以上、まさしく無力である。

二

数学上の推論が演繹的推論に還元されるのかどうかという論争は、古くからある。ライプニッツは「2足す2は4」ということを証明しようとした。この証明を少しだけのぞいてみよう。

まず仮定として、数1の定義が与えられ、また、$x+1$ の演算の定義が与えられているとしよう。後者の演算は所与の数 x に単位数を加えることである。

これらの定義がどのようなものであれ、それらは以下の推論の過程に関与してくるわけではない。

次に、数2、3、4を次の等式を使って定義する。

(1)　$1+1=2$　　(2)　$2+1=3$　　(3)　$3+1=4$

同じく、$x+2$ という演算を次の関係によって定義する。

(4)　$x+2=(x+1)+1$

以上から次の式が得られる。

$2+2=(2+1)+1$　　定義4により
$(2+1)+1=3+1$　　定義2により
$3+1=4$　　定義3により

2+2=4　証明終わり

この推論が純粋に分析的であることは、否定しようがない。とはいえ、この例に関して問われた数学者は、誰もがこう答えるであろう。「この推論は厳密な意味での証明ではない。これはむしろ検証である」。ここでは純粋に規約的な二つの定義をそれぞれ比較したのみで、それが同一のものであることが確認されている。ここには何も新しい洞察はないのである。検証はまさに、それが純粋に分析的であり、したがって不毛であるという理由からして、本物の証明とは異なっている。それは不毛である。というのも、その結論は前提を別の言葉で翻訳したものにすぎないからである。本物の証明は反対に、豊かな生産性をもつ。というのも、その結論は前提よりもある意味で一般的だからである。

2+2=4という等式は、それがまさに個別的真理であるゆえに、検証にかけることができた。数学における一切の個別的な命題は、つねにこの種の検証にかけることが可能である。しかし、もしも数学がこれに似た一連の検証へと還元されるというのであれば、それはもはや一つの科学であるとはいえないであろう。たとえば、チェスのプレイヤーは一つの勝負で勝ったとしても、一つの科学を創造したとはいえない。科学は一般的なものにしか存在しないからである。

もろもろの厳密科学の目的は、まさしくこの種の直接的な検証のプロセスを省くことである、ということもできるだろう。

三

それでは、数学者の実際の仕事ぶりを見て、その手順を捉えてみることにしよう。ただし、この作業にも困難がないというわけではない。というのは、数学者の本を適当に開いて、何でもよいからそこにある証明を分析するというのでは、不十分だからである。

まず、幾何学を除いて考える必要がある。というのも、幾何学では要請〔公準ともいう〕の役割が何か、空間概念の本性と起源とは何か、などに関する厄介な問題があるために、話が複雑になるからである。同様の理由で微分解析についても論及できない。われわれは数学的思考を、数学が純粋な形にとどまっている分野、すなわち算術に求めなければならない。

しかも、算術についてもさらに選択が必要になる。数論のなかでも最も高度な分野においては、素朴な数学的概念が非常に洗練されたものになっているために、分析にかけるのは困難である。

したがって、われわれが探そうとしている説明を見つけるために、注意を向けるべき領域は算術の初歩だということになる。残念なことにこの領域にも、次のような厄介な事実がある。教室で使われる数学のテキストの著者たちが正確さと厳密さとについて最も不十分であったのは、まさに最も初歩的な定理の証明においてであった。といっても、このことは彼らの科（とが）であるということはできない。彼らはただ次のような必要に応じざるをえなかったのである。初学者の人たちは、本当の意味での数学的厳密さには慣れていない。彼らはそうした厳密さを、無意味で退屈な重箱の隅だとみなすだけだろう。彼らを最初から厳密性への高い要求をもった者にしようとすることは、時間の無駄ということになろう。彼らに必要なことは、この学問の基礎を作った人々が時間をかけて進んできた道筋を、できるだけ素早くかつ要所要所で立ち止まりつつ、辿（たど）ることである。

こうした完全な厳密性に、高い知性の者は自然に従うと思われるが、人がこの種の厳密性に慣れるためには、どうしてこんなに長い期間の準備が必要になるのだろうか。この問題は、深く考察してみるに値する、一つの論理学的、心理学的問題である。

しかしながら、ここではこの問題にかかずらうわけにはいかない。そうしていると、われわれは自分たちの目標から離れてしまうであろうから。ここではただ、次の点だけを確認しておこう。すなわち、われわれが自分たちの目標を見失わないためになすべきことは、初学者を勉強に引き留めておくために採用されている粗っぽい証明ではなく、熟達した数学者をも満足させることができるような形で、最も初歩的な諸定理の証明を再構成する作業である。

加法の定義

最初に、$x+1$という演算の定義があらかじめ与えられているとする。これは所与の数xに数1を加えるということである。

この定義は、それがどのようなものであろうと、以下の推論には何の影響も与えることはない。

次に、$x+a$という演算の定義を行う必要があるが、これは所与の数xに数aを加えるということである。

まず、演算

$$x+(a-1)$$

が定義されていると仮定しよう。演算$x+a$は等式を使って次のように定義されるであろう。

$$(1)\quad x+a=[x+(a-1)]+1$$

このことから、われわれが$x+a$が何であるかを知るのは、$x+(a-1)$を知るときであることが分かるだろう。そして、われわれは初めに、$x+1$が何であるかを定義によって知っている、と仮定したのであるから、$x+2$, $x+3$等々を順番に定義することができるのは、同じ演算の「回帰的な適用によって(par récurrence)」だ、ということになる〔数学的帰納法と呼ぶのが普通であるが、著者の意に従いこの用語を用いる〕。

この定義は、しばらくの間立ち止まって注視するに値する。というのも、この定義は純粋に論理的な定義とはすでに区別される、一つの特殊な性質をもっている。右の等式(1)は、実際には、それぞれ別々の定義を無限個含んでいる。そして、その別々の定義の各々は、それに先行する一つ前の定義が分からなくては意味をもたないのである。

加法の特徴

結合性——加法については次のことがいえる。

$$a+(b+c)=(a+b)+c$$

たしかに、この定理は $c=1$ のときには真である。したがって、次のように書ける。

$$a+(b+1)=(a+b)+1$$

この式は記号の表記の仕方を別にすれば、加法を定義した等式(1)とまったく変わらない。

次に、$c=\gamma$ のときに、右の定理が真であると仮定してみよう。そうすると、この定理は $c=\gamma+1$ のときにも真である。なぜなら、まず次のようにいえるとする。

$$(a+b)+\gamma=a+(b+\gamma)$$

ここから、次の式も続けて演繹することができる。

$$[(a+b)+\gamma]+1=[a+(b+\gamma)]+1$$

これと定義(1)により

$$(a+b)+(\gamma+1)=a+(b+\gamma+1)=a+[b+(\gamma+1)]$$

となる。このことから、純粋に分析的な演繹を続けることによって、定理は $\gamma+1$ のときにも真であることが示される。

$c=1$ のときに以上のことが真であるから、そこから順番に、$c=2$, $c=3$ 等々のときにもこのことが真であることになるだろう。

交換性——1°　加法については次のことがいえる。

$$a+1=1+a$$

この定理は$a=1$のときには明らかに真である。さらに、この式が$a=\gamma$のときに真であれば、$a=\gamma+1$のときにも真であることは、純粋に分析的な推論によって検証が可能である。さらに、$a=1$に関して真であるので、$a=2$や$a=3$等々の場合にも成立する。これが、言明された命題は回帰的な適用によって証明された、ということである。

2°　加法についてはさらに次のことがいえる。

$$a+b=b+a$$

この定理は$b=1$に関してはたったいま証明された。さらに$b=\beta$のときに真であれば、$b=\beta+1$のときに真であることが分析的に検証される。ゆえに、この命題は回帰的な適用によって証明されている。

乗法の定義

われわれは乗法を次の等式によって定義する。

$$a\times 1=a$$

$$(2)\quad a\times b=[a\times(b-1)]+a$$

等式(2)は等式(1)と同じように、無数の定義をうちに含んでいる。$a\times 1$を定義したことで、$a\times 2$, $a\times 3$ 等々を継起的に定義できる。

乗法の特徴

分配性——乗法については次のことがいえる。

$$(a+b)\times c=(a\times c)+(b\times c)$$

この式が$c=1$に関して真であることは、分析的に検証できる。したがって、この式が$c=\gamma$のときに真であれば、$c=\gamma+1$のときにも真であることも検証される。ゆえに、この命題は回帰的な適用によって証明された。

交換性——1°　乗法については次のことがいえる。

$$a\times 1=1\times a$$

この定理は $a=1$ に関して明らかである。

この式が $a=\alpha$ について真であれば、$a=\alpha+1$ についても真であることは分析的に検証できる。

2°　乗法については次のことがいえる。

$$a\times b=b\times a$$

この定理は $b=1$ については証明できたところである。この式が $b=\beta$ について真であれば、$b=\beta+1$ についても真であることは分析的に検証できる。

四

私は以上のような推論の単調な連続をここで打ち切ることにしよう。といっても、この単調さそのものが、かえって一様で一歩一歩繰り返される手続きを、しっかり銘記させるよい方法であるのだが。

この手続きとは回帰的な適用による証明のことである。ある定理が、まず $n=1$ の場合に関して確立される。次に、それが $n-1$ の場合に真であれば n の場合にも真であることが示される。もしもそうなら、その定理はすべての整数に関して真であることが結論される。

ここまでは、この証明法が加法の規則と乗法の規則に関してどのように使用されうるかを見てきた。これらの規則は、算術における計算の規則である。そして、その計算は単純な三段論法よりもずっと多様な組合わせに対応できる、変換の道具である。といっても、計算というこの道具はいまだに純粋に分析的な道具にすぎず、われわれに何か新しいものを理解させるものではない。数学の諸分野がこれ以外の道具を何ももたないのであれば、数学は直ちにその発展を停止していたことであろう。しかしながら、数学は同じ手続きに対し新たに助けを求めることができる、つまり回帰的な適用による推論に頼ることができるので、さらに前へと発展し続けることができるのである。

数学の推論の歩みの一つ一つに細かい注意を払えば、そこにはこの様式の推論が発見されるであろう。それはこれまで見てきたような単純な形式の場合もあるし、それよりも多少とも変形された形式の場合もあるだろう。

したがって、これこそが数学的な推論の最上のものというべきものであり、これについてはさらに詳しく吟味する必要がある。

五

回帰的な適用による推論の本質的特徴は、それがいわば単一の公式へと圧縮された形で無限個の三段論法を含んでいる、ということにある。

この点をさらによく理解してもらうために、この三段論法を一つずつ順番に述べてみることにしよう。これらはこういってよければ、滝が流れるように順番に出てくるのである。

いうまでもないことであるが、これらは仮言的三段論法〔前提が条件付き命題であるもの〕の集合である。

この定理は数１に関して真である。

ところで、これが１について真であるなら、それは２について真である。

したがって、それは2について真である。

ところで、これが2について真であるなら、それは3について真である。

したがって、それは3について真である、以下同様に続く。

見てのとおり、この推論の系列では、個々の三段論法の結論が、次に来る三段論法の小前提の役割を果たす。

さらに、ここでのすべての三段論法の大前提は、単一の公式へと還元できる。

すなわち、定理が$n-1$について真であるなら、それはnについて真である。

ここから、回帰的な適用による推論においては、最初の三段論法の小前提と、すべての大前提を特殊例として含むこの一般的公式を言明するだけでよい、ということが分かる。

この終わりのない三段論法の系列は、かくして、二、三行で書けるフレーズに還元されることが分かるのである。

したがって、私が先に述べた、ある定理から導出される個々の帰結が、純粋に分析的な手続きによって検証されるということの理由は、いまや容易に理解されることであろう。

ある所与の定理がすべての数に関して真であることを示すのではなく、たとえば数6について真であることだけを示したいのであれば、この滝のように流れる三段論法の最初の五回を確証すればよいし、数10について真であることを示したいのであれば、この滝のような推論の最初の九回を確証すればよい。さらに大きな数について真であることを示したければ、もっと多数の回数の推論を確証する必要がある。とはいえ、どんな大きな数であってもその数に到達することで、この推論の系列は終結するであろう。だから、これらについては分析的な検証が可能だというわけである。

ところが、われわれがこのような仕方でどれほど遠くまで進むことができたとしても、すべての数に適用可能な一般的な定理にまで上り詰めることはできない。しかるに、科学にとってはこの一般的定理こそが唯一の対象となりうる。そこに到達するためには無限回の三段論法を必要とするが、そのためには形式的論理のみに頼る、分析者の忍耐力が決して埋めるところまでもちこたえないであろう、断絶を乗り越える必要があるのである。

私はこの章の初めの方で、次のような問いを立てていた。非常に優秀な精神であれば、数学的真理の総体を一目ですべて把握できそうであるのに、そのような精神が考えられないのはなぜなのか。

いまやこの問いに答えるのは容易である。チェスのプレイヤーは、四手先や五手先の駒の組合わせを予見することはできるが、彼の能力をどれほど優れたものに見積もっても、無限の先の手まで用意があるとはみなせないだろう。同様に、彼の能力を算術に適用した場合、一般的真理を一回の直接的な直観で見通すことはできないであろう。最も小さな定理についてでさえ、その一般的真理にまで到達するためには、回帰的な適用による推論の助けを免れるわけにはいかない。これこそが、有限の段階から無限の段階へと移行することを許す道具なのだから。

この道具はつねに有用である。というのも、この道具を使えばわれわれが欲するどの段階へも、ひとっ跳びに到達することができて、われわれにとって長々と単調で退屈な、たちまち実行不可能になるような検証という手続きを、なしですますことが可能になるからである。しかし、この道具は、一般的な定理を目指す場合には、有用以上に必要不可欠である。分析的検証はわれわれをそこへと絶えず接近させるが、しかし決して到達させないからである。

算術のこの領域は、無限小解析〔微分積分学〕の足元にも及ばない世界だと思う人もいるだろう。とはいえ、以上に見てきたとおり、数学的無限の概念はそれよりも手前のところで、すでにきわめて重要な役割を果たしており、これなしでは一般的なものは存在しなくなるであろうから、学問としての科学もないことになるのである。

六

回帰的な適用による推論が依拠する判断については、別の形で表わすこともできる。たとえば、無限個の異なった正の整数からなる集合には、他のすべての数よりも小なる数がつねに存在する、ということができるだろう。

ところで、回帰的な適用による推論では、ある言明から別の言明に容易に移行できるので、この推論の正当性は証明されているのだという錯覚を抱く人がいるかもしれない。しかし、この証明作業はどこかで必ず停止し、証明不可能な公理へと到達することになる。これは結局、証明すべき命題を別の言語で翻訳したということに他ならない。

したがって、結論としてこういわなければならない。回帰的な適用による推論の規則は矛盾律には還元不可能である、と。

この規則は他方、経験によってわれわれにもたらされたものでもない。われわれが経験によって把握できる事柄は、この規則がたとえば最初の十の数や、百の数に関して真であるということでしかない。それは数の無際限な系列にまで達することはできず、ただ大なり小なりの長さをもった、あくまでも有限な、系列の一部分に達することができるだけである。

さて、話が有限な系列だけのことであれば、矛盾律だけで十分であり、この原理はいつも、われわれが欲するいかなる三段論法的推論であっても、展開することを可能にしてくれる。ところが、ひとたび無限回の推論を単一の公式に含めようとするならば、あるいはひとたび無限を前にするならば、この原理では手に負えないことになり、経験もまた同じように無能になってしまう。つまり、この規則は分析的な証明によっても経験によっても到達不可能であり、それゆえにこそ、ア・プリオリな総合判断というものの真なるタイプだということになる。われわれはまた、幾何学における いくつかの要請のような、一つの規約をここに見出すということもできないのである。

それではなぜ、この判断はわれわれに対して、抗(あらが)いがたい明証性をもって課せられているのであろう。その理由は、この総合判断こそわれわれの精神的能力の存在の証（あかし）であり、この能力はわれわれに、一旦（いったん）ある操作が可能になるならば、その無際限な繰り返しを想定することを可能にさせるからである。精神はこの能力について直接的な直観をもち、経験の方はその直観を利用し、それについて意識する機会を作るだけなのである。

　ところで、もしも手を加えられていない生（き）の経験が、回帰的な適用による推論を正当化することができないとすれば、帰納法的推論によって助けられた実験についても同じことが当てはまるのだろうか。われわれは、数学上のある定理が数１、数２、数３について真であり、その続きについても順番に真であると分かれば、それは明白に真であるという。非常に大きいがしかし有限な数の観察にもとづく物理学上のすべての法則について、同じく明白に真であるといわれる。

　たしかに、帰納法というわれわれの習慣となっている手法とここでの推論の間に、顕著な類比があることを見逃すことはできない。とはいえ、本質的な相違は解消されないのである。物理的な諸科学において適用される帰納法的推論は、つねに不確実なものである。というのもこの推論は本来、宇宙の一般的秩序というものを信じることにもとづいているが、その秩序はわれわれの外に存在する秩序だからである。反対に、数学的帰納法、すなわち回帰的適用による証明は、必然性をもってわれわれに課せられている。というのも、この推論は精神それ自体の一つの特性の存在の証に他ならないからである。

七

先に述べたように、数学者たちはつねに、自分が手に入れた命題を一般化しようと努めている。他の例を探す必要もないので、すでに証明してある等式を使って、このことを確認しよう。われわれはすでに、

$$a+1=1+a$$ から

$$a+b=b+a$$

という等式を確立した。これは明らかに前者より一般的である。

それゆえ、数学は他の科学同様に、個別から一般へと進んでいくことができる。

われわれがこの考察を始めた時点では、この点はよく理解できなかったかもしれな

いが、いまやどこにも不可思議な点はないことが分かる。というのも、回帰的な適用による証明と通常の帰納的推論との間にある類比を、はっきりさせたからである。たしかに、回帰的な適用による推論と物理学における帰納的推論は、異なった基礎にもとづいてはいるが、その進行のあり方はパラレルであり、同じ方向に向かって進む。それはつまり、個別から一般へ、という方向である。

この事柄をさらに詳しく検討してみよう。

次の等式を証明しようとすれば、

(1)　$a+2=2+a$

次の規則を二回適用して、

$$a+1=1+a$$

そして次のように書けばよい。

(2)　$a+2=a+1+1=1+a+1=1+1+a=2+a$

かくして、等式(2)は等式(1)から純粋に分析的な方法で演繹されているが、しかしこの式は単純に(1)の個別例ではなく、別のものである。

したがって、数学の推論の本当に分析的で演繹的な部分においても、普通いわれる意味で、一般から個別へと進んでいるとさえいえない。

等式(2)の両辺は、単に等式(1)の両辺よりも、もっと複雑な組合わせである。分析が役に立つとすれば、それはこの組合わせを作っている要素を分離し、それらの間の関係を研究する場合だけである。

それゆえ、次のようにいうことができる。すなわち、数学者は「構成(construction)によって」進む、と。数学者は次々とより複雑な組合わせを「構成する」。彼はその後で、この組合わせ、この全体についての分析を通じて、いわばその元の要素ともいうべきものへと帰ってくる。彼はそれらの要素同士の関係を認識し、そこからこの全体そのものの関係を演繹するのである。

ここにはたしかに純粋に分析的な歩みがあるが、そうだからといってそれは一般から個別への歩みではない。なぜなら、明らかに、全体の方がその要素よりも個別的であるとみなすことはできないからである。

ここでいう「構成」という手続きについては、当然ながらこれまでにも大きな意義が認められてきたし、ここにこそ厳密科学の進歩のための必要十分条件がある、と考えようとした者もいる。

といっても、それは疑いもなく必要ではあるが、十分なのではない。

何らかの数学的構成が有用でありうるために、そしてそれが精神にとって徒労とならないために、さらには、もっと上へと進むための踏み台の役割を果たすためには、それがまず一種の統一性をもっていて、諸要素の並置以上の何ものかであることを認めさせるものでなければならない。

もっと正確にいうと、それらの要素そのものを考察するよりも、この構成物を考察した方が有利だとみなされる必要がある。

この有利さとは何なのだろうか。

たとえば、一つの多角形は、必ずいくつかの三角形に分解できるが、それらの三角形ではなく、多角形について論じるのはなぜなのだろうか。

その理由は、任意の数の辺からなる多角形について証明できるような、いくつかの特徴が存在するため、どれか任意の個別的な多角形に関して、この特徴を直ちに当てはめることができるからである。

ところが反対に、要素になっている三角形同士の関係を直接に研究することで、この特徴を発見しようとすれば、普通はこれよりももっとずっと時間のかかる努力を必要とするであろう。一般的な定理を知っていることが、われわれの努力を軽減するのである。

したがって、一つの構成は別の類似の構成と並んで、同類の種を形成できる場合以外には、興味のもてるものではない。四角形が二つの三角形の並置とは別物であるのは、それが多角形という類に属するからである。また、一つの類については、それに属する個別の種に関する特徴を順々に確証するまでもなく、その諸特徴を証明することができねばならない。

この証明を行うためには、個別から一般へと、梯子(はしご)の段を一つあるいは多数昇ることが必要である。

「構成による」分析的手順は、われわれにこの梯子を降りてくるように仕向けることはしないが、しかしわれわれを同じ水準にとどめおくのである。

数学的帰納法によらなければ上に昇ることができず、これのみが何かしら新しいことを教える。この方法は、物理学の帰納法と異なったところはあるものの実り多いもので、この助けなくして構成的手順のみでは科学的創造性を生み出す力はないだろう。

数学的帰納法というこの方法は、同一の操作が無際限に繰り返すことができる場合にのみ可能であるということを、最後に確認しておこう。この理由からして、チェスの指し方に関する理論は科学にならないのである。というのも、試合に使われるさまざまな手は互いに異なるからである。

第二章　数学的量と経験

数学者は連続体というもので何を理解しているのかを知りたいと思ったら、幾何学に向けてこの問いを投げかけても無駄である。幾何学者はつねに、多かれ少なかれ、自分が研究している図形を心に表象しようと努めているが、この表象は幾何学者にとっては単なる道具にすぎない。その幾何学研究において、チョークを使うように、延長体を使うのである。それゆえ、われわれとしては、チョークの白さと同様に本質的ではないことについて、あまり注意を払いすぎないよう気をつける必要がある。

純粋な解析学者はこの種の落とし穴に陥る心配がない。彼は数学から一切の外在的な要素をはぎ取っているので、われわれの問いに答えることができる。数学者たちが推論の対象としているこの連続体とは正確には何なのか。自分の専門分野に反省を加えてきた解析学者の多くは、この問いに実際に答えている。たとえば、タンヌリ氏は

『一変数関数論入門』において、その答えを与えている。

まず、整数の梯子（はしご）というものから話を始めることにしよう。整数の梯子から任意の隣り合う横木二本を選んで、それらの間に別の一本以上の横木を挿入し、さらにそれらの間にも中間の横木を挿入するという形で、この操作を無際限に行うとしよう。われわれはこれによって、無限個の項を手にすることになるが、それらは分数とか、有理数とか、通約可能数(fractionnaires, rationnels, commensurables)と呼ばれる数である。しかし、これではまだ十分ではない。注意してほしいが、これら(すでに無限個の個数の項が存在するが)の間にさらに横木となる数の挿入を行わねばならない。これらが無理数とか通約不可能数(irrationnels, incommensurables)と呼ばれるものである。

ここから先に進む前に、まず最初にコメントしておくことにしたい。右のように梯子のイメージで把握される連続体は、何らかの順序に従って配置された個体の集合以上のものではない。それらの個体はたしかに数に関して無限であるが、しかし互いに外的な関係を保っている。これは普通の意味での連続体の概念ではない。普通の概念では、連続体を作る要素の間には親密な結びつきがあって、それらが一つの全体をなしている。この考えに従えば、線に先立って点があるのではなくて、点に先立って線がある。連続体とは多数性における一体性である、という有名な定式化がある。ところがいまの例では、多数性だけが残っていて、一体性の方は失われている。そこで、解析学者たちが自分の流儀で連続体を定義するのは当然のことである。彼らは連続体に注目するということのゆえに、自分たちの厳密さを誇ることができるからである。われわれとしてはただ、数学における真の連続体は、物理学者たちや形而上学者たちのいう連続体とはまったくの別物だ、ということに注意しておくだけで十分である。

あるいは次のような文句が出るかもしれない。連続体についての右のような定義を与えただけで満足しているような数学者は、言葉にごまかされているのであって、定義ではさらに、中間の横木の各々の特性について正確に述べられる必要があり、それらがどのように挿入されるかが説明され、それが可能であるかについても示される必要がある、と。しかしながら、このような文句は間違っている。数学者の推論に登場する横木に付与された性質は、他の横木に対して先行ないし後続するという性質だけである。* したがって、定義に関与するべきものとしては、これだけで十分なはずである。

＊この他に加法の定義に使われる特別な規約も含まれているが、それについては後で〔「可測的な量」の節で〕述べる。〔原注〕

それゆえに、われわれは中間の項を挿入する仕方について気を配る必要はない。また、数学者の言葉では、「可能性」とはただ矛盾を免れているということだけを意味するのを忘れないかぎり、この操作の可能性について疑いを抱く者はいないのである。

といってももちろん、われわれの定義がまだ完全でないことは確かである。そこで、一旦かなり長い脇道にそれた議論をすることにし、その後で、もう一度連続体の話に戻ってくることにしよう。

通約不可能数の定義

ベルリン学派の数学者たち、とりわけクロネッカー氏は、分数と無理数からなるこの連続的な梯子を、整数以外の何の材料も使わずに構成することに努力を傾けてきた。この観点からいえば、数学的連続体は、経験が介在する余地がまったくない、純然たる精神の創造物ということになるだろう。

彼らにとって有理数の概念はいかなる困難も引き起こさないと考えられたために、彼らはその注意を主として通約不可能数〔無理数〕の定義に集中した〔有理数・無理数の方が普通だが、著者に従い通約可能数・通約不可能数の用語を用いる〕。その定義を再現する前に、数学者たちの行動習慣にあまりなじみのない読者にとっては、間違いなく生じるであろう驚きを防ぐためにも、私はここで次のような注意を与えておきたい。

数学者たちが研究しているのは、もろもろの対象ではなくて、対象間の関係である。それゆえ彼らにとっては、何らかの対象が別の対象に置き換えられても、それらの間の関係さえ変化しないのであれば、どうでもよい。それらを作る素材は彼らの注意をひかず、興味はもっぱら形式の方に注がれる。

われわれがこの点を忘れていると、デデキント氏が一つの単純な記号に対して通約不可能数という名称を与えたことは、ほとんど理解できないであろう。それは、われわれがもつべきと考えている量の観念とは非常に異なった何かである。われわれは、量とは測定可能でほとんど触ることのできるものだと考えているのである。

それではデデキント氏の定義がどのようなものであるかを、見てみることにしよう。

通約可能数の全体は、第一のクラスの数のどれもが第二のクラスの数よりも大であるという条件に従うように、二つのクラスに分けることができる。この分割は無数の仕方で行うことが可能である。

また、第一のクラスに含まれる数については、そのクラスの他のすべての数よりも小さい数が存在することも可能である。たとえば、われわれが第一のクラスに2よりも大きなすべての数と2そのものを配置し、第二のクラスに2よりも小さいすべての数を配置するなら、2が第一のクラスの最小の数であることは明らかである。したがって、2という数をこの分割の象徴記号として選ぶことができる。

これとは逆に、第二のクラスにおいて、残りのすべてよりも大きな数が存在する、ということも可能である。たとえば、第一のクラスは2よりも大きなすべての数を含み、第二のクラスは2よりも小さいすべての数と、2そのものを含んでいるとすれば、このとおりになるだろう。ここでもまた、この分割の象徴記号として数2を選ぶことができるであろう。

しかしながら、これらの分割と同じように可能な場合であるが、第一のクラスには残りのすべてよりも小さい数を見出すことができず、第二のクラスには残りのすべてよりも大きい数を見出すことができない、という場合も起こりうるだろう。たとえば、第一のクラスにその二乗が２よりも大きいすべての通約可能数を含め、第二のクラスにその二乗が２よりも小さいすべての通約可能数を含めた場合を考えてみよう。われわれはこの場合には、二乗が厳密に２となる数はどちらのクラスにも含まれていないことを知っている。第一のクラスに残りのすべてよりも小さい数は明らかに存在しない。なぜなら、その二乗がいかに２に近い数をとっても、それよりも二乗が２に近い通約可能数をつねに見出すことができるからである。

デデキント氏の観点からすると、通約不可能数

$$\sqrt{2}$$

とは、通約可能数をクラスに分割するこの特殊な方法を象徴する記号に他ならない。そして、いかなる分割のやり方に関しても、通約可能数であるか通約不可能数であるかを問わず、その象徴記号となる一つの数が存在する。

とはいえ、われわれがこのような説明だけで満足するとすれば、これらの記号の起源に関わる事情について、まだまだ忘れていることが多すぎる。われわれはさらに、

それらの記号に一種の具体的な現実存在を与えることになった理由を問う必要があるし、一方では、この困難が分数においてさえすでに生じているのではなかったのか、と問う必要もある。そもそもわれわれは無限に分割可能なものとして認識される具体的素材、つまり一個の連続体として認識される素材をあらかじめ知っていなかったとしたら、それでも、この種の数の概念を得ることができたのであろうか。

物理的連続体

そこでわれわれは、数学的連続体の概念が、経験のみから単純に導出されるものではないのかどうか、という問いに進む必要があるだろう。もしもこの概念が経験に由来するのだとすれば、経験からの生(き)のデータ、つまりわれわれの感覚は、測定が可能だということになる。そしてわれわれはそれが、まさにそのとおりだと信じたくなる。というのも、最近では感覚を測定する試みがなされており、フェヒナーの法則という名で知られている法則さえも定式化されているからである。この法則によれば、われわれが感じる感覚は刺激の対数に比例するとされている。

しかし、この法則を打ち立てるためになされた実験をさらに詳しく吟味してみると、われわれはまったく反対の結論に導かれることであろう。実験ではたとえば、一〇グラムの分銅Aと一一グラムの分銅Bとが、同一の感覚を生み出すこと、また、分銅Bと一二グラムの分銅Cは識別できないこと、しかし、AはCとは容易に区別されること、が観察されている。したがって、これらの実験の生のままの結果は次のように表わすことができる。

A＝B,　B＝C,　A＜C

これこそ、感覚に与えられている物理的連続体の式とみなすことができよう。

しかし、ここにはまさに、論理学における矛盾律との耐えがたい不一致が存在している。われわれはこの不一致を消滅させる必要からこそ、数学的連続体を新たに創作することを強いられたわけである。

したがって、こう結論せざるをえない。すなわち、数学的連続体はそのすべてが精神によって創造されたのであるが、その機会を提供したのは経験である、と。

第三の量に対して等しい二つの量が、互いには等しくないということを、われわれは信じることができない。そこで、AとBは異なり、BとCも異なる、という想定に立ったにもかかわらず、このことを区別できなかったのは感覚の不完全性による、と考えるようになるのである。

数学的連続体の創造

第一段階――これまでのところは、経験において見出される右のような事実を説明するために、AとBという項の間に少数の互いに区別された項を挿入すれば十分であっただろう。しかしここで、われわれが自分たちの感覚能力の弱さを補うために、何らかの器具の助けを借りることになったとしたら、どうなるかを考えてみよう。たとえば、顕微鏡を使ってみるならば。そうすると、先ほどのAとBのようにこれまでは区別不可能であった項が、いまや互いに別々のものに見えるようになるだろう。しかし、別々のものになったAとBの間には、AともBとも区別できないような、Dという新しい項を挿入することができるであろう。そこで、われわれが最も精巧な方法を使ったとしても、われわれの実験がもたらす生の結果はつねに、そこに本質的に付随する矛盾を伴ったものとしての、物理的連続体の特徴を出現させるのである。

われわれがこの矛盾から逃れようとすれば、すでに区別されている項の間に次々と新しい項を挿入することしかできないが、この操作は無際限に続けられることになるだろう。われわれが望遠鏡によって銀河を別々の星の集まりに分解できるように、物理的連続体を別々の要素に分解できるような、非常に強力な器具を思い浮かべることさえできれば、この操作をどこかで止めることもできそうに思われる。しかし、そうした器具は想像できないのである。というのも、われわれが何らかの器具を使うとき、われわれが頼りにするのはつねに自分の感覚器官だからである。顕微鏡で拡大された像を観察するのは目によってである。したがって、顕微鏡の像は視覚的感覚の諸性格をつねに保ったままであり、つまるところ、物理的連続体の性格を残しているのである。

感覚によって直接に観察される、ある長さと、その半分の長さを顕微鏡で二倍にしたものとは、まったく区別できない。全体はその部分と等質である。ここにはまた新たな矛盾が生じている。あるいは、項の数が有限であると想定されている場合には、このことは矛盾である。実際に、全体が含む項よりも少ない数の項しか含まない部分が、全体と似ていることなどありえないのは明らかである。

ところが、項の数が無限であるとみなされるやいなや、この矛盾は消滅する。たとえば、たしかに偶数の全体が整数全体の部分にすぎないにしても、整数の全体が、その部分にすぎない偶数の全体と相似であることを妨げるものは、何もない。実際に、それぞれの整数には、その二倍である偶数が対応しているからである。

とはいっても、われわれの精神を無際限な数の項によって形成される連続体という概念の創造へと導いたのは、単にこうした経験的なデータのうちに含まれる右のような矛盾を解消する、という目的だけではない。

すべては整数の系列と同じように進行する。複数の単位からできた集合には、単位をさらにもう一つ加えることができる。われわれはこのことを認識する能力をもっている。たしかにわれわれがこの能力を発揮する機会を得るのは、経験のおかげであるし、それを意識するようになるのも、経験のおかげである。しかし、われわれがそのことを意識した瞬間から、自分のこの能力には限界がなく、自分ではこれまで有限な数の対象しか数える必要がなかったにもかかわらず、無限に数えることができるだろう、という感じをもつ。

同じようにして、一つの系列に属する継続的な二つの項の間に、中間的な項を挿入するに至るやいなや、われわれはこの操作が、一切の限界の彼方(かなた)にまで継続できるのであり、いわばそれが停止しなければならない内的理由は何もない、ということを感知するのである。

以下での表現を単純にするために、これからは、通約可能数の梯子と同じ法則に従って形成される項からなる全体については、そのすべてを第一階の数学的連続体と呼ぶことにする〔可算無限とか可付番無限などとも呼ばれている〕。そして、もしも通約不可能数の形成の法則に従って新しい横木が挿入されるとすれば、われわれがそれによって手に入れるのは第二階の連続体である、ということにする〔非可算無限とも呼ばれている〕。

第二段階――さて、われわれはまだほんの第一歩を踏み出したにすぎない。われわれはこれまで、第一階の連続体の起源を説明した。しかし、これではまだ不十分であり、われわれがさらに通約不可能数を考え出さねばならなかったのはなぜなのか、その理由を知る必要がある。

もしもわれわれが一本の線を心に思い描こうとするなら、それは物理的連続体のいろいろな特性を伴ったものにならざるをえないであろう。つまり、その像は何らかの幅をもったものとして表象せざるをえないはずである。したがって、われわれにとっての二本の線は、細い幅をもった二つの帯として現れるはずである。そして、人がこうした粗っぽい像でよしとするなら、これらの線が互いに交わる場合に、そこに共通の部分が得られることは明らかである。

ところが、純粋数学者はこれ以上の努力を払おうとする。感覚の助けを捨てることなく、さらに、太さのない線、広がりをもたない点という概念を手に入れようとする。線を次第に細くなっていく帯の極限とみなし、点を次第に小さくなっていく領域の極限とみなすことによって、その概念へと至る。つまり、われわれが手にしている二本の帯は、その幅がいかに狭いものになっても、つねに共通の領域を残していて、その面積は帯の幅が狭くなればなるほど小さくなる。純粋数学者はこの領域の極限を点と呼ぶのである。

交差する二本の線は共通の一点をもつ。このようにいわれるのは以上の理由からであり、この真理は直観的に明白であると思われる。

ところが、ここでの二本の線が第一階の連続体として把握され、数学者が描く線には有理数からなる座標に対応する点しかないものとして理解されているならば、この考えには矛盾が含まれる。この矛盾はたとえば直線と円の存在を承認するなら、直ちに露呈する。

実際、通約可能数によってできた座標に対応する諸点のみが実在的なものであるとすると、一つの正方形に内接する円と、この正方形の対角線とは、交点をもたないことは明らかである。なぜならそれが交差する点の座標の値は、通約不可能数だからである。

といっても、このように通約不可能数のいくつかを得ただけでは、そのすべてを得たことにはならないので、これだけでもまだ不十分である。

そこでさらに、一本の直線があって、それは二つの半直線に分割されていると考えることにする。二つの半直線のどちらも、われわれの想像力に従えば、一定の幅をもった帯であるように見える。二つの帯は、それら同士の間に隙間(すきま)がないので、互いに侵食し合っている。これらの帯がそれぞれ次第に細くなっていくと想像してみるとき、二つの帯の共通部分は、存続し続ける点のように見えることだろう。したがって、一本の直線が二つの半直線に分割されたとき、これらに共通の境目は一つの点であることを、直観的な真理として認める。これこそまさに、デデキント〔原著ではクロネッカーとなっている〕が生み出した概念である。この概念によれば、通約不可能数とは、有理数の二つの集合が、共通に有する境目なのである。

第二階の連続体の起源はここにあり、これこそが厳密な意味での数学的連続体である。

要約——要するに、人間精神には記号的象徴を創造する能力が備わっており、それゆえにこそ、記号的象徴の一つの固有なシステムに他ならない数学的連続体というものを構成したのである。精神の能力は、あらゆる矛盾を避けるべしという条件以外に、制約を受けることはない。とはいえ、精神が実際にその能力を発揮することになるのは、経験がその理由を提供する場合のみである。

われわれがここで問題にしているケースでは、経験が提供する理由とは、感覚によって生な形で与えられたものに由来する、物理的連続体の概念であった。ところがこの概念は、どこまでも回避を要求してやむことのない、一連の矛盾をもちこんでくる。そこでわれわれは、次第に複雑になってくる記号の体系を想像せざるをえなくなるのである。われわれがとどまりたいと思うのは、単に内在的な意味で矛盾を免れた場所ではない。それだけであれば、われわれがこれまで乗り越えてきたすべての段階は、いずれもその種の条件を満たしている。われわれにとって必要な場所は、経験を通して多少とも洗練されてきた概念が導き出した、いわゆる直観的な種々の命題とも矛盾しないような、そういう状態である。

可測的な量

ここまでわれわれが検討してきた量(grandeurs)は、可測的(*mesurables*)ではない。もちろん、これらの量の一つが別の量よりも大きいとはいえるが、それがもう一つよりも二倍大きい、あるいは三倍大きいとはいえない。

私がここまで実際に関心を払ってきたのは、さまざまな項が配列される順序についてだけである。しかし、これだけでは数の大部分の応用にとっては不十分である。どれであれ二つの項を隔てる間隔について、比較するすべをさらに学ぶ必要がある。数学的連続体が可測的な量になるのは、この条件によってのみであり、これによって算術という操作の適用が可能になるのである。

この適用は、新しい特殊な規約の助けをまって初めて可能になる。これこれの場合に、項Aと項Bの間に見られる間隔が、項Cと項Dの間の間隔と等しいと規約する。たとえば、われわれは本章の考察の初めの方で、整数の梯子というモデルから出発し、継続する二つの横木の間にn本の横木を挿入できる、という想定を行った。ここで規約によって、これらの新しい横木が互いに等間隔である、と考えることが可能である。

これはまさに、二つの量の加算を定義する一つの方法である。というのも、ＡＢの間隔が定義によってＣＤのそれに等しいのであれば、ＡＤの間隔は定義によって、ＡＢとＡＣの間隔同士を合計したものに等しくなるからである。

この定義は甚だしく恣意的な性格を残している。といっても、完全に恣意的だというわけではない。この定義はいくつかの条件には従っていなければならず、たとえば交換則と結合則には従っている必要がある。しかし、この定義がこれらの規則を満たすように選ばれていれば、その選び方によらず、それ以上の厳密化は無用である。

いくつかの注記

いまやわれわれは、いくつかの重要な問いを提起することができる。

1° 精神の創造的能力は、数学的連続体の創造によって、すべてを使い尽くしたのか。

否。デュ・ボア＝レーモンの業績がこのことを非常に鮮やかに証している。よく知られているように、数学者たちは無限小に関して種々の位数を区別しており、第二位の無限小はそれ自体として、絶対的な意味で無限に小さいばかりでなく、第一位の無限小との比較においてもそうである〔たとえば関数 $f(x)$ が、x がゼロに近づく極限でゼロに近づく場合を考えると、x^n と同じ速さでゼロに近づくとき、n を無限小の位数と呼ぶ〕。その位数が分数や無理数である場合でも、無限に小さな量を想像することは困難ではなく、前の方の議論の対象となっていた、数学的連続体における横木のモデルをここでも再び見出すことができる。

とはいえ、この話にはさらに先がある。第一位の無限小に比較して無限に小でありながら、反対に、ε がどれほど小さくとも、$1+\varepsilon$ の位数の無限小に比較すると無限に大であるような、無限小が存在する。したがって、われわれの系列のなかに、さらに新しい項が付け加えられる。ここで少し前に使った用語法に戻ることが許されるならば、たしかにその用語はいまだ一般的用法として定着しているわけではないが非常に便利な用語として、ここには第三階の連続体ともいうべきもの〔連続関数の集合を連想されたい〕が創造されている、ということができる。

この話をさらに遠くまで進めることは困難ではないが、そうしても単に空疎な精神の遊びにふけることにしかならないだろう。われわれはそのとき、応用の可能性のない記号的象徴を想像するだけであるから、それを考案しようとする人は誰もいないはずである。無限小の多様な位数に関する考察は、現実の第三階の連続体へと導いた。とはいえ、この概念そのものが、市民権を得るにはあまりにも有用性が少ないために、幾何学者たちもこれを単なる好奇心の対象としてしかみなしていない。精神が創造的能力を発揮するのは、もっぱら経験が精神に対してその必要を課する場合に限られるのである。

2° ひとたび数学的連続体の概念が手に入ったならば、われわれはこの概念を生むことになった矛盾に似た他の矛盾からも免れているということになるのだろうか。否。私はそうした矛盾の一例をここで与えてみたい。

すべての曲線が接線をもつことは明白である。われわれは普通こう考えがちであり、そう考えないためには、かなりの学識が必要とされる。実際に、一本の曲線と別の一本の直線とを二つの幅の狭い帯として思い描いてみる。そうすると、それらが交差することなく、しかも共通部分を有するように配置することはつねに可能であろう。そして、これらの二つの帯の幅が無際限に縮んでいくと想像するなら、この共通部分がどこまでも存続し、二本の線はいわばその極限において、互いに交差はしないが一つの共通点をもつことになるであろう。かくしてそれらは接することになる、と思われるのである。

このような仕方で推論している数学者は、自分で意識しているか否かは別にして、二本の線が交わるときには一点が共有されるという、先の証明で用いた発想と同じことしかここでも用いていないのであるから、前の場合と同じように、自分の直観は完全に正当なものだと思っていることもありうるであろう。

しかしながら、この直観はその数学者を誤らせている。接線をもたぬ曲線は存在する〔フラクタル曲線などを連想されたい〕。このことは、ある曲線が解析的に第二階の連続体として定義されているときは、証明可能である。

疑いもなく、前に見た場合と類似した、何らかの人工的な工夫をこらすことで、この矛盾を回避することはできるだろう。しかし、このような事態は非常に例外的な場合にのみ見出されるのであるから、あまり真剣な注意を払う必要はないであろう。われわれは自分の直観と解析とを調和させるために、どちらかを犠牲にすることを余儀なくされているわけだが、解析の方は非の打ちどころがないはずである以上、結局間違っていたのは直観の方だ、ということになる。

多次元の物理的連続体

私は先に、われわれの感覚器官から直接に得られる物理的連続体について検討した。それはいわば、フェヒナーの実験における生のままの結果にもとづくものであった。先に確認したように、その結果は次のような矛盾した式に要約される。

$$A=B, \quad B=C, \quad A<C$$

いまやこの概念がいかなる形に一般化され、そこからいかにして多次元の連続体という概念が生まれたかを見ることにしよう。

いくつかの感覚が集まった複合的感覚というものを考えて、その任意の二つを取り出してみよう。われわれはこれらの一方を他方から識別できるかもしれないし、そうでないかもしれない。フェヒナーの実験では、一〇グラムの分銅と一二グラムの分銅は互いに区別できるが、そのどちらも一一グラムの分銅とは区別できなかったのと同じである。私が多くの次元をもつ物理的連続体を構成するためには、これだけの想定で十分である。

まず、こうした複合的感覚の一つ一つを要素(*élément*)と呼ぶことにする。これは数学者が扱う点に類比的なものである。ただし、まったく同じものではない。われわれの要素は広がりをもたないとはいえない。なぜなら、われわれは一つの要素をその隣の要素と区別することができず、それはいわば霧に包まれたようになっているからである。もしも天文学の比喩を使ってよいならば、数学上の点は星のようであるのに対して、われわれの「要素」は星雲のようだといえるだろう。

このことを仮定すると、複数の要素からできている一つのシステムは、次の条件を満たすときに一つの連続体となる。すなわち、一つの要素がそれに先行する要素と識別できないほどに次々と連鎖していて、その連鎖のつながりを利用することで、一つの要素から同じシステムのなかの任意の要素へと移動できる、という条件である。孤立した要素が点に相当するのと同様に、この連鎖は数学者にとっての線に相当するであろう。

さて、話を先の方に進めてしまう前に、切断(*coupure*)とは何かということを説明してておく必要がある。一つの連続体Cを取り上げてみて、そこからいくつかの要素を取り除き、それらはこの連続体に含まれていないと当面はみなすことにしよう。こうして取り除かれた要素の集まりを切断と呼ぶ。この切断のおかげで、Cは互いに区別される複数の連続体へと細分化され(*subdivisé*)、残っている要素の集まりは、もはや単一の連続体を形成しなくなることもありうるであろう。

この場合、Cの上にはAとBという二つの要素があるが、それらは別々の二つの連続体に属しているとみなさなければならないことが起きるだろう。このことは、CにおいてAから出発してBに至るような継起的要素の連鎖を見出すことが不可能だ、ということによって知られる。そのような状況は、先行する要素とそれに続く要素は識別不可能である以上、この連鎖の要素の一つは切断の要素の一つと識別できず、その結果Cから除外されているはずである。

しかし反対に、連続体Cを細分化するためには、以上の仕方で作られた切断では不十分だ、ということもありうる。そこで、われわれはいくつかの物理的連続体を分類するために、それらの連続体を分割するのに必要とされる切断がいかなるものであるのかを、厳密に吟味する必要がある。

連続体Cが、互いに識別可能な有限の要素へと還元できるような切断によって、(つまり、それ自身が一つの連続体にも、いくつかの連続体にもなることがないような切断によって)細分化できる場合には、このCを一次元の連続体と呼ぶことにしよう。反対に、Cを細分化するための切断が、それ自身も連続体によりできている場合には、Cは複数の次元をもつということにしよう。切断が一次元の連続体で十分であるとき、Cは二次元をもつという。二次元の切断で十分なとき、Cは三次元をもつといい、以下同様に続く。

かくして、複合的感覚の二つが互いに識別可能であったり、不可能であったりするという非常に単純な事実のおかげで、多次元の物理的連続体という概念の定義が見出されるのである。

多次元の数学的連続体

n次元の数学的連続体という概念は、本章の最初のところで考察したプロセスと同様のプロセスによって、まったく自然に導きだされた。周知のように、こうした連続体上の点は、その座標と呼ばれるn個の別々の量が作る一つのシステムによって定義される、とわれわれは考える。

この量はつねに可測的である必要はなく、幾何学のなかにはたとえば、こうした計量をすべて捨象して、ただＡＢＣという曲線上で、点Ｂが点Ａと点Ｃの間にあるということにのみ注目し、弧ＡＢが弧ＢＣと同じ長さであるか、その二倍の長さであるかについては知ろうとしない分野もある。これが位置解析(*Analysis Situs*)〔位相幾何学、トポロジー〕と呼ばれる分野である。

この分野はその全体が、最も偉大な幾何学者たちの注意を引きつけてきた、一個の理論的集成であり、そこから一連の驚くべき定理が次々と発見されることが目撃されている。これらの定理が普通の幾何学の定理と異なるのは、それらが純粋に質的な定理であって、たとえば図形が下手な描き手によって写されたために、その部分同士の比例がとてつもなく変形され、直線が多少曲線になってしまっていても、それらは真のままである、ということにある。

連続体が一つの空間となり、幾何学が生まれてきたのは、われわれがこれまで定義してきた連続体に、測度(mesure)を導入しようとしたときである。私はしかし、このテーマについての考察は、次の第二部にとっておくことにしたい。

第二部　空　間

第三章　非ユークリッド幾何学

いかなる証明の結論も、仮定された前提から導かれる。しかし、前提それ自身はそれ自身で自明であって、証明を必要としないか、あるいは、他の命題に依拠する以外に成立しないかのいずれかであり、しかも、この依拠する命題を無限にさかのぼることはできないのであるから、すべての演繹的な科学、とりわけ幾何学は、いくつかの証明不可能な公理にもとづかざるをえない。それゆえに、幾何学のすべての著作は、公理の表明から出発するのである。ただし、公理同士の間にも相違は見出される。たとえば、「第三の量に等しい二つの量は、それら同士も等しい」のような公理は、幾何学の命題ではなくて、解析学の命題である。私はこの種の命題をア・プリオリな分析判断とみなして、以下では問題にしないことにする。

私はむしろ、幾何学に特有な他の公理の方に密着して議論を進める。大部分の幾何学の著作は、とくに次の三つの公理を明示的に表明している。

1° 二つの点を通る直線は一本のみである。

2° 直線は、一点からもう一つの点へと至る最短の道である。

3° 一点を通り、ある直線に平行な直線は一本しかない。

これらの公理のうち、二番目については証明を省略するのが一般的であるが、これは他の二つの公理と、私がずっと後の方で証明するような、明示的には言明されてはいないが、暗黙に認められているもっと多数の公理とから、演繹することが可能である。

第三の公理は「ユークリッドの公準」という名前で知られている。この公理についても同様に証明することが、長い間にわたって追求されてきたが、この試みはむなしかった。人々がこのような幻の希望を叶(かな)えようとして、どれだけの努力を費やしたかは、まさしく想像を絶するものがある。そしてついに、一九世紀の初めに、ほとんど同時に、ロシア人とハンガリー人の二人の科学者、ロバチェフスキーとボーヤイが、この証明は不可能であることを反駁(はんばく)できない仕方で確定させたのである。彼らは、ユークリッドの公準なしで幾何学を考えようと試みる人々から、われわれをほとんど解放してくれた。というのも、科学アカデミーは、以前から悩まされていたこのテーマに関する新しい証明について、それ以降は一年に一つか二つを受け取るのみですむようになったからである。

問題はしかし、これで尽きたわけではない。それから時をおかずして、リーマンの『幾何学の基礎にあるいくつかの仮説について』という有名な覚書（おぼえがき）が出版され、これによって問題はさらに大きな歩みを遂げることになった。この小著は、私が以下に言及する最近の研究の大部分にインスピレーションを与えたものであり、ここではそのなかでもベルトラミとヘルムホルツの研究を挙げておくのが適当であろう〔たとえば、ベルトラミはリーマン幾何学の微分演算を明示し活用の道をひらいたり、ヘルムホルツは網膜像の球面幾何学による定式化を示す等の研究をした〕。

ロバチェフスキーの幾何学

もしもユークリッドの公準が他の公理から演繹できるのであれば、この公準を否定しつつ他の公理を認めることからは、さまざまな矛盾が導かれるのは明らかであろう。それゆえ、これらの前提の下（もと）では整合的な幾何学をもつことはできないはずである。

ところが、これこそまさに、ロバチェフスキーが成し遂げたことに他ならない。彼はまず次のことを前提する。

一点を通って所与の直線に平行線を二本以上描くことができる。

彼は同時にユークリッドの他のすべての公理を保持しておく。これらの仮説から、彼はいかなる矛盾を生み出すこともない一連の定理を演繹し、結果として、論理的な欠点のなさに関してユークリッドに何も劣るところのない、一つの幾何学を構成するのである。

もちろんよく知られているように、それらの定理はわれわれになじみのものとは非常に異なっており、最初は少し面食らわせられるものである。たとえば、三角形の内角の和はつねに二直角よりも小さく、内角の和と二直角の差は三角形の面積に比例する。

所与の図形に相似であり、かつ異なる大きさの図形を作図することはできない。

もしも一つの円周をn個の部分に等分し、この分点に接線を描くと、n本の接線は、円の半径が十分に小さいときには一個の多角形を作り、半径が十分に大きいときには、接線同士が交わることはない。

　こうしたなじみのない定理の例を、さらに増やしてみても無益であろう。ロバチェフスキーにおける諸命題はユークリッドの諸命題とまったく関係づけることができないが、それにもかかわらず、それら同士の間では、ユークリッドに劣らず論理的にきちんと関係づけられているのである。

リーマンの幾何学

　仮に、まったく厚みをもたない者だけが住んでいる世界というものを考え、この「無限に平坦な」生物は一つの平面のなかだけに存在していて、その外に出ることがない、と想定してみることにしよう。さらに、この世界は他の諸世界から非常に遠く離れているために、それらの影響を受けることがまったくない、ということも認めてみよう。われわれは、これらの仮説を設定すると同時に、これらの生物にも推論の能力を与え、彼らが幾何学を作り出す能力をもつことを信じるのに、困難を覚えることはないであろう。この場合、彼らは間違いなく、空間に対して二次元のみを付与することであろう。

さて、今度はこの想像上の生物が、同じく厚みのない存在にとどまりつつ、平面図形ではなく球面の形をしており、かつ全て同一の球面上にいて、そこから離れられないと想像してみよう。彼らはどのような幾何学を構成するだろうか。まず次のようなことが明らかであろう。彼らは空間に二次元しか付与することがない。彼らにとって直線の役割をするのは、球の表面上の一点から別の一点への最短の道、つまり球の大円の弧である。ひと言でいえば、この生物の幾何学は球面幾何学である。

彼らが空間と呼ぶものは、そこから出ることができず、彼らが認識しうるすべての現象がその上で生じるような、球の表面のことである。したがって、彼らの空間には果てがないであろう。というのも、彼らはこの表面上をどこまでも前進し続け、決して行き止まりになることがないからである。とはいえ、この空間は有限である。どこまでも果てしなく進むことはできるが、それは一周してしまうことが可能であるから。

さてまさに、リーマン幾何学とは、この球面幾何学を三次元に拡張したものに他ならない。これを構成するために、このドイツの数学者は、ユークリッドの公準だけでなく、第一の公理、二点を通過する直線は一本しか描けない、も投げ捨てることを余儀なくされた。

球面上では、所与の二点の間には、一般的には、一つの大円しか描けない（すぐ前に見たように、この大円はわれわれの想像上の生物にとって直線の役割を果たすものである）。しかし、例外が一つある。もしも所与の二点が、直径を挟んで反対の側にあるのなら、二点を結ぶ大円は無数に描くことができる。

リーマン幾何学においても（少なくともその諸形式のうちの一つの形式に関していえば）、二点を結ぶ直線は一般的には一本しかない。しかし、二点を結ぶ線を無数に描くことのできる例外的な場合がいくつかある。

リーマン幾何学とロバチェフスキー幾何学とは、一種の対照的な性格をもっている。

たとえば、三角形の内角の和は、

ユークリッド幾何学では二直角に等しい、

ロバチェフスキー幾何学では二直角より小、

リーマン幾何学では二直角より大。

一点を通って所与の直線に平行な線の数は、

ユークリッド幾何学では一本、
リーマン幾何学ではゼロ、
ロバチェフスキー幾何学では無数。

さらに、リーマンの空間は果てをもたないが、有限であることを付け加えておこう。これらの言葉の意味は先ほど説明したとおりである。

曲率一定の面

ここまでの議論に対しては、一つの反論がいまだ提出可能である。ロバチェフスキーとリーマンの諸定理には矛盾がない。とはいえ、二人の幾何学者がどれほど多くの定理を導出できたとしても、その数は有限であるから、すべて（無限であろう）が導かれる以前のどこかで、立ち止まる必要があったはずである。したがって、この演繹をずっと遠くまで続けていっても、決して矛盾にぶつかることがないと、誰がいえるのであろうか。

この困難は話を二次元に限定するかぎり、リーマン幾何学においては存在しない。すでに見たように、二次元のリーマン幾何学は、球面幾何学と実質上異ならないが、球面幾何学は普通の幾何学の一分野にすぎない以上、この問題の圏外にあるのである。

ベルトラミ氏は同様の仕方で、二次元のロバチェフスキー幾何学を普通の幾何学の一分野にすぎないものに還元することで、この反論を論駁した。

彼が行った論駁の方法はこうである。面上にある任意の図形を考えてみる。この図形が、この面にぴったり重なった、曲げることはできても伸縮はしない布に写し取られるとしよう。この布を動かしたり、形を変えたりすれば、図形の方も線の長さは変えずに形を変えると想像してみよう。一般的には、この曲げることはできるが伸縮しない布の上の図形は、この面を離れることなしに動くことはできない。しかし、この移動が可能となるような、ある特殊な平面が存在する。それが曲率一定の平面である。

もう一度先に見た比較を思い出して、厚みのない生物が曲率一定の面上で生活していることを考えると、彼らは任意の図形に関して、そのすべての線が長さを保ちつつ移動することが可能であるとみなすであろう。しかし反対に、曲率一定でない平面上に住む厚みのない生物にとっては、同様の移動は不条理であると思われるであろう。

曲率一定の面には二種類ある。

一つの種類は、正の曲率の面である。これは、球の上にぴたりと張りつけられた形に変形させることができる。それゆえ、この平面の幾何学は球面幾何学に帰着する。これがリーマン幾何学である。

もう一つの種類は、負の曲率の面である。ベルトラミ氏はこの面の幾何学がロバチェフスキー幾何学に他ならないことを示した。リーマンとロバチェフスキーの二次元幾何学は、それゆえ、ユークリッド幾何学と結びつけることができるのである。

非ユークリッド幾何学の解釈

二次元空間の幾何学に関する先の反論は、かくして退けることができた。

ベルトラミ氏の議論を三次元幾何学に拡張することは容易であろう。四次元空間についても、それに違和感をもたない精神の人にとっては、同じく困難を覚えないであろうが、しかしそうした人は少数である。そこで私はこれから別の仕方で話を進めることにしたい。

まず、基礎面(fondamental)と呼ばれるある平面を考えて、それについての一種の辞書を作ることにしよう。そして普通の辞書と同様に、二つの言語の単語を意味が同じものに対応するように、二系列の用語を二段に書いてそれぞれに対応させることにしよう。

空間、	基礎面の上部に設定された部分空間
平面、	基礎面に直交して切断する球面
直線、	基礎面に直交して切断する円
球、	球
円、	円
角、	角
二点間の距離、	これらの二点と、この二点を通り基礎面に直交する円と面とが作る二交点との間の、非調和比の対数

等々。

次にロバチェフスキーの定理を取り上げて、これを、ドイツ語のテキストを独仏辞典の助けを借りて翻訳するときと同じように、右の辞書の助けを借りて翻訳してみよう。そうすると、われわれは普通の幾何学の定理を手に入れることができるであろう。

たとえば、ロバチェフスキーの定理「三角形の内角の和は二直角よりも小である」は、「もしも三辺形の各片が円弧からできていて、これらが延長されて基礎面と直交するとき、この三辺形の内角の和は二直角よりも小である」と翻訳される。それゆえ、ロバチェフスキーの仮説からどれほど遠くまでその帰結を追っていっても、矛盾に至るということは決してない。実際、もしも二つのロバチェフスキーの定理同士が矛盾することになるとしたら、これらの定理をわれわれの辞書を用いて翻訳したものもそうなるであろう。後者の定理は普通の幾何学の定理であるが、この普通の幾何学の定理が矛盾を免れていることを疑う者は、誰一人いないであろう。とはいえ、この確信はどこから来て、また、それは正当なものなのだろうか。私はこの問題はここでは扱わない。なぜなら、それにはいろいろな掘り下げがさらに必要となるからである。ともかく、私が先に挙げた反論についていえば、問題はもはや何も残されていない、というだけで十分である。

話はこれですべてではない。ロバチェフスキー幾何学は具体的な解釈を受けることができる以上、いまでは論理学の空疎な練習問題であることをやめて、実際の応用に活用することができる。私はこの応用について語る暇がないし、線形微分方程式の解法のために私とクライン氏がこれを利用したことについても説明する余裕がない〔著者の『科学と方法』に一部紹介されている〕。

しかも、右のような解釈は決して唯一のものではなく、ロバチェフスキーの諸定理を普通の幾何学の諸定理に、単純な「翻訳」によって変換することができるような、先の辞書に類似した辞書を多数作りあげることができるのである。

暗黙の公理

幾何学の著作には明示的に表明された公理が書かれているが、それらの公理は幾何学にとっての唯一の基礎なのだろうか。われわれは、これらを順次棄却していっても、ユークリッドとロバチェフスキーとリーマンの理論に共通して残っているものがあることを考察することで、事実がその反対であることを確信できる。これらの命題は、幾何学者たちが明示的に表明することなく受け入れているような、いくつかの前提に依拠しているはずだ。これらの前提を古典的な証明のなかから掬い上げてみることは興味深いことである。

ステュアート・ミルは、すべての定義は一つの公理を含んでいる、と述べた。その理由は、どの定義においても、定義される対象の存在が暗黙の形で承認されているからだという。これはあまりにもいいすぎである。数学においては、定義される対象の存在について証明される前に、何らかの定義が行われることは稀である。その存在証明が省かれることもないわけではないが、それは一般に、その証明を読者自身が容易に補うことができる場合である。対象の存在という言葉は、数学的対象の問いと物質的対象の問いにおいて、意味が異なっていることを忘れてはならない。数学的対象は、その定義が矛盾を含まないか、それに先行して認められている命題との間で矛盾を生まなければ、存在するのである。

とはいえ、たしかにステュアート・ミルの主張はすべての定義に当てはまるわけではないにしても、いくつかの定義についてはそれほど不当とはいえない。たとえば、平面は次のような仕方で定義されることがある。

平面とは、その上の任意の二点を結ぶ直線上の点がもれなくその面に位置づけられるような面である。

明らかにこの定義には、一つの新しい公理が隠されている。この定義は変更可能であり、変更した方がよいのは確かであるが、その場合には公理を明示的に表明する必要がある。

これ以外にも、重要性において決して劣ることのない、再考を促すような定義がいくつかある。

たとえば、その種の例として、二つの図形同士の合同の定義がある。二つの図形は重ね合わせることができるなら合同である。二つを重ね合わせるためには、二つのうちの一方を、もう一つと一致するところまで移動させる必要がある。とはいえ、どうやって移動させるべきなのか。そう問われるなら、人は疑いもなく、図形の形を変えることなく、不変固体の移動と同様な仕方で行うべきだ、と答えることであろう。この説明が循環論法であることは明らかである。

実際、この定義は何も定義していない。仮に流体しか存在しないような世界に住んでいる生物にとっては、この定義は何も意味をもたない。われわれにとってこの定義が明晰（めいせき）なものと思われるとしたら、それはわれわれが自然のなかの固体のもついろいろな属性に慣れ親しんでいるからにすぎない。自然の内なる固体は、すべての大きさが不変であるような理想的な固体とそれほど異なってはいないのである。

しかしながら、この定義はたしかに非常に不完全であるとしても、一つの公理を暗黙に含意している。

図形の移動が変形せずに可能であることは、それ自体としては明証的真理ではない。それは少なくともユークリッドの公準の下でのみ明証的だが、ア・プリオリな分析判断であればそうであるはずの、明証的真理ではない。

とはいえ、幾何学における定義や証明を学ぶときには、この変形しない移動の可能性のみならず、その移動に付随するいくつかの特性についても、証明なしに受け入れざるをえないことがわかる。

このことはまず直線の定義において生じていることである。これまで直線の定義として不十分なものがずいぶん提案されてきたが、正しい定義は直線を含むすべての証明のなかで暗黙裡に理解されてきた。

「不変形の図形の運動において、この図形に属する一線上のすべての点が不動であり、しかもその線の外のすべての点が移動するということが可能である。このとき、この線を直線と呼ぶ」〔回転運動と回転軸を指している〕。われわれはこの言明において故意に、定義とそこに含意される公理とを分離した。

三角形の合同や、一点から垂線をまっすぐに下ろすことの可能性についての場合など、その証明の根拠となる命題を表明することが省略されるものは少なくない。その理由は、これらの証明が、一つの図形を空間中で、ある仕方により移動させることができる、ということを余儀なく容認しているからである。

第四の幾何学

こうした暗黙の公理のうちでも、私には一つの公理がとくに注目に値すると思われる。というのも、この公理を破棄しても、ユークリッド、ロバチェフスキー、リーマンと同じように整合的な第四の幾何学が構成できるからである。

点Ａの上に線ＡＢと直交する垂線をつねに引くことができる。このことを証明するためには、直線ＡＣを考えて、それがＡの周りで可動であり、固定された直線ＡＢと最初は重なっていたとする。そしてこの線をＡの周りで動かして、ＡＢを延長させたものに等しくなるまで回転させる。

ここでは、二つの命題が仮定されていることになる。まず、同様の回転が可能であること。次に、二つの直線について、一方が他方の延長となるまで、この回転を続けられること。

もしも第一の仮定を受け入れつつ第二の仮定を拒否するならば、ロバチェフスキーやリーマンよりもずっと奇妙であるが、それでも同じように矛盾を免れた一連の定理を導くことができる。

私はそれらの定理のうちの一つを挙げてみるが、これでも最も特異な定理を選んだわけではない。すなわち、*一つの実直線はそれ自身の垂線となりうる*。

リーの定理

古典的証明において導入されている暗黙の公理の数は必要以上の多数にのぼっているので、これをミニマムな数に還元しようという努力がなされてきた。ヒルベルト氏はこの問題について、決定的な解決を与えたように思われる。われわれはまずア・プリオリに、この還元が可能であるかどうか、また、必要な公理の数と想像しうる幾何学の数とは無限でないのかどうかを、問うことができた。

この問題にかかわるすべての議論において、ソフス・リー氏の定理が重要な役割を果たしている。それは次のように述べられる。

われわれが次の前提を受け入れるとしよう。

1°　空間はn次元をもつ。

2°　不変形な図形の移動が可能である。

3°　空間中のこの図形の位置を確定するためには、p個の条件が必要である。

そうすると、**これらの前提と両立可能な幾何学の数には限りがある**。

私はさらに、nが与えられたならpの値の上限を設けることができる、とさえ付け加えたい。

そうであるなら、こうした図形の移動の可能性を認めるとき、三次元の幾何学として創出できるのは、有限の(しかもかなり限られた)数だけでしかない、ということになる。

リーマンの複数の幾何学

しかしこの結論はリーマンによって否定されているように見える。この科学者は互いに異なる無限個の幾何学を構成したのであり、普通はその特殊な一つにのみ彼の名前が付けられているからである。

彼によれば、すべては曲線の長さをどう定義するかにかかっている。ただし、この長さを定義する仕方は無数にあって、それぞれの定義の方法が新しい幾何学の出発点になる、とされる。

これはたしかにまったく正確である。といっても、これらの定義の大多数は、リーの定理において可能とされる、不変形図形の移動と両立不可能である。したがって、リーマンのさまざまな幾何学は、いろいろな観点の下（もと）で興味深くはあるが、純粋に分析的なもの以外ではありえず、ユークリッドの証明と同じような証明を受けつけてはいないであろう。

ヒルベルトの複数の幾何学

最後に、ヴェロネーゼ氏とヒルベルト氏は、さらに奇妙な新しい幾何学を考案して、それに非アルキメデス的という名前を付けた。彼らはこの幾何学をアルキメデスの公理を否定することで構成したが、この公理によれば、所与のすべての長さは、十分に大きな整数を掛けるなら、別のいかなる所与の長さをも凌駕することができる、とされる。非アルキメデス的直線上には、われわれの普通の幾何学のすべての点が存在するが、それらの点の間に他の無数の点を挿入することができるために、その線からできる二つの線分は、昔の幾何学者が使った言葉で「隣接的(contigus)」となっている状況でも、その間に新しい無数の点を押し込むことができるようになるのである。ひと言でいえば、非アルキメデス的空間は、前章の言葉でいうと、第二階の連続体ではなく、第三階の連続体である。

公理の本性について

幾何学者の大多数は、ロバチェフスキーの幾何学を単なる論理的な好奇心の対象にすぎないとみなしている。しかし、なかにはさらに遠くまで進んで考える者もいる。複数の幾何学が可能であるとしたら、われわれの幾何学こそが真なる幾何学であるというのは、本当に確かなことなのだろうか。経験はたしかに、三角形の内角の和が二直角であると教えてくれる。とはいえ、これはわれわれが非常に小さな三角形を扱っているにすぎないからであろう。ロバチェフスキーによれば、三角形の内角の和と二直角の差は面積に比例するという。われわれが扱う三角形がもっと大きくなったり、測り方が正確になったりすれば、違いが検知できることになるのではないか。そうであるとすれば、ユークリッド幾何学は暫定的幾何学(géométrie provisoire)ということになるだろう。

こうした考えを吟味するために、われわれはまず、幾何学における諸公理の本性とは何か、ということを問うてみる必要がある。

それらはカントがいったように、ア・プリオリな総合判断なのだろうか。

そうであるとすれば、それらはわれわれに非常に大きな強制力をもって課せられていることになり、それに反する命題を考えたり、そういう命題を基礎にして何らかの理論的構築物を打ち立てることも、不可能だということになるであろう。つまり、非ユークリッド幾何学は存在しないということになる。

このことを納得するために、まず、ア・プリオリな総合判断として真なるものを取り上げてみよう。それはたとえば、われわれが最初の章でその圧倒的に重要な役割に注目した、次のような判断である。

もしもある定理が数1について真であり、またそれが数nについて真であれば、

$n+1$についても真であることが証明されたならば、その定理はすべての正の整数について真である。

次に、この判断から逃れようとして、この命題の否定を基礎にして非ユークリッド幾何学に類比的であるような偽の算術を打ち立てよう、と試みることにする。それを成し遂げることは不可能であろう。そこで、一目見ただけでは、この種の判断は分析的だとさえ思いたくなるかもしれない。

他方、もう一度最初に出てきた厚みをもたない生物という仮想に戻ってみよう。その生物はわれわれと同じような仕方に作られた精神をもっているとしても、自分たちの経験すべてに反するようなユークリッド幾何学を採用するということがありえようか。

それなら、幾何学の諸定理は経験上の実験によって真なのだ、と結論せざるをえないのであろうか。ところが、われわれが実験を行うことができるのは、理想的な直線や円ではなくて、物質的対象に関してである。そうであるなら、幾何学にとっての基礎となりうる経験自体は、何に依拠しているのであろうか。その答えは容易である。

先に見たように、われわれはいつも、幾何学の図形が固体の振舞い方と同じあり方をしている、として推論を行っている。したがって、幾何学が経験から取り入れているものがあるとしたら、それはこうした物体の性質である。

また、光がもつ性質とその直進的伝播の性質も、幾何学の諸命題のいくつかの源泉となっており、とりわけ射影幾何学の命題がそうである。そのために、計量幾何学は固体の研究であり、射影幾何学は光の研究である、といいたくなるほどである。

とはいえ、これだけではまだ困難が残っており、しかもそれは克服不可能である。もしも幾何学が経験的な科学であるとしたら、それはもはや厳密科学ではなくなり、絶えざる改訂にさらされることになる。それどころか、厳密な意味で変化をこうむらない固体は存在しないことを、われわれは知っているのであるから、幾何学が今日からは誤謬にさらされうることを承知せざるをえないのである。

それゆえ、幾何学の諸公理は、ア・プリオリな総合判断でもなければ、経験にもとづく事実でもない。

それらは規約である。われわれはあらゆる可能な規約から選択を行うが、この選択は経験的事実に導かれてはいる。といっても、その選択は自由であり、一切の矛盾を避けるべし、という以外の制約をもっていない。したがって、もろもろの要請は厳密

*な意味*で真でありつつ、その採用を決定させた経験上の諸法則は、近似的なものでしかないのである。

別の言葉でいうと、*幾何学*の*諸公理*は*偽装*された*定義*に*他ならない*（私は算術の公理については、このようにはいわない）。

それでは、次の問いを考えてみよう。ユークリッド幾何学は真なのであるか。

この問いには何の意味もない。

それは、メートル法が真で、古い計測法は偽であるのか、とか、デカルト座標が真で、極座標は偽であるのか、と問うのと同じことである。一つの幾何学が別の幾何学よりも真だということはありえない。それはただ、*より便利*だ、というだけである。ところで、ユークリッド幾何学は最も便利であるし、そうであり続けるであろう。

1°　なぜなら、この幾何学が最も単純だからである。それは、われわれの精神の習慣の結果としてそうであるとか、われわれがユークリッド幾何学に対して抱く、何かは知らない直接的な直観のせいでそうだ、というのではない。それは、一次の多項式が二次の多項式よりも単純であり、球面三角法の公式は平面三角法のそれよりも複雑であって、その幾何学的な意味に通じていない解析学者にとってもそう見える、というのと同じ意味で、それ自身において最も単純である。

2°　この幾何学は、自然の内なる固体の諸性質と非常によく合致している。われわれの四肢や目はそれらに近い性質をもち、われわれはそれらを用いて計測機器を作るのである。

第四章　空間と幾何学

ちょっとしたパラドックスから話を始めよう。

ある生物がいて、われわれと同じように作られた精神をもち、同じような感覚をもっているが、これまで教育というものを受けたことがなかったとしてみよう。その生物が、適当に選択された外的世界から、感覚印象を受け取りつつ暮らしていると考えてみる。すなわち、彼らはその世界からの刺激を通じて、ユークリッド幾何学とは別の幾何学を構成するようになり、外的世界の諸現象を非ユークリッド空間のなかに位置づけたり、場合によっては、四次元の空間にさえ位置づけたりするようになる、そういう印象である。

われわれは自分自身の現実の世界においてすでに教育を受けているので、突然このような新しい世界に移送されたとしても、その現象をユークリッド空間へと関係づけることに何の困難も覚えないであろう。反対に、この生物がわれわれの世界に移送されたとしたら、彼らはわれわれの周囲の現象を非ユークリッド空間に関係づけるようになるだろう。

それどころか、われわれ自身が、ほんの少しの努力によって、同じようなことができるようになる可能性もある。おそらくは、そのために一所懸命努力する人がいれば、四次元の知覚的表象を作ることさえできるようになるにちがいない。

幾何学的空間と表象的空間

外的対象についての表象像(images)は空間のなかに位置づけられる。これはしばしばいわれることであり、外的対象の像の形成はこの条件下でのみ可能である、とさえいわれることがある。さらに、われわれの感覚と知覚的表象のためのすべてを完備した枠組みとして機能するこの空間は、幾何学者たちが研究対象とする空間と同一であり、その諸性質をすべて備えているともいわれる。

こうした考え方をする健全な精神にとっては、少し前の文章はとんでもない話だと思われるにちがいない。しかしわれわれは、これらの信念が、もう少し深く分析してみればたちまちかき消えてしまう、幻想によるものでないのかどうか、よく見てみる必要があるだろう。

そもそも、本来の意味での空間の諸特性とはいかなるものであろうか。私が意味しているのは幾何学の対象となっている空間であり、これを幾何学的空間と呼んで、それについてまずは述べておきたい。以下の性質がこの空間の最も本質的な特徴である。

1° それは連続的である。

2° それは無限である。

3° それは三次元をもつ。

4° それは一様である。すなわち、その内なるすべての点は互いに同等である。

5° それは等方的である。すなわち、同一の点を通るすべての直線は互いに同等である。

次に、この性質と、われわれの知覚的表象および感覚の枠組みとを比べてみよう。私はこの枠組みの方を表象的空間と呼ぶ。

視覚空間

まず、網膜の底部に形成される表象像へと帰着させられる、純粋に視覚的な印象について考える。

この印象に関する簡略な分析によれば、この像は連続的ではあるが二次元しかもたないという。この点でこれは幾何学的空間と異なっている。これを純粋視覚空間と呼ぶことにする。

この像のもう一つの側面は、それが枠に閉じ込められている、ということである。

さらに、重要性に関してこれに劣らぬ相違として、次の点が挙げられる。すなわち、この純粋視覚空間は一様ではない。網膜上に形成可能な像を考慮に入れなくとも、網膜上の点は、互いに同じ役割をもってはいない。黄斑（おうはん）は網膜の縁近辺の点と同一の点とはみなすことができない。実際に同じ対象についても、黄斑ではずっと生き生きとした印象が作り出されているだけではなく、この限られた枠のなかで中心にある点は、縁近辺の点と同等であるようには思われない。

疑いもなくもっと詳しい分析は、視覚空間についていわれる連続性と二次元性でさえも、幻想にすぎないことを示すであろう。したがって、視覚空間は幾何学的空間からさらに遠ざかるはずである。ただし、ここから帰結することについてはすでに第二章で十分に検討してあるので、ここではこれ以上触れないことにする。

ところで、視覚はわれわれが距離を測り、その結果として空間の第三の次元を知覚することを可能にしている。といっても、この第三の次元の知覚は、それを知覚するために必要となる視野の焦点調節の努力の感覚と、一つの対象を明瞭に知覚するべく両眼の視点を一致させるために必要な努力の感覚とに帰着することを、誰でも知っている。

それらは、われわれに二次元の観念を与える視覚的感覚とはまったく別の、筋肉的感覚である。したがって、第三の次元は他の二つの次元と同じ役割を果たしているとは思われない。*完全視覚空間*と呼びうるこの空間は、それゆえ、等方的ではないのである。

もちろん、この空間がまさしく三つの次元をもつということは正しい。それはつまり、われわれの視覚的感覚の要素（少なくとも、広がりの概念を形成するのに協同する要素）は、これらのうち三つの要素を認識することで、完全に定義されるということである。数学の言葉でいえば、それらは三つの独立変数からなる関数である。

とはいえ、問題をさらにもう少しだけ詳しく検討してみよう。第三の次元は、二つの異なった仕方でわれわれに示されている。一つは焦点の調節の努力であり、もう一つは両眼の視点の一致という作業である。

これらの二つは疑いもなく、つねに符合しており、そこには恒常的な連関がある。数学の言葉を使うと、それらは独立とはみなしえない、二つの筋肉の感覚を測定する変数である、といえる。あるいは、こうしたすでにかなり洗練された数学的概念に訴えることを避けて、第二章の言葉に戻って、同じことを次のように語ることもできるだろう。AとBという両眼一致の作用の感覚が二つあって、それらが感覚のレヴェルにおいて区別できないとすると、それぞれに随伴しているA′とB′という焦点調節の感覚もまた区別できない。

ただし、これはまさに経験上の事実であって、これに反対のことを仮想してはならないというア・プリオリな理由はない。そして、もしも反対の想定がなされ、二つの筋肉の感覚は互いに独立に変化するというのであれば、この独立の変数をさらに考慮に入れる必要があることになって、「完全視覚空間」は四次元の物理的連続体をなすということになるだろう。

付け加えておくが、これは外的な経験上の事実である。われわれと同様に作られた精神をもつ者が、われわれと同じ感覚器官をもってはいるが、光が複雑に屈折する媒体を伝播（でんぱ）して届くような別の世界に住んでいると仮定することもできる。そうすると、われわれにとって距離を認識するのに役立つ先の二つの指標は、恒常的連関という結びつきをもたないことになるだろう。この生物は、こうした世界のなかで感覚上の教育を受けてきているので、疑いもなく、完全視覚空間に四次元を帰するであろう。

触覚空間と運動空間

「触覚空間」は視覚空間よりももっと複雑で、それゆえ幾何学的空間からさらに遠ざかったものである。しかしそれについて語るために、もう一度視覚空間について行った議論を繰り返すことは無用であろう。

とはいえ、視覚と触覚によって与えられるもの以外にも、空間概念の生成に関して同程度か、さらに大きな寄与をなす別の感覚が存在する。それは誰もが知っているとおり、われわれの身体運動のすべてに随伴している、一般に筋肉的と呼ばれる感覚である。

これに対応する枠組みは、運動空間と呼びうるものを構成する。一つ一つの筋肉は、増大したり減少したりすることが可能な特殊な感覚を誕生させ、その結果として、われわれの筋肉的感覚の集合全体は、われわれの筋肉の数と同じだけの変数に依存している。この観点からすれば、運動空間はわれわれのもつ筋肉と同じ数の次元をもっているだろう。

私は一般に、筋肉的感覚が空間概念の形成に寄与するとしたら、それは、各身体運動の方向に関する感覚にもとづく寄与であり、それがこの感覚の主要部分をなしている、といわれていることを知っている。もしも事実がそのとおりであって、一つ一つの筋肉的感覚は方向についての幾何学的感覚というものを伴ってしか生じえないとすると、幾何学的空間こそがわれわれの感覚可能性に課せられた一つの形式である、ということになるであろう。

ところが、これは私が自分自身の感覚を分析してみたときに、まったく感知することができない。

私が自分自身において見出すのは、同じ方向に向かう身体の運動に対応するとみなされる感覚は、私の精神における単純な観念連合によって結びつけられている、という事実である。われわれが「方向の感覚」と呼ぶものを生み出すのは、この観念連合である。したがって、この感覚は一つの単独の感覚としては見出されないのである。

ここでいう観念連合は非常に複雑なものである。というのも、同じような筋肉の収縮であっても、その四肢の位置次第で、まったく別の方向への運動に対応することがありうるからである。

その上、この感覚は明らかに後天的に習得されたものである。それはすべての観念連合と同様に、習慣の産物である。そして、習慣そのものはきわめて多数よりなる経験から生まれる。われわれの感覚上の教育が異なった環境でなされていて、われわれ自身が異なった印象のもとにさらされていたのなら、これとは逆の習慣が生まれて、われわれわれの筋肉的感覚は疑いもなく、別の法則に従って結びつけられることであろう。

表象的空間の性質

以上のように、視覚的、触覚的、筋肉的という三つの形式において示された表象的空間は、幾何学的空間とは本質的に異なっている。

それは一様でもなければ等方的でもない。それは三次元をもつとさえいえない空間である。

われわれは外的知覚の対象を幾何学的空間へと「投射する」と、しばしばいわれることがある。われわれは対象をそこに「位置づける」ともいわれる。

このようにいうことには意味があるのだろうか。もしもあるとしたら、その意味とは何であろうか。

それはつまり、われわれが外的対象を幾何学的空間のうちに表象する、ということであろうか。

われわれの表象とは感覚的知覚の再現に他ならず、それは感覚的知覚と同じ枠組みのうちに、つまり表象的空間のうちに配置される他はない。

それゆえ、われわれが外的物体を幾何学的空間のうちに表象するということは、画家が平らな図版の上に絵を描きながら、それを三次元をもつ像とすることが不可能であるのと同じように、不可能なのである。

表象的空間は幾何学的空間の一つのイメージにすぎず、それは一種の知覚的な遠近画法に従って変形されたイメージであり、われわれはこの遠近画法の規則に従った形でしか対象を表象することができない。

したがって、われわれは外的物体を幾何学的空間のうちに表象するのではなく、この物体について、幾何学的空間のうちに位置づけられているかのごとく推論するのである。

それでは、われわれがかくかくの対象をしかじかの空間中の点に「位置づける」というとき、意味されているのは何であろうか。

それは単に、われわれがこの対象に到達するために必要になるはずの四肢の運動を表象する、ということを意味するにすぎない。この運動を表象するためにはそれらを空間中に投射する必要があるのだから、この空間概念があらかじめ存在するのでなければならない、ということは許されない。

われわれがこの運動を表象するというとき意味するのは、ただ、われわれがそれに伴う筋肉的感覚を表象していること、そのことにはいかなる幾何学的性質もなく、したがって、そこには空間という概念があらかじめ存在することはまったく含まれていない、ということなのである。

状態の変化と位置の変化

しかし、こうもいわれるであろう。もしも幾何学的空間の観念がわれわれの精神に必然的に課せられているのではなく、しかも、われわれの感覚がそれを直接に与えることもできないのであるとしたら、それはそもそもどこから生まれてきたのか。

これこそわれわれがいまや吟味するべき問いであるが、それに答えるには多少の時間を要するので、私は以下に展開しようと思う議論の輪郭を、さしあたって暫定的に短い言葉で説明しておくことにする。

われわれの諸感覚は、そのいずれをとっても孤立した別々の状態では、空間の観念を生み出すことはない。われわれがその観念に到達するのは、ただ、それらの感覚が互いに継起するときに従う規則を研究することによってのみである。

われわれはまず何よりも、自分たちの手にしている印象が変化する、ということを目の当たりにする。しかし、われわれはやがて、自分たちが目撃する諸変化のうちに区別を設けるようになる。

われわれは自分たちの有する印象の原因である対象が、状態を変えたという言い方をしたり、位置を変えた、つまり移動しただけだ、という言い方をするようになる。

そこで、一つの同じ対象が、状態を変えたり位置だけを変えたりするわけであるが、これらの変化そのものは、われわれにとって、つねに同じ仕方で示される。すなわち、印象の集合のなかに生じる一つの変容として。

それでは、われわれはどうやってこれら二つの変化を区別するようになったのであろうか。その理解は容易である。もしもある対象について位置の変化だけが生じたのであれば、われわれはこの可動的な対象に対して、同じ相対的立ち位置で面と向かい合うようになる運動を自分の方でも行うことによって、最初の印象の集合を復元することができる。われわれはこうして、印象に生じた変容を修正し、それとは逆の変容を加えることで、最初の状態を復元することができる。

たとえば、問題が視覚に関する場合で、対象がわれわれの目の前で位置を変化させるならば、われわれは「目の追跡」を行い、眼球の適当な運動を行うことで、網膜上の同じ点にその対象の像をとどめることができる。

こうした運動をわれわれは自分で意識している。なぜなら、それは意志的に行われ、筋肉的感覚に伴われているからである。しかしそうであっても、これが意味することは、われわれがこれらを幾何学的空間のうちに表象する、ということではない。

それゆえ、位置の変化を特徴づけ、それを状態の変化から区別させるものは、この方法によって修正できる、という点にある。

このことから、われわれの印象の集合に関して、集合Aから集合Bへの推移があるとき、この推移は二つの異なった仕方で成立しうることも理解される。1° 無意志的に、筋肉的感覚なしに生じる場合。これは対象が位置を変化させたときに生じる。2° 意志的に、筋肉的感覚を伴って生じる場合。このときは、対象自体は動いていないが、われわれがそれとの位置を変えている。それはつまり、対象がわれわれに対する相対的な運動をする。

以上のとおりであるなら、集合Aから集合Bへの推移は、位置の変化でしかありえない。

そこから、視覚と触覚は「筋肉的感覚」なしには空間の概念をわれわれに与えることができないであろう、ということが帰結する。

この概念は、単一の感覚からは派生せず、一連の継起する感覚からしか生じない。さらに、運動のできない生物はこれを獲得することができなかっただろう。というのも、外的な対象の位置の変化の効果を、自分の運動で修正することができないので、その生物はこの変化を状態の変化と区別するいかなる理由ももたないからである。その生物はまた、運動できたとしてもその運動が意志的でない場合や、運動に何らかの感覚が伴わない場合にも、同じくこの概念をもつことはできなかったはずである。

相互補償の条件

対象の側とわれわれの側の二つの変化は、互いに独立であるにもかかわらず、相互に修正し合う。それでは、そうした仕方で生じる相互補償の働きは、どのようにして起きるのか。

この場合、すでに幾何学を知っている精神であるならば、次のように推論するだろう。

互いの補償が成立するためには、一方にある、外的対象のさまざまな部分と、他方にある、われわれのさまざまな感覚器官とが、二つの変化を経て互いに同じ相対的位置になければならないことは、はっきりしている。そのためには、外的対象のさまざまな部分が、それぞれ同士の関係に関して相対的に同じ位置に等しく保存され、同時に、われわれの身体のいろいろな部分も、それら同士で同様の関係にある必要がある。

このことを別の言葉でいうと、外的対象は第一の変化において、変形しない固体のような仕方で位置を変える必要があり、その第一の変化を修正する第二の変化にあっては、われわれの身体の全体も同じ状態になっている必要がある、ということである。

これらの条件が成立するなら、相互補償は生まれることであろう。

しかしながら、われわれには空間の概念がいまだ形成されておらず、したがって幾何学はいまだ知られていないのであるから、相対的位置という概念を利用したこのような推論を行うことはできない。すなわち、この補償が可能であるかをア・プリオリに予見することはできない。ただ、経験がしばしばそれが生じることを知らせてくれるのであるから、われわれが状態の変化と位置の変化を区別するために出発点とするべきは、この経験上の事実だということになる。

固体と幾何学

われわれの周囲の事物のうち、われわれの身体の相関する運動によって修正できるような位置の変化をしばしば示すものがある。それは固体である。

それ以外の事物では、形そのものが変化するので、同様の位置変化を示すのは例外的な場合(形の変化なしの位置の変化)だけである。位置が変化する間に形も変化する物体については、それに対応する運動によって、その物体とわれわれの感覚器官の相対関係を同じように戻すことができない。その結果、印象の最初の集合をもう一度構成することができないのである。

われわれが変形する物体を小さい要素に分解し、固体とほぼ同じ仕方でその要素の位置の変化が起きることを認識するようになるのは、以上のような段階よりずっと後になって、一連の新しい経験を得ることによってである。それゆえわれわれは、状態の変化のもう一つのもの、つまり「変形」を他の状態変化から区別するのであるが、この変形において個々の要素は単なる位置の変化をこうむるだけであり、それらは相関的運動をもって訂正しうる。しかし、全体としての変化はもっと大掛かりなものであるから、相関的運動によって修正することはできない。

形とともに位置も変化するというこの種の考えは、すでに十分に複雑であり、経験のかなり進んだ段階でしか現れることがない。この考えは、固体の観察を通じて位置の変化を他の種類の変化と区別するということが、それ以前に学ばれていなければ、生じえなかったであろう。

したがって、もしも自然のうちに固体が存在しなかったならば、幾何学は存在しなかったということになろう。

ここで、少々注意を払うに値する、もう一つ別のこともコメントしておこう。一つの固体が最初に位置αを占めていて、次に位置βに移ったと仮定してみよう。それは第一の位置においてわれわれに印象の集合Aを引き起こし、第二の位置において印象の集合Bを引き起こす。ところが、もう一つの固体があって、第一の固体とはまったく異なった性質、たとえば異なった色をもっているとしてみよう。さらに、それは位置αで印象の集合A′を引き起こし、位置βにおいて印象の集合B′を引き起こすとしよう。

一般的にいって、集合Aには集合A′と共通するものは何もなく、集合Bにも集合B′と共通するものは何もない。それゆえ、集合Aから集合Bへの移行と、集合A′から集合B′への移行とは、それ自体としては、一般的に何の共通性もない二つの変化であるということになる。

ところが、これら二つの変化について、われわれはそれぞれを移動とみなすばかりでなく、それらが同じ移動であるとみなす。これはどうしてそうなるのであろうか。それは単に、それらがわれわれの身体による同じ相関的運動によって修正されるからである。

したがって、さもなければわれわれが結びつけることを夢想だにしなかったであろう二つの現象について、それらの唯一の結びつきをなすのは「相関的運動」なのである。

他方、われわれの身体はさまざまな関節をもち、多くの筋肉からできているおかげで、非常に多くの異なった運動を行うことができる。もちろん、すべての運動が外的な対象の変化を「修正」できるわけではない。身体全体であるか、少なくとも感覚器官のすべてが、一団となって位置を変えるものだけが、その能力をもつのであり、いいかえれば固体のように、その相対的位置が変化しない運動だけが、その能力をもつのである。

以上の議論を要約するとこうなる。

る。

1° われわれはまず、現れる現象のうちに二つのカテゴリーを区別するようにな

第一のカテゴリーは非意志的なものであり、筋肉的感覚を伴っていない。この現象はわれわれによって、外的な対象に帰属させられる。それは外的な変化である。

第二のカテゴリーは、それと対比的な性格をもち、われわれはそれを自分自身の身体の運動に帰属させる。それは内的な変化である。

2° われわれは、これらのカテゴリーの一方の変化が、他方のカテゴリーの相関的変化によって修正されることを認める。

3° われわれは外的な諸変化のなかで、第二のカテゴリーのうちに相関的なものをもっているものを区別し、それを位置の移動と名づける。同様に、内的な変化のなかで、第一のカテゴリーのうちに相関的なものをもっているものを区別する。

かくして、この相互性のおかげで、位置の移動と呼ばれる一つの特別な現象のクラスについて、その定義が見出されることになる。幾何学が対象とするのは、こうした現象に関して認められる諸法則に他ならない。

一様性

さて、この種の法則の第一は、一様性の法則である。

われわれが外的な変化αのおかげで印象の集合Aから集合Bへと印象の変化を経験し、さらに、このαは意志的な相関的運動βによって修正され、元の集合Aへと戻ると仮定しよう。

次に、別の外的な変化α'のおかげで、われわれが印象の集合Aから集合Bへという、もう一つの印象の変化を経験すると仮定しよう。

経験が教えることとは、この変化α'もαとまったく同様に、β'という意志的な相関的運動によって修正が可能であり、しかも、このβ'はαを修正したβと同じ筋肉的感覚に対応しているということである。

われわれは**空間が一様であり等方的である**というが、普通そのときに述べていることとは、まさしくこの事実に他ならない。

われわれはさらに、一度生じた運動は二度、三度、さらにその後と、その性格を変えることなく何度でも繰り返すことが可能である、ともいいうる。

本書の第一章で、われわれは数学的推論の本性について考察したが、そこでは同じ数学的操作が無際限に繰り返すことのできる可能性について、その重要性を確認した。

数学的推論がその力を得てくる源泉はこの繰り返しである。それゆえ、幾何学上の諸事実に対して数学的推論が適用されるとき、この推論の力が発揮されるのは、一様性というこの法則のおかげなのである。

幾何学的空間の諸規則について完全に述べるためには、一様性以外にも一連の類似の規則について触れる必要があるが、私はここでその詳細について述べたいとは思わない。ただ、数学者たちは、空間上のさまざまな位置の移動が「一つの群（un groupe）」を作る、という言い方でこのことを要約している、ということだけを付け加えておく。

非ユークリッド的世界

もしも幾何学的空間が、それぞれ個別的に考えられたわれわれの表象の個々のものに対して直接に課せられる一つの枠組みであるとするならば、この枠組みを外して考えられる像というものを表象することはできなくなり、われわれは自分たちの幾何学に何らかの変更を加えることはまったくできなくなるであろう。

しかしながら、幾何学とはそうしたものではなく、ただこれらの表象が互いに継起する際に従う法則を要約したものにすぎない。それゆえ、一連の表象があらゆる点でわれわれの普通の表象に似ていながらも、われわれが慣れ親しんでいる法則とは異なった法則に従って継起すると想定しても、それを禁じるものは何もない。

したがって、その継起の法則に関して、われわれのものとは著しく異なる環境で教育を受ける生物がいるとしたら、その生物はわれわれのものとは非常に異なった幾何学をもつこともありうるであろう。

たとえば、それらが住む世界が、次のような法則に従う、大きな球のうちに閉じ込められていると想定してみよう。

そこでの温度は一様ではなく、球の中心においては温度が最高であるが、そこから遠ざかる程度に応じて温度は下がり、この世界を囲む球の境界においては絶対零度まで下がる。

この温度の変化の法則を次のようにもう少し厳密にしてみる。この有限な球の直径をRとする。中心からある点までの距離をrとする。そうして、各点の絶対温度は次

の式 R^2-r^2 に比例するものとする。

次に、この世界では、すべての物体が等しい膨張係数をもっていて、どんな定規の長さもその絶対温度に比例しているとしよう。

最後に、ある点から温度の異なる別の点に移動させられた対象は、直ちに新しい環境との間に熱的平衡を確保するものと仮定する。

こうした仮説のいずれも、それ自体としては矛盾を含むわけではないし、想像不可能というわけでもない。

可動的な事物はこの世界のなかで、境界をなす球面に近づくにつれて徐々に小さくなっていく。

まず注目するべきは、この世界はわれわれの通常の幾何学の視点からすれば有限であるが、そこに住む生物にとっては無限に見えるということである。

というのも、それらが球体の限界に近づこうとすればするほど、それらはますます冷却し、ますます小さくなるからである。そのときそれらの歩みもまた、ますます小さくなるので、その境界の球面にまで決して到達することができないのである。

もしもわれわれにとっての幾何学が、不変形な固体の運動が従っている法則の研究に他ならないとすれば、これらの想像上の生物にとっては、幾何学とはここで語っているような、温度の差異によって変形する固体の運動が従っている法則の研究だ、ということになるだろう。

もちろん、われわれの世界にあっても、自然の内なる固体は熱したり冷やしたりすることによって、その形や体積に似たような変化が生じる。とはいえ、われわれは幾何学の基礎を据える際に、こうした変化については無視する。なぜなら、そうした変化は非常に微細であるばかりでなく、きわめて不規則であり、ほとんど偶発的であるように思われるからである。

いま想定している想像上の世界では、これと同様ということはありえず、事物の変化は規則的かつ非常に単純であるような法則に従っているのである。

他方、この世界に住む生物の身体を作っている固体状のさまざまな部分は、形と体積に関して同じような変化をこうむるであろう。

私は以上の仮定の他に、さらにもう一つの仮定を加えることにしたい。すなわち、この世界では光がさまざまな屈折率をもった媒質を透過し、その屈折率は R^2-r^2 に反比例する、という仮定である。このような条件下では、光線は直線ではなく円弧を描くということが、容易に見て取れるであろう〔光の位相速度は屈折率に反比例するので光は屈折率の高い方に曲がる〕。

ところで、私のここまでの主張を正当化するためには、まだ、外的対象の位置に関して認められる変化が、この想像上の世界に住む感覚を有する生物が行う相関的運動によって**修正される**ということを示す必要がある。さらに、この修正が、感覚を有するこの生物が最初に受け取った印象の集合を再現する、という仕方でなされることを示す必要がある。

実際、ある物体が、変形しない個体とは異なり、前に述べたような温度変化の法則に正確に従い不均一な膨張や収縮を受け変形する固体として運動する場合を考えてみる。それを、ひと言で**非ユークリッド的**移動と呼ぶことにしたい。

感覚を有するこの生物が、この環境において存在するなら、その生物の印象は対象の移動によって変容をこうむるであろうが、自分自身で適切な仕方で動くことによって、最初の印象を復元することができるだろう。結局、対象と感覚を有する生物とが一つの単一の組を形成し、私がたったいま非ユークリッド的と呼んだ、特別な移動をすれば十分である。この移動が可能になるためには、これらの生物の四肢が、住む世界の他の物質と同様の法則に従い、膨張収縮すると想定すればよい。

われわれが慣れ親しんだ幾何学の観点からすれば、これらの物体はその移動を通じて変形し、それらのさまざまな部分はもはや互いに同一の相対的位置を保っているとはいえないであろう。ところが、この感覚を有する生物が受け取る印象は、移動したのちに同一のものに戻るであろう。

まず、さまざまな部分同士の距離は変化しているとはいえ、初めに接触し合っていた部分同士は移動後も接触している。そこで感じられる触覚的感覚は変化していない。

次に、先に述べたような光線の屈折率と曲率の仮定を考慮に入れるならば、視覚的印象もまた同一にとどまっている。

想像上のこの生物はしたがって、われわれと同じように、自分が目の当たりにする諸現象に対して分類を行い、そのなかで自分が意志しうる相関的運動によって修正を受けつけるような現象を、「位置の変化」として区別するようになるのである。

彼らが一つの幾何学を打ち立てるとすれば、それはわれわれの幾何学のように、変化しない固体の運動の研究ではないだろう。それは、右のような仕方で区別される位置の変化の研究であろう。その研究の対象は「非ユークリッド的移動」に他ならず、したがってそれは非ユークリッド幾何学となるであろう。

かくしてわれわれに似たその生物は、そうした世界のなかで教育を受け、われわれと同じ幾何学をもつことはないのである。

四次元の世界

非ユークリッド世界とまったく同じように、四次元の世界を表象するということも可能である。

視覚は片方の目だけで生じても、印象が眼球の運動に対応した筋肉的感覚に結びつくことによって、十分にわれわれに三次元空間を認識させることができる。外的諸対象の像は、二次元のキャンバスともいうべき網膜上に描き出される。この像は遠近画像である。

しかし、これらの対象は可動的であり、われわれの目もまた同様の可動性をもつので、われわれは同一の物体を異なる視点から捉えた複数の遠近画像を順番に見ることになる。

われわれはまた、一つの遠近画像からもう一つの遠近画像への移行が、しばしば筋肉的感覚を伴うことを確認する。

遠近画像AからBへの移行が、別の遠近画像A′からB′への移行と等しい筋肉的感覚を伴うとするなら、われわれはそれらを同じ性質の操作として結びつける。

次に、こうした操作が互いに組み合わされる諸法則を研究することによって、われわれはその諸法則が一つの群を形成することを認識する。それは、変形しない固体の運動と同じ構造をもつ群である。

ところで、われわれが幾何学的空間の概念と三次元の概念とを導出したのは、この群がもつ諸性質からであったことは、すでに確認した。

したがってわれわれは、三次元空間の観念がいかにして、これら遠近画像の通覧から生じることができたのかを理解できる。なぜなら、この画像の一々は二次元しかもたないが、それらがある諸法則に従って継起するからである。

ところで、三次元図形の遠近画像を平面上に作成することができるのとまったく同様に、四次元図形の遠近画像を三次元(ないし二次元)の画面上に作ることは可能である。それは幾何学者にとっては、単なる遊戯にも等しい簡単な作業である。

さらに、同一の図形について、さまざまに異なった視点から見られた複数の遠近画像を作ることさえも可能である。

それらは三次元しかもたないのであるから、われわれがそれを表象することは容易である。

同一の対象について複数の遠近画像が、互いに前後して継起しており、一つの像から次の像への移行には、筋肉的感覚が伴っていると想像してみよう。こうした移行の二つが、同じ筋肉的感覚と結びついているときには、当然のことながら、それらは同一の性質をもつ二つの操作であるとみなされるだろう。そうすると、これらの操作がわれわれの欲するような何らかの法則に従って組み合わされると考えても、まったく問題はないことになる。たとえば、不変形の固体が四次元において示す運動と同じ構造をもつような群を形成するように組み合わされると考えることができる。

以上のようなことに関して、われわれの表象能力を超えているものは何もない。そして、その感覚は二次元の網膜をもち、四次元空間において移動できる生物が感じるであろう感覚そのものなのである。

それゆえ、われわれは四番目の次元を表象することが可能である、といってもかまわない。そういったときに意味されているのは、以上のようなことである。

われわれは前章で、ヒルベルト氏の幾何学の空間〔「幾何学」の語を補った〕についても触れたが、この空間はこうした仕方では表象可能ではないだろう。なぜなら、この空間はもはや、第二階の連続体ではないからである。したがってそれは、われわれの普通の空間からは、もっとかけ離れたものだということになる。

結論

幾何学の発生において、経験というものが不可欠の役割を演じていることは間違いない。とはいえ、そのことのゆえに、たとえ部分的にせよ幾何学は経験的科学であると結論することは誤りである。

幾何学がもしも経験的なものであるならば、それは近似的で暫定的な学問であるということになるだろう。そうだとすれば、それは何と粗っぽい近似であるということになるであろう。

幾何学は固体の運動の研究に他ならないといってもよいかもしれない。とはいえ、それが問題にするのは、実際には自然の内なる固体ではない。それが研究対象とするのはある種の理想的で、絶対に変形することのない固体であり、それは自然の内なる固体の非常に単純化したイメージでしかなく、そこからかなりかけ離れたものである。

この理想的な物体の概念は、全面的にわれわれの精神から引き出されたものであって、経験はそれを生み出すようにわれわれを促す一つの機会になっているにすぎないのである。

幾何学の目標は、ある特殊な「群」を研究するということである。しかし、この群という一般的な概念は、少なくとも潜在的には、われわれの精神にあらかじめ存在している。それはわれわれに対して、感覚の形式ではなく、知性の形式として課せられている。

必要なことは、想定可能なすべての群のうちで、われわれが自然現象を前にして頼ることのできる、標準器ともいうべきものを選択することでしかない。

経験はこの選択において、われわれを導くことはあっても、制約することはない。それはわれわれに、どの幾何学が最も真であるかではなく、どれが最も便利であるかを教えてくれるのである。

読者は、私がこれまで想定してきた想像上の世界について語る際に、普通の幾何学の言葉の使用をやめなかった、ということに注意していただきたい。

実際に、われわれはたとえそのような世界に移動させられたとしても、この点で変更を行う必要はないはずである。

もちろんこの想像上の世界で経験を通じた教育を受ける生物は、自分たちの受け取る印象にもっと適しているような、われわれのものとは別の幾何学を創った方が便利である、と思うにちがいない。一方、われわれにとっては、まったく同じ印象を目の当たりにしても、自分たちの習慣を変えない方が便利だと、必ず思うにちがいないのである。

第五章　経験と幾何学

一

私はこれまでの議論のなかで何度も、幾何学の諸原理が経験的事実ではないこと、またとくに、ユークリッドの「公準」が実験によって証明されることはありえないということを、示そうと試みてきた。これらの主張の根拠は反論の余地のないものと思えるが、私はこの点をなおもしっかりと強調しておく必要があると思っている。というのも、非常に多くの人々の精神には、誤った観念が根深く植えつけられているからである。

二

物質を使って一つの円形を作り、それの半径と円周とを測って、それらの比が2πに等しいかどうかを確かめようとしたとする。このような作業によって何がなされたことになるのだろうか。それはたしかに一つの実験なのではあるが、その実験は、空間の諸性質に関する実験ではなく、この円形を実現するために使われた物質の諸性質に関してのものであり、さらには、それを計測するために使われた物差しを作る物質の諸性質に関してのものである。

三 幾何学と天文学

ここで問われているのと同じ問題が、別の仕方でも提起されてきた。もしもロバチエフスキーの幾何学が真であるなら、非常に遠くにある星の視差は有限なものになるであろうし、リーマンの幾何学が真であるなら、その値は負になるであろう。これらのことは実験によって確認できる帰結なのだから、天文学上の観察を通じて、三つの幾何学のうちのどれが正しいのかを決定できるのではないか。このような期待が抱かれたのである。

ところが、天文学において直線と呼ばれるものは、単に光線の軌跡を指しているにすぎない。したがって、もしも万が一にでも負の視差が発見されたり、あるいは、すべての視差がある限界値を超えることが発見されたりしたら、次のような二つの結論のどちらかを選択する必要があるということになる。すなわち、われわれはユークリッド幾何学を放棄することが望ましい。あるいは、光学の法則を変更して、光は厳密には直線に沿って伝播しないことを認める。

しかし、この選択では誰もが後者の方を選ぶことは言を俟たないであろう〔現在では、光はユークリッド幾何学の直線に沿って進むものではないと考えられている〕。それゆえ、ユークリッド幾何学が新しい実験を恐れる必要は何もないのである。

四

あるいは、ユークリッド幾何学では可能であるようないくつかの現象が、非ユークリッド幾何学では不可能になるかもしれず、その現象を実験で検証すれば、非ユークリッド幾何学の仮説はダイレクトに実験に矛盾するということができるのではないか。このように主張されるかもしれない。しかし、私にとっては、この種の問いは提起しようがないのである。私の感覚では、このような発想は次のような考えとまったく同等であり、その不条理性は誰の目にも明らかであると思われる。メートルやセンチメートルでは表わすことができるが、メートル法以前のトワズやピエやプスでは測ることのできない長さがあって、実験がそれを確認すれば、一トワズは六ピエに分割されるという仮説は、ダイレクトに反駁(はんばく)することができるだろうか、というような考えである。

ここで問われていることをもう少し詳しく吟味しておこう。直線はユークリッド空間のなかにあっては何かしらAとBという二つの特性を備えているが、非ユークリッド空間のなかではAのみをもち、Bはもっていない、と仮定してみよう。さらに、ユークリッド空間でも非ユークリッド空間でも、特性Aをもつのは直線だけであると仮定してみよう。

もしも事実がこのようであるとすると、われわれは実験を通じて、ユークリッド幾何学の仮説とロバチェフスキー幾何学の仮説との間で、選択をすることができそうである。つまり、経験を通じて確認することのできる、何らかの具体的な対象、たとえば光線の束に関して、それが特性Aをもつことを実験によって確認すれば、それが直線であることを結論できるし、さらには、それは特性Bをもつかどうかも結論できるのではないか。こう主張できそうである。

とはいえ、事実はまったくそうではないのである。なぜなら、ここでの特性Aのように、対象が直線であることを絶対的に確認させ、しかも、それを他のすべての線と区別することを可能にするような特性は、まったく存在しないからである。

たとえばこういわれるかもしれない。「その特性は次のようなものである。直線とは、その線上の点はすべて固定されたままで、その線を含む図形がそれ自身の諸点間の距離を変えることなく運動することができるような、そういう線である」〔第三章「暗黙の公理」を参照のこと〕。

なるほど、図形の回転軸を直線に見立てるこの特性は、ユークリッド空間であれ非ユークリッド空間であれ、直線に備わった性質であり、しかも直線にしか備わっていない。しかし、この特性がしかじかの具体的な対象に備わっているかどうかを、われわれはどうやって実験的に確認することができるのであろうか。私はそのためには距離を測定する必要があるが、その対象について私が使う測定器具が示す具体的な距離の値が、抽象的距離を正しく表現しているかどうかを、どうやって知るのであろうか。

結局、困難は一段階ずらされただけである。

実際のところ、いま述べたような特性は、直線が単独にもつ特性の一つではなくて、直線と距離とに備わった特性である。この特性が絶対的な基準として使用可能であるためには、それが直線と距離には備わっていないことを確認する必要があるだけでなく、さらには、直線以外の線と距離以外の量にも備わっていないことを確立できなければならない。ところが、これは真ではないのである。

したがって、ユークリッドの体系では解釈を与えることができるが、ロバチェフスキーの体系では解釈を与えられないような、そういう具体的な実験を想像することは不可能である。ここから私は次の結論を出すことができる。

いかなる実験も、ユークリッドの「公準」と矛盾をきたすことになるということは、決してありえない。その代わりに、何らかの実験がロバチェフスキーの「公準」と矛盾をきたすことになるということも、決してありえない。

五

とはいえ、ユークリッド(または非ユークリッド)の幾何学が実験と直接に矛盾することは決してない、というだけでは不十分である。幾何学と現実の経験との合致が、すべての事象には十分な理由がなければならないという充足理由律や、空間の相対性の原理に反することによってのみ可能である、ということは起こりえないのだろうか。

この点に関する私自身の意見はこうである。何であれ、ある任意の物質の体系を考察してみよう。われわれは一方で、この体系に属するもろもろの物体の「状態」(たとえばその温度や電気ポテンシャルなど)を考察し、他方ではそれらの空間中の位置を考察する必要があるだろう。そして、その位置の決定を可能にするいくつかのデータのうちで、その相対的位置を決定する物体同士の距離と、空間全体におけるこのシステムの絶対的位置と絶対的方位とを決定する諸条件とを区別する。

このシステムのうちで生じる諸現象の法則は、これらの物体の状態とそれら相互の距離に依存するだろう。しかし、空間の相対性と受動性のゆえに、それはシステムの絶対的位置と方位には依存しない。

別の言い方をすると、ある瞬間における諸物体の状態とそれら相互の距離とは、最初の瞬間におけるこれらの物体そのものとそれら相互の距離にのみ依存しているが、システムの最初の絶対的位置と最初の絶対的方位には、まったく依存していない。言葉を短縮するために、このことを**相対性の法則**と呼ぶことができるだろう。

私は右のような説明において、ユークリッド的な幾何学者として語っている。とはいえ、すでに述べたように、何であれ任意の実験は、ユークリッド的仮説の下で一つの解釈を受けるとしても、同じように、非ユークリッド的仮説の下でも何らかの解釈を受ける。たしかに、われわれが一連の実験を行った場合、われわれはそれをユークリッド的仮説の下で解釈し、これらの解釈による経験は「相対性の法則」というこの条件を破らない、ということを認めた。

われわれは今度は、非ユークリッド的仮説の下で、それらを解釈してみる。このことはつねに可能である。ただし、この新しい解釈の下では、種々の物体相互の距離は、最初の解釈の下でユークリッド的距離とされたものとは一般的にいって等しくないのであるが。

さて、このように新しい仕方で解釈されたわれわれの実験は、なおもわれわれのいう「相対性の法則」に合致するのであろうか。そして万が一それが合致しなかったときには、それでもなお、実験が非ユークリッド幾何学の偽であることを立証したといってはならない、ということになるのだろうか。

こうした心配が無用であることを見るのは簡単である。実際のところ、相対性の法則を完全な厳密さの下で適用することができるためには、それが宇宙全体に適用される必要がある。なぜなら、もしも宇宙の一部だけが考慮されていて、しかも、全宇宙におけるこの部分の絶対的な位置が変化するとしたら、この宇宙に属する他の物体との距離も同様に変化するので、ここで考察された宇宙の部分に対するこれらの物体の影響は増大したり減少したりするであろう。そのために、結果として、これらの事物について生じる諸現象の法則が変わる可能性があるのである。

ところが、われわれのシステムが宇宙の全体であるとすると、実験はその空間中における絶対的な位置と方位とを、われわれに教えることはできない。観測器具がいかに完全なものになったとしても、それを用いてわれわれが認識することが可能なのは、宇宙のもろもろの部分の状態と、それら同士の距離についてだけである。

したがって、われわれのいう相対性の法則に関しては、次のように述べることができる。

われわれが任意の瞬間に、一つの器具を使って読み取れる値は、同じ器具を使って最初の瞬間に読み取ることができるであろう値にだけ、依存するであろう。

ところが、この種の言明は、実験に関する一切の解釈とは独立である。もしもこの法則がユークリッド的解釈の下で真であるのなら、それはまた非ユークリッド的解釈の下でも真であろう。

なおここで、この問題をめぐって、少しだけ脇道にそれることを許していただきたい。私はこの議論の前の方で、あるシステムのなかのもろもろの物体の位置を決定するために使われるデータの話をした。私はそこで、それらの速度を決定するデータについても、同様に語っておくべきであった。そうしていれば、一方での、物体同士の距離が変化する速度と、他方での、システムの平行移動と回転の速度、つまり、それらの絶対的位置と方向の変化の速度とを、はっきりと区別しておくことができたであろう。

それゆえ、われわれの精神に十全な満足を与えるためには、先の相対性の法則を次のようにもっと厳密に述べることもできたであろう。

任意の瞬間における諸物体の状態と、それら同士の距離、ならびにその瞬間にこれらの距離が変化する速度は、最初の瞬間におけるこれらの物体の状態と、それら同士の距離、さらには最初の瞬間におけるそれらの距離が変化する速度にのみ依存しているのであり、このシステムの最初の絶対的位置にも、絶対的方位にも、さらには最初の瞬間における絶対的位置と方位の変化の速度にも依存していない。

残念ながら、このように厳密に述べられた法則は実験には合致しない。少なくとも、われわれが普通に理解する意味での実験には。

ある人がどこかの惑星に移動させられたとしてみよう。この惑星では空はつねに厚い雲で覆われているために、その人が他の天体を発見することは決してない。この惑星では、その人はいわば空間というもののうちに惑星が孤立しているごとく生きている。それでもしかし、この人はこの惑星の扁平率(へんぺいりつ)を測定したり(この測定は通常は天文学的観察にもとづいて行われるが、純粋に測地学的な手法でも行うことが可能である)、フーコーの振り子の実験を再現したりすることで、自分の惑星が自転していることを把握することができるはずである。したがって、この惑星の絶対的回転は、実験によって明らかにできるかもしれない。

ここには哲学者にとってはショックであるが、物理学者であれば受け入れざるをえない、一つの事実がある。

知ってのとおり、ニュートンはまさしくこの事実にもとづいて、絶対的空間の存在を結論づけたのである。しかしながら、私自身はこうした見方を採用することは決してできない。といっても、その理由は次の第三部で説明するつもりである。私はいまの段階ではまだ、この困難について正面から取り組むつもりにはなっていない。そのために私は、相対性の法則の記述において、物体の状態を決定する多数のデータのなかに、あらゆる種類の速度を無差別に混ぜておく他はなかったのである。いずれにしても、この困難はユークリッド幾何学でもロバチェフスキー幾何学でも、等しく生じる困難である。したがって、私はこの点について本気で気にすることはせず、ただついでにいえば、という形で付け加えるだけにしたのである。重要なのは結論である。実験はユークリッドとロバチェフスキーのどちらが正しい幾何学であるかに関して、決定することはできない。

これを要約すれば、われわれはどんなふうに見ようとしても、幾何学に関する経験主義という立場については、理にかなった意味を一つも見出すことができないということである。

六

実験がわれわれに認識せしめるのは、物体同士の諸関係だけである。実験は物体と空間との関係や、空間中の諸部分同士の関係については関わりをもたないし、もっことができない。

こういえばあなたは次のように返答することであろう。「なるほど、単独の実験はたしかに不十分である。なぜならそれは私に、さまざまな未知数を含む一つの方程式を与えてくれるだけだからである。とはいえ、私が十分な実験を重ねるならば、これらの未知数のすべてを計算できるのに十分な方程式を与えてくれるだろう」。

船のメインマストの高さを知っても、その船の船長の年齢を計算するには十分でないだろう。あなたが船を作っている木片のすべてを計測したとすれば、非常に多くの方程式を手に入れるにちがいないが、だからといって、船長の年齢についてもっとよく知っていることになるとはいえないだろう。木片に関する計測のすべては、木片に関わること以外には何も明らかにしてはくれない。同様にして、あなたの実験がどれほど数多いものであっても、それは物体同士の関係以外のことに関わりをもたないのであるから、空間の諸部分同士の関係については、何一つ明らかにはしてくれないのである。

七

もしも実験が物体に関わるものであるとしたら、それは少なくとも、物体の幾何学的性質には関わりをもっているのではないか。あなたには、このようにいう可能性もあるだろう。

さて、このように問うあなたは、そもそも物体の幾何学的性質ということで、何を意味しているのであろうか。私が察するところ、それはもろもろの物体と空間との関係に関するものであろう。この性質はしたがって、物体同士の関係にのみ関わりをもつ実験にとっては確認不可能である。このことだけで、われわれが問うているのはこれではない、ということを示すのに十分なはずである。

しかし、物体の幾何学的性質というこの言葉で何が意味されるのか、というところから始めることにしよう。一つの物体が多くの部分からなるというとき、私は自分が幾何学的性質について述べているのだとは考えない。このことはたとえ、私が規約に従って、自分の注視している目の前の物体の最小部分を点という不適切な言葉で呼ぶとしても、間違いはないはずである。

私が一つの物体のこの部分がもう一つの物体のあの部分と接しているというとき、

私のこの言明は二つの物体の相互関係に関する命題ではあるが、それらが空間との間でもつ関係に関する命題ではない。

したがって、あなたが問題にしているのは幾何学的性質なのではない、という私の主張にあなたも同意することと思う。少なくとも、こうした性質が計量幾何学の一切の認識とは無関係であるということは、あなたも同意すると私は確信している。

以上のことを前提した上で、次のような場合を想像してみることにしよう。ここに八本の針金からなる一つの固体があるとする。針金はOA、OB、OC、OD、OE、OF、OG、OHという八本からできていて、それぞれの端がOで結ばれている。また、もう一つの木片などの固体があって、こちらの方にはたとえばα、β、γというインクの染みがその上に付けられているとする。さらに、これらの固体同士が次のような形で接触させられうることを確認できるとする。すなわち、αβγがAGOと接触し(つまりαとA、同時にβとG、γとOが接触することを指す)、次にαβγがBGO、CGO、DGO、EGO、FGOという具合に順番に接触し、さらにはAHO、BHO、CHO、DHO、EHO、FHOという具合に順番に接触することが確認できるものと仮定する。そして最後に、αγがAB、BC、CD、DE、

ＥＦ、ＦＡと順番に接触することも確認できるとする。

これらの事実はわれわれが空間の形式や計量的性質について、あらかじめ何の観念をもっていなくても、確認できる事柄である。それらは「物体の幾何学的性質」にはまったく関わりがない。以上のことはしかも、われわれの実験の対象がロバチェフスキー的群と同じ構造をもつ群に従って運動していたなら(これはつまり、ロバチェフスキー幾何学の下での固体の運動法則に従って、という意味であるが)、確認のできない事柄である。それゆえ、これらの事実は、これらの物体がユークリッド的群に従って運動していること、あるいは少なくとも、ロバチェフスキー的群に従っては運動していないことを証明するのに十分である。

実験におけるこれらの確認事項が、ユークリッド的群と両立可能であることを見るのは容易である。

というのも、もしも物体$\alpha\beta\gamma$が普通の幾何学でいう直角三角形の形をした不変形の固体であり、ＡＢＣＤＥＦＧＨがわれわれの普通の幾何学でいう二つの正六角錐からできた多面体の頂点で、この正六角錐はＡＢＣＤＥＦという底を共有し、一方の頂点がＧでもう一つの頂点がＨであるとすれば、右のような事実は確認が可能だからである。

他方、以上のような事実の確認の代わりに、さっきと同じように$\alpha\beta\gamma$をAGO、BGO、CGO、DGO、EGO、FGOという具合に順番に当て、さらにはAHO、BHO、CHO、DHO、EHO、FHOという具合に順番に当てることが確認でき、今度は($\alpha\gamma$ではなく)$\alpha\beta$がAB、BC、CD、DE、EF、FAと順番にぴったりと当てはめられることが確認されると考えてみよう。

こうしたことはありうるだろう。それは、もし非ユークリッド幾何学が真だとして、さらにもし、物体$\alpha\beta\gamma$とOABCDEFGHが変形しない固体であり、前者が直角三角形で後者が二重正六角錐であり、それらが適当な大きさであると仮定すれば。

これらの物体がユークリッド的群に従って運動しているなら、こうした確認は不可能である。しかし、これらの物体がロバチェフスキー的群に従って運動すると仮定するのなら、こうした確認は可能である。その確認はしたがって(もしそれを行えば)、問題となっている物体がユークリッド的群に従っては運動していない、ということを証明できるのである。

かくして、私は空間というものの形式や本性、物体と空間の関係についてのいかなる仮定も立てずに、また、物体にいかなる幾何学的性質を帰属させることもなしに、一方の場合には実験上の物体がユークリッド的構造をもつ群に従って運動し、他方の場合にはロバチェフスキー的構造をもつ群に従って運動しているということを示すような、実験上の確認を示すことができたのである。

といっても、最初の確認は空間がユークリッド的であり、次の確認は空間が非ユークリッド的であることを証明する実験を構成したなどとは、決していわないでいただきたい。

実際、ある物体が二番目の確認を次々と実現するような仕方で運動するということは、想像することが可能である(私は想像できるといっているのだ)。しかも、その証拠となるように、優秀な機械技師が来れば、その技師が労力と費用を惜しまないかぎり、そうした物体を組み立てることも可能であろう。しかしそれだからといって、空間が非ユークリッド的であると結論することは、あなたには許されていないのである。

そればかりか、たとえ機械技師がいまいったような奇妙な物体を組み立てることができたとしても、普通の固体の物体は相変わらず存在を続けているのであるから、空間は同時にユークリッド的でありかつ非ユークリッド的である、ということをいわなければならないはめになるだろう。

たとえば、半径Rの大きな球体があり、その温度が球の中心から表面へ行くほど減少し、しかもその減少が先に〔第四章で〕述べた非ユークリッド的世界の法則に従っていると仮定してみよう。

われわれはこうした球体の内部に、その膨張については無視できて、普通の不変形の固体と同じように扱えるものを手にすることができるだろう。しかし他方で、非常に膨張しやすく、非ユークリッドの固体のように扱えるものも手に入れることができるだろう。したがって、われわれは二つの二重角錘OABCDEFGHとO′A′B′C′D′E′F′G′H′とを手に入れるとともに、二つの三角形$\alpha\beta\gamma$と$\alpha'\beta'\gamma'$とを手に入れることだろう。このうち、前の二重角錘は稜（りょう）が直線で、後の二重角錐は稜が曲線であり、三角形$\alpha\beta\gamma$は膨張しない物質でできていて、$\alpha'\beta'\gamma'$はきわめて膨張しやすい物質でできているとしよう。

そうすると、二重角錘OAHと三角形$\alpha\beta\gamma$については先に述べた第一の確認を行い、二重角錘$O'A'H'$と三角形$\alpha'\beta'\gamma'$については第二の確認ができるはずである。それゆえ、実験は最初にユークリッド幾何学が真であることを証明し、次にユークリッド幾何学が偽であることを証明したように見えるであろう。

これは明らかに不条理である以上、これらの実験は空間に関するものではなくて、物体に関するものであったことが分かるのである。

八　補遺

経験的事実と幾何学的空間とをめぐる以上の議論を完全なものにするためには、さらに一つの微妙な問いについても語る必要があるが、それには相当に込み入った議論をしなければならない。ここではただ、私が哲学雑誌の『形而上学・倫理学評論』と『モニスト』に発表した論文の内容を要約することにとどめざるをえない。空間は三次元をもっている、といわれる。これは何を意味するのであろうか。

われわれは先に、空間的知覚に関しては、自分が感じる筋肉的感覚によって明らかにされるような「内的変化」が重要である、ということを見た。筋肉的感覚はわれわれの身体のさまざまな姿勢を性格づけることに役立つ。ここで任意の姿勢Aを最初の姿勢とし、われわれがそこからこれとは別の任意の姿勢Bに移行するとき、その間に感覚する一連の筋肉的感覚の系列をSとする。Bを決定するのはSである。しかし、同じ姿勢Bを決定するのが、SとS′という二つの系列であることもしばしばあるだろう(なぜなら、初めの姿勢Aと終わりの姿勢Bは同じであっても、その途中の姿勢とそれに付随する感覚は異なりうるであろうから)。その場合、われわれはどうやってこの二つの系列が同等であると認識するのであろうか。その理由は、それらが同じ外的変化を補償するのに役立つからであるか、もっと一般的にいって、外的変化の補償に関して一方が他方の代わりをすることができるからである。

われわれは先の議論で、こうした系列のなかでも、それだけで単独に外的変化を補償できる系列を区別して、それに「移動」という名前を付けた。われわれは非常に距離の近い二つの移動を区別できないのであるから、こうした二つの移動の集合は一つの物理的連続体という性格をもって現れる。経験はこの連続体が六次元からなることを教えてくれる〔対象が移動したことを補償する場合、たとえば身体の平行移動(三次元の自由度)と回転運動(三次元の自由度)を組み合わせればいいことから、「六次元」と述べられている」。しかし、そうであるとしても、空間がそれ自体として何次元からなるかを知るためには、別の問いに答える必要があるので、この事実からは知ることができない。

空間における点とは何であろうか。誰もがそんなことは知っていると思い込んでいるが、これはまったくの錯覚である。すでに見たように、われわれが空間における一点を表象しようとするとき、表象されるものは白紙上のインクの染みや黒板の上のチョークの染みのような物質的対象である。それゆえ、この問いは次のように理解されるべきである。

さっきまで対象Aが占めていたのと同じ点にいまは対象Bが存在する。私がこういったとすれば、私は何を意味しているのであろうか。あるいは、私がこのことを認識しているというとき、その認識の判定基準はどこにあるのか。

この場合に私が意味していることは、次のことである。私が身体の位置を変えなかったにもかかわらず（そのことは私の筋肉的感覚が教えてくれる）、すぐ前に対象Aに触れていた私の人差し指が、いまは対象Bに触れている。もちろん、私は別の判定基準、たとえば別の指とか視覚という基準を使うこともできるだろう。とはいえ、人差し指で十分である。人差し指がそうだといえば、他の基準も同じ返答をするであろう。私はこのことを経験によって知っているのであって、ア・プリオリに知ることはできない。私は触覚が遠隔的には作用しないというが、その理由は同じことであって、同じ経験上の事実を別の言葉で述べているだけである。もしも私がこれとは逆に、視覚は遠隔的に作用するというなら、その意味は、他の基準がそうではないといっているのに、視覚による判定基準では、そうだということがありうる、ということである。

実際に、ある対象が遠ざかっていっても、網膜の同じ点にイメージを形成していることはできる。視覚は対象が同じ点にとどまっているといい、触覚はそうではないという。というのも、さっきまでそれに触れていた私の指が、いまでは触れていないからである。もしも経験によって、他の指がそうだというときに、一つの指だけがそうではないということもあることが示されれば、われわれは触覚についても遠隔的な作用がありうる、ということになるにちがいない。

要約するとこういうことである。私の身体の姿勢の各々に応じて、私の人差し指が一つの点を決定する。そしてこれこそが、またこれだけが、空間の一点を決定する。

それぞれの姿勢に対応して、こうした一点が対応しているが、しかし、同じ点に対して複数の異なった姿勢が対応することはしばしばである(これは、われわれの指は動かないが、身体の他の部分が動いたときに、われわれがいうことである)。したがって、われわれは自分の姿勢の変化のなかでも、指が動かない場合を区別する。私はどうやってこの区別へと導かれたのだろうか。その理由は、こうした種々の姿勢のなかで、指と接触している対象が、この接触から離れないということに、しばしば気づかされるからである。

それゆえ、われわれがこのように区別した変化の一つから次々と導出される姿勢については、すべてが同じ組に属するものとしてひとまとめにしよう。同じ組に属するすべての姿勢は、空間中の同一の点に対応する。つまり、それぞれの組に対して一点ずつ対応し、一点に対して一つの組が対応する。といっても、いいうることは、経験が捉えているのは点そのものではなくて、こうした変化の組であるということである。むしろ、それに対応する筋肉的感覚の組である、といった方が正確である。

そして、空間は三次元をもつ、といわれるときに意味していることは、単に、これらの組の集合が三次元の物理的連続体のもつ特徴を備えているように見える、ということなのである。

われわれはこの種の事実から、次のように結論したくなるかもしれない。われわれは空間がいくつの次元をもつかということを経験から学んだのだ、と。しかし、この場合にも、経験が関わりをもっているのは空間に対してではなくて、われわれの身体と、その身体が周囲の対象との間でもつ関係に対してだけである。しかも、経験がこれらについて教えることはきわめて粗っぽいことだけである。

われわれの精神にはいくつかの群(リーの理論に述べられたような)が潜在的に備わっている。自然現象と比べる時の基準のようなものにどの群を選ぶのか。ある群が選ばれたとして、そのなかのどの部分群を空間の点を特徴づけるものとして選ぶのか。どの選択がわれわれの身体の性質に最も適合しているかを示すことで、経験はわれわれを導いたのである。しかし、経験の役目はそこまでである。

祖先たちの経験

たしかに個人個人の経験は幾何学を作ることができなかったが、われわれの祖先の経験をまとめれば、可能だったということになるのではないか。このようにいわれることもしばしばある。しかし、こういうことで何がいわれているのだろうか。われわれ自身はユークリッドの「公準」を実験で証明することはできなかったが、われわれの祖先たちにはそれができた、というのだろうか。そんなことはまったくありえないことである。祖先たちの経験ということでいえるのは、われわれの精神は自然淘汰によって外的世界の諸条件に適応してきたのであるから、人類にとって最も有利な幾何学を採用してきたということ、別の言葉でいえば、最も便利な幾何学を採用してきた、ということである。このことは、幾何学が真だというのではなくて、便利だ、というわれわれの結論にぴったりと合致することである。

第三部　力

第六章　古典力学

イギリス人たちは力学を一つの実験科学として教育している。大陸では力学は多かれ少なかれ演繹的でア・プリオリな科学として説明されている。この点に関して正しいのは、いうまでもなくイギリス人の方である。しかしながら、われわれはどうしてこれほどまでに長期間にわたって、ア・プリオリを好むこの癖に我慢できたのであろうか。大陸の科学者たちもそれ以前の人々の思考習慣から逃れようと努力してきたのに、どうしてたいていの場合、そこから完全に脱却することができなかったのだろうか。

他方、力学の諸原理が実験以外には何も源泉をもたないのであるとすれば、この科学は近似的で暫定的なものになってしまうのであろうか。新しい実験が積み重ねられるなら、それはわれわれに変更を迫るどころか、廃棄することまで求めることになりはしないか。

力学について考えるときに自然に浮かんでくるのはこうした問いであるが、この種の問題についての解決が困難である理由は、力学を論じる研究書が、力学のどの部分が経験であり、どの部分が数学的推論であり、どの部分が規約であり仮説であるか、ということをきちんと区別していないからである。

しかし困難の理由はこれだけにとどまらない。

1° 絶対的空間というものは存在せず、われわれが認識するのは相対的運動だけである。ところがきわめてしばしば、あたかも絶対的空間があって、力学的事象はそれに関係づけられるのだ、と語られている。

2° 絶対的時間というものも存在しない。二つの持続が等しいという言明は、それ自体としては意味をもたず、ただ規約によってしか意味をもつことはできない。

3° われわれは二つの持続の等しさに関して、直接的な直観をもってはいない。それだけでなく、二つの異なった場面において起きる二つの出来事に関して、それらの同時性ということについての直観すらもたない。私はこのことを、「時間の計測」という題の論文で説明した。*

＊『形而上学・倫理学評論』第六巻、一一一三頁(一八九八年一月)を参照。また、『科学の価値』第二章も参照。〔原注〕

4° 最後に、われわれの有するユークリッド幾何学は、それ自体としては一種の言語上の規約でしかない。われわれは力学的事象を非ユークリッド空間に関係づけることもできるだろう。この空間は、われわれの通常の空間ほど便利ではないが、それでも正当なものである。諸事象についての記述はずっと複雑なものになるであろうが、それでも可能ではある〔現代の相対性理論では便利さが逆になる〕。

かくして、絶対的空間、絶対的時間、幾何学それ自体は、力学に対して課せられている条件ではない。それらはちょうど、フランス語という言語が、この言語で語られる真理以前に論理的に見て存在しているわけではないのと同じように、力学的事象に先行して存在するわけではないのである。

人はこうした条件のすべてから独立であるような言語を使って、力学の根本法則を説明しようとするかもしれない。そうすれば疑いもなく、力学の法則がそれ自体としてはどのようなものであるのか、もっとよく理解されるようになることであろう。これこそ、アンドラード氏が『物理的力学講義』において、少なくとも部分的にではあるが、成し遂げようとしたことである。

こうした観点から述べられる法則は、いうまでもなく非常に込み入ったものになるにちがいない。なぜなら、力学上の規約はまさしく、こうした記述を省略し、単純化するために創造されたものだからである。

私自身についていえば、とりあえずここでは絶対的空間に関する問題を除いて、こうした困難のすべてを脇に置いておくことにしたい。といっても、私がそうした困難についてよく理解していないということではない。それどころではない。とはいえ、この問題については、本書の先の二部において、十分に検討したと思っているのである。

それゆえ、私はあくまでも暫定的に、絶対的時間とユークリッド幾何学は承認することにする。

慣性の原理

いかなる力も加えられていない物体ができることは、直線的かつ等速の運動を行うことだけである。

この原理はわれわれの精神に対してア・プリオリに課せられている真理であろうか。もしもそうであるならば、なぜギリシャ人はこれを知らなかったのであろうか。彼らはいかにして、物体の運動はそれを生み出した原因がなくなれば停止する、と信じることができたのだろうか。あるいはさらに、すべての物体は、それに抵抗するものがないかぎり、運動のなかでも最も高貴な円運動を行う、と信じることができたのだろうか。

一つの物体の速度は、それが変化するための理由が何もなければ、変化することはないとわれわれはいう。そうであるなら、まったく同様に、この物体の位置や軌道の曲率は、それに変更を及ぼす外的な原因がなければ、変化しえないと主張されるのだろうか。

慣性の原理はア・プリオリな真理ではない。しかし、それならそれは、実験的な事実なのか。ところがこれまで、あらゆる力の作用も及んでいない物体について、実験が行われることなど一度もなかったはずである。あるいは、それが行われていたとしても、どうやってその物体にいかなる力も作用していないということを、知ることができたというのだろうか。この種の運動としては普通、大理石のテーブルの上をきわめて長時間転がるビリヤード・ボールが例に挙げられる。なぜこの物体には何も力が働いていないというのであろうか。その理由は、このボールが他の一切の物体からきわめて遠く離れているために、感知しうるような作用を受けていない、ということにあるのだろうか。しかしそうであるとすると、このボールを自由に空中に投げ上げれば、それは地表からずっと遠くにあることになるだろう。そして、この場合のボールが地球の重力の影響を受けていることは、誰でも知っていることではないのか。力学の教授たちは、ビリヤード・ボールについての説明を非常にあっさり終える習慣をもっている。しかし彼らは、慣性の原理が諸帰結によって間接的に検証されている、と付け加える。彼らのこの言い方はよくない言い方である。彼らのいいたいことは明らかに、慣性の原理を特殊な場合として含むより一般的な一つの原理に関して、もろもろの帰結を検証することができる、ということである。

私はこの一般的原理のために次のような命題を提案したいと思う。

一つの物体の加速度は、その物体とそれに近接する物体の位置およびその速度にのみ依存する。

数学者であれば、宇宙を占める全物質的分子の運動は、二階の微分方程式に依存する、という言い方をするであろう。

この命題が、まさしく慣性の法則の自然な一般化になっていることを理解してもらうために、私がここで一つの架空の話をすることをお許しいただきたい。すでに述べたように、慣性の法則はわれわれに対してア・プリオリに課せられているものではない。この法則が別の法則であったとしても、それはこの法則同様に、すべての事象には十分な理由がなければならないという充足理由律に反することはなかったであろう。もしも任意の物体がいかなる力の作用も受けないというのであれば、その速度が変化しないという代わりに、変化しないのはその位置である、あるいは、その加速度である、という仮定を立てることもできるだろう。

そこで、少しの間、これら二つの仮想的な法則のうち、どちらかが自然法則の一つであり、われわれのいう慣性の法則にとってかわりうると想定してみよう。そこから得られる自然な一般化は何であろうか。この問いについては、ほんの少し考察するだけで、すぐに答えが得られるであろう。

第一の仮想が正しい場合、物体の速度はその位置と、それに近接する物体の位置にのみ依存する、というのが立てられるべき一般的仮定である。第二の仮想が正しい場合には、物体の加速度の変動は、この物体および近接する物体の位置、ならびにこれらの物体の速度と加速度にのみ依存する、という一般的仮定が立てられる。

もう一度数学の言葉で語ると、第一の場合には一階の運動の微分方程式であり、第二の場合にはそれが三階の微分方程式である、ということになる。

それでは、ここでの架空の話にもう少し手を加えてみることにしよう。われわれの太陽系にそっくりな世界を仮定してみよう。そこではきわめて特殊な偶然のおかげで、すべての惑星の軌道が離心率も軌道傾斜もゼロであるとする。また、これらの惑星は質量があまりにも小さいので、その相互の摂動も感知されないほどだとする。これらの惑星の一つに住んでいる天文学者たちは、どの星の軌道も一つの平面に平行な円でしかありえない、と結論するにちがいない。このとき、任意の瞬間における星の位置が与えられるなら、そのデータだけで星の速度と軌道の全体を決定するのに十分である。そして、彼らが採用する慣性の法則は、先に述べた二つの仮想的な法則のうち、第一のものであるということになるであろう。

次に、もう一つの想像として、非常に大きな質量をもった物体が遠方の星座から飛来して、ある日この太陽系のシステムをものすごい速さで横切ったとしてみよう。それによって、惑星のすべての軌道は大規模な攪乱（かくらん）をこうむるにちがいない。といっても、われわれの天文学者たちはたいして驚きを覚えたりはしないであろう。彼らはしっかりと、一切の攪乱の責任がこの新しい天体にあることを見抜くであろうから。そしてこういうはずである。この天体が遠ざかってしまえば、元の秩序は自然に回復されることだろう。もちろん、諸惑星と太陽の距離は、この大異変の後で、前とそっくり同じ距離に戻るわけにはいかないだろうが、秩序を攪乱した天体さえ遠ざかるなら、軌道はまた円に戻るにちがいないと。

しかし、トラブルのもととなった物体が遠ざかっても、惑星の軌道が円に戻ることなく楕円（だえん）になってしまったら、どうであろうか。そのときに天文学者たちは初めて、自分たちのそれまでの誤りに気づき、力学の全体を作り直す必要を認識するにちがいない。

私はこれら複数の仮説についてここまで少々くどくどと述べてきたが、その理由は、われわれの一般化された慣性の法則がいかなるものであるかを理解してもらうためには、それとは異なる仮説を対立させる他はないと思われたからである。

さて、それでは、この一般化された慣性の法則は、経験を通じて検証されてきたのか、また、いまなお検証されうるのか、このことを考えよう。ニュートンは『プリンキピア』を書いた際に、この真理が実験を通じて獲得され証明されたものであるとみなしていた。彼の目には、この法則は単に、以下で説明される擬人法のイドラ〔ベーコンの「種族のイドラ」を連想させつつ、人間の感覚を基準に判断することを指す〕のせいで真理のように見えたばかりでなく、ガリレイの業績によって確かめられたものと映った。それはまた、ケプラーの諸法則そのものからそう思われた。その諸法則によれば、惑星の軌道はまさしくその最初の位置と速度によって、全面的に決定されるのである。これこそが、われわれのいう一般化された慣性の原理が要求していることそのものである。

万が一この原理が見かけの上だけの真理でしかなく、私がたったいま対立させた別の原理〔運動方程式が一階や三階の微分方程式で表現される仮想的法則〕によって、いつかとってかわられるかもしれないという懸念が残りうるためには、たとえば先に解説した架空の話に出てきた天文学者たちのように、何らかの驚くべき偶然によって騙されてきた、ということが必要である。

こうした仮説はあまりにも蓋然性が低いので、そこに立ち止まって考える人はほとんどいないであろう。誰もがそんな特殊な偶然がありうるとは信じない。もちろん、観察誤差の範囲で二つの離心率が、まさに二つともゼロとなる確率は、同じく観察誤差の範囲でたとえば一方の値が0.1に厳密に等しく、他方の値が0.2に厳密に等しくなる確率よりも小さいとはいえない。何らかの単純な事象の確率は、複雑な事象の確率よりも小さくはない。しかしながら、単純な事象が生じるときに、われわれは自然がわざわざわれわれの目を欺こうとしてそう見せている、とは信じたくないであろう。したがって、この種の誤謬の仮説を退けるならば、天文学に関するかぎり、われわれのいう慣性の法則は実験を通じて検証されたのだ、と認めることができるであろう。

もちろん、天文学が物理学のすべてではない。

それでは、何か新しい実験の結果として、この法則が物理学の一部の領域では成立しないことになる、という恐れはありうるのだろうか。実験的な法則はつねに改訂の可能性にさらされている。それはつねに、より正確な法則によってとってかわられることを期待されている。

とはいえ、われわれが話題にしているこの法則が、いつかは放棄されるとか、改訂されるかもしれないと、真剣に考える者は誰もいないだろう。なぜであろうか。その理由はまさに、この法則が決して決定的なテストにさらされることができないからである。

まず第一に、そうしたテストが完全であるためには、宇宙の内なる全物体が一定期間の経過の後に、もう一度最初の位置に最初の速度を伴った状態で戻る必要がある。そうなれば、これらの物体がその瞬間から、これまで通ってきた軌道を再び辿るかどうか見ることができるだろう。

しかし、この種の決定的テストは不可能であり、法則のテストは部分的なものにとどまらざるをえない。そして、もしも部分的テストを行ったとしても、最初の位置に戻ることのない物体がつねにいくつか存在することであろう。したがって、この法則に反する現象がどれほど確認されても、その説明はいとも簡単に見つけることができるのである。

問題はこれだけではない。われわれが天文学においてその運動を研究の対象としている物体は、目に見える物体である。しかも、われわれはほとんどの場合、それらが目に見えない他の物体の作用を受けていないことを仮定している。われわれの法則はこうした条件の下で、検証されるのかされないのか判定されざるをえない。

ところが、物理学での状況は同じではない。物理学上の現象が何らかの運動のゆえに生じている場合、この運動は分子の運動であって、われわれの目には見えない。では、ここで、目に見えている物体の加速度が、われわれの目に見える他の物体や、その存在を認めざるをえないことがすでに分かっている目に見えない分子の、それぞれの位置または速度だけでなく、別の事柄にも依存しているように思われるとしたらどうであろうか。その別の事柄が、それまでわれわれがその存在を想像だにしなかった別の分子の位置ないし速度であると仮定したとしても、かまわないことになる。かくして、慣性の法則は検証に関してどこまでも保護されているのである。

同じ思想を別の形で表現するために、ここで少しの間だけ数学の言葉を用いることを許していただきたい。われわれがn個の分子を観察して、$3n$個の四階微分方程式の一組を満足するような、n個の分子の$3n$個の座標を確認したと仮想する(この場合は、慣性の法則が要求するときとは異なって、微分方程式は二階ではない)。$3n$個の補助変数を導入することによって、四階の$3n$個の微分方程式は二階の微分方程式$6n$個の組に変換できることは、よく知られているとおりである。そうであるなら、これら$3n$個の補助変数がn個の目に見えない分子の座標を表わすと考えれば、結果は再び慣性の法則に一致することになる。

要するに、いくつかの個別的な場合に関して経験的に検証されているこの法則は、最も一般的な場合にも懸念なく拡張することができる。その理由は、そうした一般的場合については、経験がそれを確証することもできなければ、反証することもできないことを、われわれは知っているからである。

加速度の法則

一つの物体の加速度は、その物体に作用する力をその質量で割った値に等しい。

この法則は実験で検証できるのだろうか。検証のためには、この命題に含まれる三つの量、加速度と力と質量を測定する必要がある。

私は加速度を測定可能なものと考える。その理由は、私がここでは時間の測定に関する困難を考慮の外に置いているからである。しかし、力ないし質量はどのように測定するのか。われわれはそれが何であるかさえ知らないのではないのか。

質量とは何であろうか。それは体積と密度との積である、とニュートンは答えている。——いや、密度とは質量を体積で割った商であるといった方がよい、とトムソンやテートは答えている。――力とは何であろうか。それはある物体の運動を生み出す原因、あるいはそれを再生するよう促す原因である、とラグランジュは答えている。――それは質量と加速度との積である、とキルヒホフならいうであろう。しかし、それならばなぜ、むしろ質量とは力を加速度で割った商である、といわないのだろうか。

こうしたもろもろの困難は解決不可能である。

力とはある運動を生み出す原因であるといわれるとき、人は形而上学の議論をしているのであり、この定義はその人にどんな満足を与えるとしても、完全に不毛である。ある定義が何かの役に立つことができるとすれば、その定義はわれわれに力の測定について教えなければならない。そうであればその定義は十分であって、その上に、力はそれ自体としては何であるかとか、それが運動の原因であるか結果であるかを教えることは必要ではない。

したがって、まず二つの力が等しいということを定義する必要がある。二つの力はいかなるときに等しいといわれるのか。同一の質量に加えられたときに、それらに同一の加速度を生じさせるときであるとか、それらを互いに直接に対抗させたとき、つり合いを生じさせるときだ、といわれるであろう。この種の定義はしかし目くらましにすぎない。一つの物体に働く力は、機関車を取り外して別の列車につなぐように、取り外して別の物体につなぐことができるものではない。それゆえ、かくかくの物体に加わっているこの力が、もしもしかじかの物体に働くならいかなる加速度を生じるのか、ということは知りようがない。二つの力を直接に対抗させたならばといっても、現に対立的に働いていないのであれば、もしも実際に対立したなら二つの力がどうなるのか、ということは知りようがない。

われわれは力を検力器で計測したり、分銅でつり合わせて測ったりするが、そうすることでいわば、この定義を何とか具体的なものにしようとしていると考えることもできる。FとF'という垂直に働く二つの力があって、その方向は単純化のために、下から上に向くと仮定する。CとC′という二つの物体にこれらの力のそれぞれが加えられるとする。そしてさらに、Pという重い物体が、まずCにつり下げられ、次にC′につり下げられるとする。もしもこの二つの場合につり合いが保たれるとしたら、FとF'とはどちらも物体Pの重さに等しいことになるので、互いに等しいと結論されるであろう。

しかし、物体Pを最初の物体から二番目の物体に移動させたとき、それが同じ重さを保存しているということを、私は確信しているのであろうか。まったくそんなことはない。それどころか、私はその反対を確信している。私は重力の強度が、たとえば極地では赤道より強いように、加わる点ごとに変動することについてよく知っている。もちろん、その差は微小であるから、実際の場面でそれを計算に入れることはしないが、しかし、きちんと作られた定義は数学的な厳密性を備えているべきである。力の等しさに関する先の定義には、この厳密性が欠けている。私がここで重さについていっていることは、検力器のバネの力にも明らかに当てはまる。温度やさまざまな状況が、それを変動させるのである。

問題はこれだけにとどまらない。物体Pの重さが物体Cに加えられることで、直接にFという力がCとつり合うということはできない。物体Cに加えられているのは、物体Pが物体Cに及ぼす作用Aである。物体Pは、一方ではその重さの作用を受け、もう一方では物体Cの物体Pに対する反作用Rを受けている。つまりは、Fという力はAという力に等しいのである。というのも、FはAとつり合いを保つからである。また、Aという力は、作用と反作用は等しいという原理によってRに等しい。最後に、Rという力はPという重さにつり合うので、Pと等しい。かくして、われわれは、FとPとが等しいという帰結を、三つの等式から演繹したのである。

したがって、われわれは二つの力が等しいことの定義のうちに、他ならぬ作用と反作用は等しいという原理を介在させている。この点を考えると、この原理はもはや実験的法則であるとみなすことはできず、一つの定義であるとみなすべきであることになる。

かくして、われわれは二つの力の等しさを確認するための規則として、二つの規則をもっていることがわかる。すなわち、つり合う力同士は等しいという規則と、作用と反作用とは等しいという規則である。しかし、すでに見たように、これら二つの規則だけでは不十分である。われわれはさらに第三の規則として、たとえば、一つの物体の重さのようなある種の力は、その大きさと方向に関して恒常不変であるとするような第三の規則に、助けを求める必要がある。ところが、この第三の規則はすでに述べたように、実験的な法則であって、近似的にしか真ではなかった。そこで、二つの力の等しさについてのわれわれの定義は、良くない定義だということになる。

こうして、われわれはキルヒホフの定義に戻ってしまうことになる。力は質量に加速度を掛けた積に等しい。ではこの「ニュートンの法則」はどうかといえば、これもまた実験的法則とみなすことはできず、一つの定義にすぎないとされる。しかも、われわれは質量とは何かを知らないのであるから、この定義そのものが不十分である。もちろん、この定義は同一の物体に異なった時点で加えられる二つの力の比について、計算することを可能にしてくれる。しかし、異なった物体二つに加えられた二つの力の比については、何も教えてはくれない。

定義を完全なものとするには、ニュートンの第三法則(作用と反作用は等しい)に頼る必要があるが、これも実験的法則ではなくて、一つの定義とみなされる。二つの物体AとBとが互いに作用を及ぼす。Aの加速度にAの質量を掛けたものは、BがAに及ぼす作用に等しい。同様に、Bの加速度にその質量を掛けた積は、AからBに働く反作用に等しい。定義によって、作用と反作用は等しいから、AとBの質量は、二つの物体の加速度に反比例する。かくして、これら二つの質量の比が定義されるので、それが恒常不変であるかどうかは、実験によって検証すればよい。

この実験は、目の前に二つの物体AとBだけが存在し、しかも、それらが世界の他のすべての作用を免れているのなら、素晴らしい実験になる。しかしそんなことはありえない。Aの加速度はBの作用にのみ起因するのではなく、C、D、…など、他のさまざまな物体の作用にも起因している。したがって、実験を右のような規則に適用するためには、Aの加速度を多数の要素に分解した上で、どれがBの作用に起因するものであるかを識別する必要がある。

そしてこの分解は、次のことを認めるならば、まだしも可能といえる。すなわち、CがAに及ぼす作用は、BがAに及ぼす作用に単に加算されるだけであり、Cという物体があってもBがAに及ぼす作用は変化せず、Bという物体があってもCがAに及ぼす作用は変化しないことを仮定する。いいかえると、任意の二つの物体同士があって、互いに引きつけ合うとき、この相互作用は二つの物体を結ぶ直線の方向に働き、その力は距離にのみ依存していることを認める。つまりひと言でいうと、中心力の仮説を認めるならば、この分解は可能であろう。

よく知られているように、天体の質量を決定するために利用される原理は、これとはまったく別のものである。引力の法則は、二つの物体同士の引き合う力が、それらの質量に比例することを教えている。rが二つの物体の距離、mとm'とがそれらの質量であり、kが定数であるとすると、両者の間に働く引力は次の式で表わされる。

$$\frac{kmm'}{r^2}$$

ここで計測されているのは、力と加速度の比としての質量ではなく、引力を引き起こす質量である。それは物体の慣性ではなく引っ張る力である。

これは質量についての間接的な手法であり、その使用は理論的には不可欠であるとはいえない。引力は質量の積に比例するのではなく、距離の平方に反比例すると仮定しても問題はなかっただろう。つまり、引力は

$$\frac{f}{r^2}$$

に等しく、

$$f = kmm'$$

は要求しないとしても。

もしそうだとしても、天体の相対的な運動を観察することで、これらの天体の質量を計測することはできたはずである。

しかし、われわれには中心力の仮説を承認する権利があるのだろうか。この仮説は厳密に正確なものなのか。これが実験と矛盾することは決してない、というのは確実なのか。そんなことをあえて主張する人は誰もいないだろう。ただ、この仮説を廃棄するべきだということにでもなれば、これまで懸命に努力して構築されてきた理論の建物のすべてが瓦解してしまうことであろう。

われわれには、Aの加速度を構成する要素のうちでBに起因するものを語る権利もない。われわれはBの作用による要素と、Cやその他の物体の作用による要素とを識別するために、いかなる手段も持ち合わせていない。したがって、質量を計測するための規則は適用不可能になる。

そうすると、作用と反作用は等しいという原理には、何が残っていることになるのか。もしも中心力の仮説が拒否されるなら、明らかにこの原理は次のように述べられる必要がある。外部のあらゆる作用を取り去った一つのシステムにおいては、そのシステムを構成する諸物体に働く幾何学的合力は全体としてゼロになる。別の言葉でいえば、このシステムの重心の運動は直線かつ等速である。

さて、質量を定義する手段はここにこそありそうである。重心の位置は明らかに、質量に与えられるもろもろの値に依存する。これらの質量の値は、重心の運動が等速かつ直線の運動になるように配置される必要がある。そうすることは、ニュートンの第三法則が真であるなら、つねに可能である。そして、この配置は一般に一つだけの場合に限定することが可能である。

とはいえ、外部のあらゆる作用を取り去ったシステムなるものは存在しない。宇宙のどの部分も、宇宙のその他の部分から、大なり小なりの作用を受けている。重心の運動の法則は、宇宙全体に対して適用されないかぎり、厳密に真だとはいえないのである。

しかしそうだとすれば、質量のさまざまな値を得るためには、宇宙全体の重心の運動を観測することが必要となる。この帰結がばかげたものだということは明瞭である。われわれが認識するのは相対的運動のみである。宇宙の重心の運動は、われわれにとって永遠に未知なるものである。

それゆえ、われわれにはもう何も残っておらず、これまでの努力は無駄だったということになる。われわれは結局、次のような定義を受け入れる以外にないが、これはまさに無力を自白することに等しいものである。質量とは計算に導入することが便利な係数である。

われわれはすべての質量の値についてこれまでとはまったく異なった値を与えることで、もう一度力学を全体として作り変えることもできるであろう。この新しい力学は、実験とは矛盾しないし、力学の一般的原理（慣性の原理、力が質量と加速度に比例すること、作用と反作用が等しいこと、重心の運動が等速で直線であること、面積速度一定の原理）とも矛盾しないであろう。

たしかにこの新しい力学の方程式は、これまでのものに比較して、単純性に関して劣るであろう。といっても、このことの意味をよく理解するべきである。単純性に関して劣るのは、最初の数項に関してだけであり、それはつまり、われわれがすでに実験によって知っている数項についてだけである。さまざまな質量の値を少しずつ変更したとしても、システム全体を記述する方程式(équations complètes)は、その単純性に関して増すことも減じることもないであろう。

ヘルツは力学の諸原理が厳密に真であるか否かを問うた。彼は、「多くの物理学者たちの意見では、ずっと将来の実験であっても、力学の不動の原理を変更するということは想定できそうにもない、とされている。しかしながら、実験に由来するものはつねに実験によって是正されるであろう」といっている。

これまで述べてきたことを踏まえると、こうした懸念は余計なものであると思われる。力学の諸原理は、最初は実験的なものであるように思われた。しかし、われわれはやがて、それらを定義として扱わねばならないようになった。力が質量と加速度を掛けた積に等しいというのは、定義によってである。ここには今後、後のいかなる実験によっても打撃をこうむる恐れのない場所に位置づけられるであろう、一つの原理がある。作用と反作用とは等しいというのも、同じく定義によってである〔第一〇章以降に述べられる研究を踏まえ、作用と反作用は物質のみならず場の効果を含んだものとして定義されるようになる〕。

こういうと、次のようにいわれるにちがいない。これらの検証不可能な原理は、一切の意義を絶対的に欠いている。たしかに実験がこれらに矛盾することはありえない。しかし、それはわれわれに何も有用なことを教えてくれない。だとすると、何のために力学を研究するのだろうか。

このような性急すぎる無用宣告は正当とはいえないだろう。自然のうちには、完全に孤立していて、外部の一切の作用を完全に免れているようなシステムは存在しない。しかし、ほとんど孤立したシステムなら存在する。

人がこうしたシステムを観察するなら、単にシステムのさまざまな部分同士の相対的運動のみならず、システムの重心が宇宙の他の部分に対してもつ運動についても、研究することができるであろう。それによって人は、この重心の運動が、ほとんど直線かつ等速であり、ニュートンの第三法則に合致することを確認できる。

これはたしかに実験的な真理であるが、それが実験によって失効することはありえない。実際、これよりももっと精密な実験を行ったとしたら、われわれは何を学ぶのであろうか。われわれがそれによって教えられるのはやはり、法則がほとんど真だ、ということであるだろう。それはしかし、われわれがすでに知っていることなのである。

われわれはいまや、実験はどのような形で力学の諸原理の基礎の役目を果たしたか、しかしそれにもかかわらず、なぜ実験が原理と矛盾することはありえないのか、ということについて理解できる〔第三部の一般的結論で改めて整理し説明される〕。

擬人法的な力学

人はこういうかもしれない。キルヒホフは数学者たちの一般的傾向に従って、唯名論的に考えたにすぎない。彼の物理学者としての熟達をもってしても、この傾向から免れることはできなかったのだ。彼は力の定義を手に入れることに執着して、思いついた最初の命題を採用した。ところが、力の定義など、われわれは本当は必要としていないのである。力の観念は原初的な観念であり、他のものに還元不可能な、定義不可能な観念である。われわれは誰でも、それが何であるかを知っており、直接的な直観をもっている。この直接的な直観は、われわれが子どものときから知りぬいている、筋肉の緊張に由来しているのである、と。

しかし、何よりもまず、この直接的な直観が、力そのものの真の本性をわれわれに教えてくれるものであるとしても、それだけでは力学を基礎づけるには不十分であろう。しかも、それはまったく無用なものでもある。大切なのは、何が力であるのかを知ることではなく、それをどう測定するのかを知ることである。

何であれ力の測定を教えないものが、力学の研究者にとって無用であるのは、たとえば熱を研究する物理学者にとって、熱さや冷たさについての主観的な観念が無用であるのと同じである。この主観的な観念は数値化することができないので、まったく役に立たない。ある学者の皮膚が、熱を伝える媒体としては不出来であって、そのためにこれまで冷たいとか熱いという感覚を一度も経験したことがなかったとしても、他の人と同様に寒暖計をしっかりと観察することはできるであろうから、熱の理論全体を構築するためにはそれで十分なはずである。

ところが、筋肉の緊張というこの直接的な概念は、力を測定するためには役に立たない。たとえば、私が五〇キロの重さの物を持ち上げようとするとき感じる疲労感は、重い荷物を運ぶ習慣のある人よりもずっと大きいにちがいない。

しかも、問題はこれだけではない。筋肉の緊張というこの概念は、決して力の真の本性を知らしめることはない。それは畢竟(ひっきょう)、筋肉の感覚の記憶に還元されるであろうが、太陽が地球に引力を及ぼすとき、筋肉的感覚を感じていると主張する人は、誰もいないであろう。

人がこの感覚を通じて求めうるものは、幾何学者たちの用いる矢〔ベクトル〕と同じように、実在からはかけ離れているが、矢よりもずっと不正確で不便なシンボルであるにすぎない。

自然現象を人間のあり方に即して理解する擬人法は、力学の発生において無視できない歴史的役割を果たした。この考え方はおそらく、今後も幾人かの人の精神にとっては、便利なシンボルを提供してくれることであろう。とはいえ、これは真に科学的特徴を備えた事柄に関しても、真に哲学的な特徴を備えた事柄に関しても、その基礎を与えることが決してできないのである。

「糸学派」

アンドラード氏はその著書『物理的力学講義』において、以上のような擬人法的力学を若返らせた。キルヒホフが属する力学者たちの学派に対抗して、彼は糸学派という奇妙な名前の学派を立てたのである。

この学派は、研究のすべてを「質量が無視できるような何らかの物質的システムについての考察」に還元することを求めるという。そのシステムは、「物質が互いに引っ張り合いの状態にあるとき観察され、遠くの物体に相当な緊張力を伝達できる。それはつまり、その理想形が糸であるような物質のシステムである」。

糸が何らかの力を伝達するとき、糸はこの力の作用のゆえに一定程度伸びる。糸の方向が力の方向を知らせ、力の大きさは糸の伸びによって測定される。

それゆえ、次のような実験を考案することができるであろう。一本の糸に物体Aが結びつけられている。この糸のもう一方の端に何らかの力を作用させ、糸の長さがαだけ伸びるまで力を変化させる。その際の物体Aの加速度を記録する。Aを糸からはずして、代わりに物体Bを結びつけるとともに別の力を作用させて、もう一度糸がαだけ伸びるまでその力を変化させる。そして、その際の物体Bの加速度を記録する。さらに、物体Aと物体Bとを同様な仕方で使いつつ、伸びる長さがβになるような実験を行う。こうすると、四つの加速度が与えられるが、それらは比例するはずである。かくして、ずっと前の方で触れていた加速度の法則に関して、実験的な検証が得られる、ということになる。

あるいは、さらに進めて、一つの物体に対して等しい張りをもった同一でたくさんの糸を同時に結びつけて、この物体が平衡を保っているためには、これらのすべての糸をどの方向に向けたらよいかを、実験によって求めるということもできるだろう。これによって、力の合成の規則を実験的検証にかけることができるだろう。

しかし、われわれがしたことは結局どういうことだったのか。われわれはまず、糸に作用する力を、その糸がこうむる変形によって定義したが、このことは十分に理にかなったことである。われわれはさらに、この糸が物体に結びつけられるなら、糸によって物体へ伝達される張力は、物体が糸に及ぼす作用に等しいということを認めた。われわれはこれによって要するに、作用と反作用とは等しいという原理を、実験的真理ではなく、力の定義そのものとみなすような仕方で利用したのである。

この定義はキルヒホフとまったく同様に規約的であり、違うのはただ、こちらの方がずっと一般性に乏しいということだけである。

すべての力が糸によって伝達されるということはない(しかも、伝達される力を比較するためには、伝達する糸がどれも同じ糸である必要がある)。たとえ地球が太陽と、目には見えない糸で結ばれていることが認められたとしても、少なくともわれわれにはその伸びを測定する手段が何もないということは、誰もが承認するにちがいない。

したがって、われわれの定義は十中八九誤りである。この定義には意味のかけらも与えることができないだろうし、われわれは結局、キルヒホフの定義に戻る他はないだろう。

それでは、何ゆえにこうした回り道をするのだろうか。あなたはいくつかの特定の場合にのみ意味をもつような、何らかの定義を容認する。あなたはこの特定の場合には、その定義が加速度の法則を導くことを検証できる。この実験によって正当化されたので、あなたはさらに、その他のすべての場合にも適用可能なものとして、加速度の法則を力についての定義として採用する。

こんなやり方をするよりも、最初から加速度の法則をすべての場合に適用できる定義とみなした上で、問題になっている実験はこの法則の検証ではなくて、むしろ反作用の原理の検証である、あるいは、弾性体の変形は、その物体が受ける力にのみ依存するということの証明であると考えた方が、ずっと簡単なのではあるまいか。

あなたの特殊な定義が承認されるために必要となる諸条件は、完全な形では決して満たされることがないだろう。質量のない糸は決して存在しないし、その糸が、端に結びつけられる物体の反作用以外、何の力も受けないということも決してない。糸学派の力の定義はこうしたことをまったく考慮に入れていない。

そうであるが、しかし、アンドラード氏の考えはきわめて興味深いものではある。それがわれわれの論理的な要請を満たすことはないにしても、それは力学の基本的な概念がどのように生まれたのか、その歴史的な発生について多くを教えてくれる。この考えがわれわれに示唆することをよく反省してみると、人間精神がどのようにして、擬人法という素朴な段階から今日の実際の科学的概念まで辿り着いたかを、示しているのである。

われわれは出発点において非常に特殊であり、全体としてきわめて粗雑な実験を目にするが、その到達点では完全に普遍的で、完全に精密な法則を目にすることになり、この法則が絶対的な確実性を有するとみなす。この確実性のもとは、それを一つの規約とみなすことで、いわば自由にその法則に確実性を付与した、われわれ自身にある。

結局、加速度の法則や力の合成の規則は恣意的な規約なのだろうか。規約であるか、しかり規約である。恣意的であるか、いやそうではない。われわれが、この科学の創始者たちを導いてこれらの法則の採用を促した実験のことを見失うならば、これらは恣意的なものとなるであろう。そうした実験はいかに不十分なものであっても、それらを正当化するには十分なものであった。だから時々は、こうした規約に関わる実験的な起源について思いを致す方がよいのである。

第七章　相対的運動と絶対的運動

相対的運動の原理

加速度の法則をより一般的な原理に結びつけようという試みは、これまで何度もなされてきた。何らかの一つのシステムの運動は、それを固定された座標に関係づけても、等速直線運動に引っ張られて動く座標に関係づけても、同じ法則に従う。これがまさに相対的運動の原理であるが、われわれがこの原理に従うのは、二つの理由からである。まず、最もありふれた実験でもこの原理を確証できること、そして次に、これと反対の仮説は、われわれの精神にとってとりわけ強い反発を生じさせるからである。

それゆえ、この原理をまずは容認しておいて、一つの力の作用を受ける一つの物体について考察することにしよう。この物体が、その最初の速度と等しい等速直線運動の下にある観察者に対してとる相対的運動は、この物体がもしも静止状態から出発したとしたらとるであろう絶対的運動と、等しくなるはずである。人々はここから、この物体の加速度はその絶対的速度に依存することはない、という結論を導き出したが、さらには、加速度の法則の証明さえも引き出そうと試みてきた。

理系の大学入学資格試験の試験問題には、この証明の痕跡ともいうべきものが長い間消されずに残っていた。しかし、こうした試みが無駄であることは明白である。われわれに加速度の法則の証明を妨げている原因は、われわれが力の定義をもっていないという事実にある。この定義のために引合いに出される原理が定義を提供してくれない以上、この障害はいまでもそっくりそのままになっている。

といっても、それだから相対的運動の原理が興味のないものだということにはならない。それはそれ自体のために研究するに値するものである。そこでまず、もっと正確な方法でこの原理を表現するように努めてみよう。

前に述べたように、孤立したシステムにおいて部分を構成するような、複数の異なった物体の加速度は、それら同士の相対的位置と速度のみに依存して、絶対的位置と速度には依存しない。ただし、相対的運動が関係づけられる動く座標は、等速直線運動によって引っ張られているとする。あるいはもっと正確な言い方をすると、これらの複数の物体の加速度は、速度の差と座標の差のみに依存して、これらの速度と座標の絶対的な値には依存しない。

もしもこの原理が相対的な加速度に関して真であるとすると、あるいはより正確な言い方で、加速度の差に関して真であるとすると、この原理を反作用の法則と結合することによって、それが絶対的な加速度に関しても真であるということを演繹（えんえき）できるであろう。

それゆえ、残っている作業は、加速度の差が速度と座標の差のみに依存すること、あるいは数学の言葉でいって、これらの座標の差が二階の微分方程式を満たすことをどのように証明したらよいか、を見ることである。

この証明は実験的に演繹されるのか、それとも、ア・プリオリな考察から演繹されるのだろうか。

先に述べたことをもう一度思い出してもらえれば、読者はこの問いの答えを自分自身で見出すことができるであろう。

相対的運動を右のように速度の差と座標の差に依存する形で表現すると、この原理は実際に、先に触れた慣性の原理を一般化したものと、驚くほど似ているように見える。しかし、これらがまったく同一のものだとすることはできない。というのも、今度のものは、座標の差のみに関わっていて、座標そのものには関わっていないからである。この新しい原理は前の原理よりもわれわれにより多くのことを教えるが、この原理についても前と同じような吟味が可能であり、同じ結論が導かれることであろう。それをもう一度繰り返すのは無駄である。

ニュートンの論法

われわれはここで、非常に重要であり、しかも少々当惑させられる問いにぶつかることになる。私は先に、相対的運動の原理はわれわれにとって実験的な結果であるだけではなく、これに反する仮説はどれもわれわれの精神に対してア・プリオリに強い反発を生じさせると述べた。

しかしそれならば、この原理はなぜ、可動性の座標軸の運動が等速直線であるときにのみ真であるのか。座標軸の運動が変動するとき、あるいは少なくとも等速回転するときにも、この原理はわれわれに対して同じ強制力をもって課せられてしかるべきだと思われる。ところが、これら二つの場合には、この原理は真ではないのである。私は座標軸の運動が直線的だが等速ではない場合については、長々と議論をしないでおこうと思う。このパラドックスはほんの少し考えてみるだけで解消するからである。もしも私が列車のなかに座っていて、列車が何らかの障害物にぶつかったために急停止したとすれば、私自身は直接にはいかなる力を受けたわけではなくても、向かいの座席の方に投げ出されるであろう。ここには何も不思議はない。私はいかなる外的な力の作用も受けたわけではないが、列車そのものが外からの衝撃を受けたのである。二つの物体の相対的な運動に乱れが生じているとしても、その一方あるいはもう一方の運動が外的な原因によって変更を加えられているのであるから、ここにはパラドキシカルなことは何もない。

一方、一様な回転を行う座標軸と関係づけられる相対的運動の場合については、もっと長く議論することにしたい。仮にわれわれの天空がたえず雲に覆われていて、星を観察する手段が何もなかったとしてみよう。われわれはそれでも、地球が自転しているという結論を得ることができるであろう。われわれはたしかに、自分の住む地球が扁平（へんぺい）であることや、あるいはまさにフーコーの振り子の実験によって、このことに注意を向けさせられるであろう。

しかしながら、このような場合に、地球が自転しているということには、本当に意味があるのだろうか。もしも絶対的空間というものが存在しないとしたら、何か他のものに対して回転するということなく、それでも自転することができるのだろうか。他方で、われわれはどうしてニュートンの結論を容認し、絶対的空間の存在を信じることができるのだろうか。

ここで、すべての可能な解決が、どれも等しくわれわれに反発を感じさせるのだから、自転というこの結論を容認せざるをえない、というのでは十分でない。むしろ、われわれがその原因をよく理解して選択を行うためには、それらの解決の一つ一つを検討し、われわれが抱く反発の理由を分析する必要がある。それゆえに、以下ではかなり長い検討を行うことになるが、読者にはお許しいただけるものと思う。

もう一度、先の仮想的状況に戻って考えてみよう。厚い雲が人々の目から星を隠しているために、人々は星を観察することができないし、その存在さえ知らないでいる。人々はいかにして地球が自転していることを知るのであろうか。彼らは間違いなく、われわれの本当の祖先たちよりもずっと強固に、自分たちを支える大地が固定していて不動なものであると信じることであろう。彼らは彼らのコペルニクスの登場まで、われわれよりもずっと長い期間待たざるをえないであろう。しかしそれでも、最後には彼らのコペルニクスが現れるにちがいない。そのコペルニクスはしかし、どうやって現れるのであろうか。

この仮想世界で生きている力学者たちは、最初から絶対的矛盾に突き当たるということはないであろう。相対的運動の理論は、実在する力の他に、通常の遠心力と合成遠心力〔コリオリ力〕と呼ばれる二つの架空の力を想定する。仮想世界の科学者たちは、これら二つの力を実在するとみなすことで、すべてを説明することができるであろうし、それが一般化された慣性の原理に矛盾しないことを見るであろう。なぜなら、これらの力の一方は、実在する引力と同じように、このシステムの諸部分同士の相対的位置に依存するし、もう一方は実在する摩擦力と同じように、それらの相対的速度に依存するからである。

とはいえ、さまざまな困難が早晩その人々の注意を引くことになるにちがいない。まず、たとえ孤立したシステムを実現することに成功したとしても、このシステムの重心がほぼ直線に近い軌跡を描くことはないであろう。彼らはそこで、この事実を説明するために、彼らが真であるとみなしていて、間違いなく、物体同士の作用に帰するとする二種類の遠心力に助けを求めるであろう。ただし、彼らはこれらの力が物体間の距離が大きくなるときには、すなわち、より孤立するときには、ゼロに近づくということを観察することはできないであろう。それどころか、遠心力は距離とともにどこまでも大きくなるのである。

この困難だけでも、彼らは十分に大きな困難だと思うにちがいない。とはいえ、この困難が彼らを長いこと引きとめておくことはないはずである。彼らはやがて非常に精妙な、われわれのエーテルにも似た何らかの媒質を想像することであろう〔エーテルは、宇宙を満たすと考えられた仮想の存在であり、光の波動説では波動を伝える媒質の役割を担った〕。すべての物体はこの媒質のなかに浸(ひた)っていて、媒質が物体に反作用を及ぼすだろうと想像するのである。

ところが話はこれで終わらない。空間は対称的である。それなのに運動法則は対称性を示すことがない。これらの法則にとっては右と左という方位を区別する必要があるだろう。たとえば、サイクロンはつねに同じ方向に回転することが観察されるであろう。しかし、対称性という理由からして、この気象現象は一方または他方の方向に関して、まったく無差別に回転しなければならないはずである。われわれの科学者が多くの努力を払って、その宇宙を完全に対称的なものに仕上げることができたとしても、この対称性はいずれ破られてしまうだろう。この場合、対称性が乱されて、他方ではなく一方により傾く理由が一見したところ何もなくても、事実はそうなのである。

彼らはもちろん、天動説のためにプトレマイオスが考案したガラスの天球にも比されるような、何か荒唐無稽(こうとうむけい)なものを考え出すことによって、この困難から脱することであろう。彼らはこのようにして、次々と理論を複雑にする作業を重ねるであろうが、最後に待ち望まれたコペルニクスが現れて、一撃のもとにこれらを一掃して、こう宣言する。「地球が自転することを認める方が、もっとずっと単純である」。

そして、われわれ自身の本物のコペルニクスが、地球が自転すると想定する方が、天文学上の法則がずっと簡単に表わせるから便利である、といったように、彼らのコペルニクスも、地球が自転すると想定する方が、力学上の法則がずっと簡単に表わせるから便利である、というであろう。

しかし、このような事実は、絶対的空間、すなわち地球が真に自転するのかどうかを知るために地球と関係づけられるべき座標が、客観的な実在性をまったくもたない、ということまでも妨げはしない。したがって、「地球は自転する」というこの宣言は、いかなる実験もそれを検証することができない以上、無意味な言明であるということになる。その理由は、そうした実験が単に実現されないとか、いかに大胆なジュール・ヴェルヌによっても夢想できないというばかりではなくて、そもそもその種の実験は矛盾なしには思い浮かべることができないからである。あるいは、こういった方がよいであろう。「地球は自転する」と「地球が自転すると想定する方が便利である」という二つの命題は、その意味に関してまったく一つの同じものであり、どちらか一方が他方以上の何かをいっているわけではない、と。

人々はおそらく、これだけではまだまったく満足に至らないであろうし、この主題に関してわれわれが作りえたすべての仮説あるいは規約のうちに、他の仮説や規約と比較してより便利なものが一つあるというような発想でさえ、不愉快に思うにちがいない。

しかし、人々はこのことを天文学に関しては苦もなく承認したのであるとしたら、力学に関してはどうして不愉快に感じるのであろうか。

われわれは先に、諸物体の座標は二階の微分方程式によって決定されること、また、これらの座標の差もこれと同様であることを見た。これが、われわれが一般化された慣性の原理と相対的運動の原理と呼んだものである。もしもこれらの物体そのものの距離が、同じく二階の方程式で決定されるとすれば、われわれの精神は完全に満足を覚えることができるであろうと思われる。では、現在の状況に関して、われわれの精神が満足している程度はどれくらいであり、なぜそれでは十分に満足できないのであろうか。

このことを理解するためには、簡単な例を取り上げた方がよい。まずわれわれの太陽系によく似ているが、この系の外にある恒星を見ることができないような星のシステムを想定してみよう。この世界の天文学者たちが観察できるのはそれゆえ、惑星間の距離とそれらの太陽との距離だけであって、惑星の絶対的な経度は観察することができない。彼らがこれらの距離の変動を決定するような微分方程式を、ニュートンの法則から直接に演繹しようとするなら、この微分方程式は二階のものではありえないであろう。私がいいたいことは次のようなことである。つまり、ニュートンの法則以外に、これらの距離の最初の値と、時間に関する導関数が分かっているとしても、それだけでは後の瞬間におけるこれらの距離の値を決定するには不十分である。それだけでは、まだデータが一つ欠けている。そのデータは、たとえば天文学者たちが面積速度一定の法則と呼ぶものでもよいであろう。

ところで、まさにこのことは、二つの異なった観点から考えることができるのである。われわれは定数というものを区別して、二種類に分けることができる。物理学者の目から見ると、世界は一連の現象の系列へと還元される。この現象の系列は、一方では最初の現象に一意的に依存しており、他方では先行現象と後続現象を結びつける法則に一意的に依存している。そこで、われわれが観察の結果としてある量を定数とみなすというとき、われわれはこれを解する二つの見方の間で選択する必要が出てくるのである。

一つの見方は、その量が変動しないことを要求する一つの法則があることは認めた上で、始まりの時刻にそれがこの値をとって別の値をとらず、それ以来その値が保存されねばならなくなったのは、偶然によってであると認める見方である。この場合、この量は偶然的定数(constante *accidentelle*)と呼びうるであろう。

もう一つの見方は、これとは違い、その量がこの値をとって別の値をとらないことを必然とする自然法則が存在すると認める見方である。この場合には、この量は本質的定数(constante *essentielle*)と呼びうるであろう。

たとえば、地球の公転にかかる時間は、ニュートンの法則のゆえに、一定でなければならない。とはいえ、それが三六六恒星日と少々であって、三〇〇日とか四〇〇日ではないのは、何か知らないが最初の偶然の結果である。これは偶然的定数である。反対に、引力の値を決める式に現れる距離の指数は、マイナス2に等しくマイナス3ではないとすれば、これはニュートンの法則に要請されているので、偶然によるのではない。それは本質的定数である。

偶然というものにこのように一定の意義を認めることは、それ自体として正当なことなのだろうか。また、こうした区別は、何がしか人為的なものではないのだろうか。私はこの点についてはよく分かってはいない。ただ少なくとも、自然がいろいろな秘密をもっている以上、偶然と本質というこの区別の適用にはかなりの人為性がつきまとっており、つねに危なっかしいものであるということだけは確かであろう。

面積速度一定ということについていえば、われわれはこれを偶然的とみなす習慣をもっている。しかし、われわれが想定したような想像上の太陽系に住む天文学者たちも、同様の考えをもつであろうか。もしも彼らが異なった二つの太陽系を比較検討できるならば、彼らはこの定数がさまざまに異なる値をとるという考えを抱いたにちがいない。しかし、私は先にまさしく、彼らのシステムが孤立したように見えるということ、彼らはそのシステムの外にある天体を観察することができないことを想定した。この条件下では、彼らは絶対的に不変な唯一の定数しか見出すことができないはずである。彼らは疑いもなくこの値を、本質的定数とみなすにちがいない。

ここで反論を見越して、ひと言だけ付け加えておく。この架空の世界の住人たちは、われわれがそうするように、面積速度一定ということを観察することはできないだろうし、定義することもできないのではないか。なぜなら、彼らには星々の絶対経度を決定できないのであるから。しかしもちろん、こうした制限は、彼らがその方程式に自然に導入されるであろう定数にすみやかに注意を向けることを妨げるものではない。そして、この定数はわれわれが面積速度一定と呼ぶものと別物ではないのである。

したがって、事態は次のようであるといえるだろう。面積速度一定が本質的定数であり、自然法則の一つに依存するとみなされるときには、任意の瞬間における惑星間の距離を計算するためには、この距離の最初の値とその一階の導関数の最初の値とを知ればよいことになる。この新しい観点からすると、この距離は二階の微分方程式によって支配されているということになる。

それでは、この架空の天文学者たちの精神は、これで完全に満足するであろうか。そうとは思われない。というのもまず、彼らはやがて、この方程式を微分してさらにその階数を高めた方が、方程式がより単純なものになることに気づくであろう。それに何よりも、彼らは対称性ということから生じる困難にぶつかるはずだからである。惑星のシステム全体が、何らかの多面体の形をしているか、対称的な多面体の形をしているかによって、別々の法則を認める必要が出てくる。彼らはそこで、面積速度一定の定数を偶然的なものとみなさないかぎり、この帰結から逃れられないことを認めざるをえなくなるのである。

私はここで、地上の力学をまったく顧慮せず、もっぱら太陽系のシステムに限って視界を向けている天文学者たちを想定しているために、かなり特殊な事例について語っていることになる。とはいえ、われわれの結論そのものは、すべての場合に適用できる。われわれには恒星が見えるのであるから、われわれの宇宙は彼らの宇宙よりもずっと広大である。しかしそれでも、われわれの宇宙もまた有限であることに変わりはないのであるから、この天文学者たちが太陽系について推論しているのと同じ仕方で、われわれも自分の宇宙全体について推論していることはありうるだろう。

それゆえ結局、距離を決定する方程式が、二階よりも高い階数であるという結論が導かれそうである。ところが、われわれはそれに反発を覚える。なぜであろうか。われわれはなぜ、一連の現象の継起がこれらの距離の一階の導関数の最初の値に依存することはまったく自然であると思うのに、それが二階の導関数の最初の値に依存するという結論には反発を覚えるのであろうか。その理由は、つねに一般化された慣性の原理とその帰結とを研究しているということから、われわれの精神のなかに形成されてきた習慣のゆえに他ならない。

任意のある瞬間における距離の値は、最初の値と、一階の導関数の値と、さらに別のものとに依存している。この別のものとは何なのか。

これこそまさに、二階の導関数の一つであるということを望まないならば、できることは仮説の選択ということだけである。一つの選択肢は、人々が普通にしているように、この別のものとは空間中における宇宙の絶対的方位であると仮定するか、この方位の変動する速度であると仮定することである。この解決法はおそらく、というよりも間違いなく、数学者にとって最も便利なものであろう。といっても、この方位なるものは存在しないのであるから、この解決法は哲学者にとってはまったく満足のいくものではない。

もう一つの選択肢は、この別のものが何か不可視の物体の位置や速度であると仮定することである。これは実際に何人かが行っていることであり、そのなかには、われわれにはそれについて名前以外何も知りえないにもかかわらず、物体アルファと名付けている人さえいる。これは私が先に、慣性の原理について考察した節において、その最後のところで触れたのとまったく同様の人為的な小細工である。

とはいえ、ここでの困難自体が結局は人工的なのである。われわれが使っている計測機器が将来に示す値が、以前に示した値や示しえたであろう値のみに依存するのであれば、必要なことはすでに十分にそろっている。そして、われわれはこの点に関して平静を保っていられるはずである。

第八章　エネルギーと熱力学

エネルギー論の体系

古典力学によって引き起こされた数々の困難のゆえに、何人かの科学者たちは、エネルギー論と呼ばれる新しい理論の体系(エネルゲティークと呼ぶこともある)の選択へと導かれた。

エネルギー論自体はエネルギー保存の原理の発見に伴って誕生した。それに決定的な形を与えたのはヘルムホルツである。

この理論において基本的役割をになう二つの量の定義から始めよう。二つの量の一方は運動エネルギー、つまり活力であり、もう一方はポテンシャル・エネルギー(たとえば位置エネルギー)である。

自然の内なる諸物体がこうむるすべての変化は、二つの実験的な法則に支配されている。

1° 運動エネルギーとポテンシャル・エネルギーの和は一定である。これがエネルギー保存の原理である。

2° いくつかの物体からなるシステムが、時刻t_0において場所Aにあり、時刻t_1において場所Bにあるとすると、このシステムは最初の場所から二番目の場所に行くときに、二種類のエネルギーの差の、時刻t_0と時刻t_1の時間で評価した平均値が、できるだけ小さくなるような道を通る〔作用量は普通、時間積分で定義するが、本書の議論では、時間平均で論じても論旨は変わらない〕。

これはハミルトンの原理であり、さまざまな形をとる最小作用の原理の一形態である。

エネルギー論は、古典的理論に比して次のような長所を示す。

1° この理論は不完全性の程度が少ない。これはつまり、エネルギー保存の原理とハミルトンの原理が、古典的理論の基本的原理よりも多くのことを教えると同時に、自然が実現しないにもかかわらず、古典的理論とは両立可能になってしまうようないくつかの運動を排除するということである。

2° この理論のおかげでわれわれは、原子の仮説をなしですますことができる。この仮説は古典的理論ではほとんど不可避だったのである。

ただし、この理論はそれ自身の新たな困難を引き起こす。

二種類のエネルギーの定義は、古典力学の体系における力や質量の定義にくらべてより簡単であるわけではない。しかし、少なくとも、最も単純な場合には、それを導き出すことはより容易である。

ある数の質点からなっている孤立した系を想定してみよう。そして、この質点は、それら同士の相対的位置と相互の距離にのみ依存して、それらの速度には依存しないような力だけを受けている、と想定してみよう。エネルギー保存の原理のおかげで、そうした力の関数がここには存在するはずである。

このように単純な場合には、エネルギー保存の原理の表現はきわめて単純な形でなされる。実験を通じて確認可能なある量は、一定にとどまる必要がある。この量は二つの項の和である。第一の項は、質点の位置にのみ依存していて、質点の速度とは独立である。第二の項は質点の速度の平方に比例する。これらの二つの項への分解はただ一通りだけ可能である。

さて、第一の項をUと呼ぶ。これはポテンシャル・エネルギーである。第二項をTと呼ぶ。これは運動エネルギーである。

$T+U$が定数であることが真であるとすれば、$T+U$の任意の関数

$$\varphi(T+U)$$

も定数である。

しかし、この関数$\varphi(T+U)$は、速度から独立の項と速度の二乗に比例する項の和になるとはかぎらない。定数にとどまるこれらの関数のうちで、この性質を示すのは一つしかなく、それは$T+U$である（あるいは、それは$T+U$の一次関数である。しかし、この一次関数は単位と原点とを変更すれば、いつでも$T+U$に戻せるので、同じことである）。これが、われわれがエネルギーと呼ぶものである。〔$T+U$の〕第二の項がポテンシャル・エネルギーと呼ばれるものであり、第一の項が運動エネルギーと呼ばれるものである。これらの二種類のエネルギーの定義については、それゆえ曖昧（あいまい）な点は何もなく、どこまでも推（お）し進めることができる。

質量の定義についても同様のことがいえる。運動エネルギーあるいは活力は、すべ

ての質点の質量と、そのうちの一つに関わる相対的速度の助けを借りれば、非常に簡単に表わすことができる。この相対的速度は観察によって把握できるし、われわれが運動エネルギーをこの相対的速度の関数として表現することができれば、この表現式の係数がわれわれに質量を与えることになるだろう。

かくして、これらの単純な場合には、エネルギーの基礎概念は困難なく定義することができる。しかし、もっと複雑な場合には、いろいろな困難が再び現れる。たとえば、もしも力が単に距離にのみ依存するのではなく、速度にも依存するというような場合である。例を挙げると、ウェーバーは、二つの荷電分子の相互作用が、それらの距離だけでなく速度と加速度にも依存すると想定している。もしも質点が同様の法則に従って互いに引き合うとすると、Uは速度に依存することになるが、その式は速度の二乗に比例する項を含むことになるであろう。

しかし、速度の二乗に比例する項のうち、どれがTから来た項で、どれがUから来た項であるか、どうやって認識できるのか。つまり、エネルギーの二つの部分をどのように区別することができるのだろうか。

問題はまだある。エネルギーそのものはどのように定義されるのか。$T+U$を特徴づける性質が失われ、それがある特定の形をした二つの項の和であるということが失われている以上、われわれがエネルギーの定義として$T+U$を採用し、$T+U$以外のあらゆる関数を採用しない理由は、もはやまったくなくなっている。

しかも、これだけではない。本来の意味での力学的エネルギーの他に、別の形のエネルギー、つまり熱や化学的エネルギー、電気的エネルギーなどについても、考慮に入れる必要がある。そこでエネルギー保存の原理は次のように書かれる必要がある。

$$T+U+Q=\text{定数}$$

ここでTは感覚可能な運動エネルギーを表わし、Uは物体の位置のみに依存するポテンシャル・エネルギーを表わし、Qは熱や化学や電気の形をとった分子の内的エネルギーを表わしている。

これら三つの項が完全に区別され、Tは速度の二乗に比例し、Uはこの速度と物体の状態から独立であり、Qが速度と物体の位置から独立で、もっぱらその内的状態に依存するのであれば、すべてはうまくいく。

その場合には、エネルギーを表わす式はこれらの形をした三項からなるものとして、一通りに分離可能である。

ところが、そうはなっていないのである。電気をおびた複数の物体を考えてみよう。これらの物体の相互作用による静電気的エネルギーは、明らかに、それらの電荷、すなわちそれらの状態に依存する。しかし、このエネルギーはこれらの位置にも依存するであろう。もしもこれらの物体が運動しているのであれば、これらは互いに電磁気的に作用し合うであろうから、その電磁気的エネルギーは、それらの位置のみならず速度にも依存するということになるであろう。

したがって、われわれはT、U、Qという部分を形成する三項を区分するための手続き、または、エネルギーの三部分を分離するための、いかなる手段も持ち合わせていないことになるのである。

もしも仮に$(T+U+Q)$が一定であるなら、その任意の関数

$$\varphi(T+U+Q)$$

もまた一定となる。

もしも仮に$T+U+Q$が先に考えたとおりに、特別な形をしているのであれば、い

かなる曖昧さも生じることはない。$\varphi(T+U+Q)$ が定数となるような関数のうちには、このような特別な形をとるものは一つしかない。そしてそれこそが、私がエネルギーと呼ぼうと決めたものに他ならない。

ところが、すでに述べたように、厳密にはそうなっていない。定数にとどまっている関数のうちで、厳密にこのような特別な形で表わしうるものは存在していない。そうだとしたら、これらの関数のなかからエネルギーと呼ぶべきものをどうやって選ぶのか。われわれはもはや、この選択を導くことができるものを何ももっていない。

そこで、われわれにとって、エネルギー保存の原理を表現する命題はもはや一つしか残っていないことになる。何かは知らないが定数にとどまる何ものかが存在する。エネルギー保存の原理がこのような形式をとることになれば、それは経験の手の届かないところへ行ってしまい、一種の同語反復に帰着してしまう。世界がもろもろの法則によって支配されているのであれば、定数にとどまるようないくつかの量が存在するであろうことは明白である。ニュートンの諸原理もそうであるが、それと類似の理由によってエネルギー保存の原理も経験に基礎をもっているにもかかわらず、もはや経験によっては力をそがれることがない、ということになってしまうであろう。

ここまでの議論は、古典力学の体系からエネルギー論の体系への移行が、一つの進歩を実現していることを示した。しかし同時に、この進歩がいまだに不十分だということも示したのである。

エネルギー論については、もう一つの異議があるが、私にはこちらの方がさらに深刻であるように思われる。最小作用の原理は、可逆的な諸現象に適用することが可能である。しかしそれは不可逆的な現象に関しては、まったく満足のいくものではない。ヘルムホルツが試みたこの種の現象への拡張は、成功していないし、成功の見込みのないものであった。この点については一切がまだ手つかずなのである。

最小作用の原理を表わす命題には、われわれの精神に何がしかの反発を感じさせるものがある。一つの物質的分子は、一点から別の点へと移動するとき、すべての力の作用を免れていて、平面上を動くという条件が課せられていれば、測地線に沿って、つまり最短の途(みち)を通って動くであろう。

この分子はあたかも、人がそれを運びたいと思っている点を知っていて、これこれの途をとることでその点に達するために要する時間を見通しており、その結果として、最も適切な途を選んでいるかのようである。つまり、この命題はわれわれに対して、分子が生命をもった自由な存在であるかのように思わせるのである。この命題をもっと反発を感じさせないものに変えた方がよいことは明らかである。哲学者たちの表現を借りれば、目的因(les causes finales)が作用因(les causes efficientes)の代わりをしていると見えないようにすることが望ましいのである。

熱力学*

＊以下は、私の著作『熱力学』の序文から一部を再録したものである。〔原注〕

熱力学の二つの基本的原理が自然哲学の全分野において果たす役割は、日に日に重要性を増している。四〇年前に分子仮説のおかげで混乱していたさまざまな野心的理論は、いまでは放棄されており、われわれが今日努力しているのは、数理物理学の建物の全体を、熱力学というこの理論のみを基礎にして構築しようということである。マイヤーとクラウジウスによる二原理は、この建物がしばらくはもちこたえることができるような、十分に堅固な基礎を保証しているのだろうか〔マイヤーの原理は、運動と熱は交換しえてエネルギー保存則を満たすというもの。クラウジウスの原理は、熱力学第二法則と呼ばれ、熱にまつわる不可逆性を示したもの〕。このことを疑う人は誰もいない。とはいえ、この確信が何によって与えられているのかは問うてもよいであろう。

私はある日、一人の著名な物理学者から誤差の法則について次のようにいわれたことがある。「この法則はすべての人によって固く信じられている。その理由は、数学者たちはそれが観測的な事実だと考えていて、観測者たちはそれが数学上の定理だと考えているからである」。エネルギー保存の原理についても、そのような状態が長いこと続いた。しかし今日では事情は異なっている。誰もそれが実験的な事実であることを知らない人はいないからである。

しかしそれならば誰が、この原理そのものに対して、それを立証へと導いた実験を超えて、さらに一般化し精密化する権利を与えるのであろうか。これはつまり、人が常日頃から行っているように経験的な所与から一般化を行うことは、正当なのか否かと問うことである。私としては、この問題についてこれまで非常に多くの哲学者が解決に努めたあげくに失敗している以上、あらためて議論しようとするほどの自惚れをもちあわせているわけではない。とはいえ、一つのことは確かであろう。もしもわれわれにこの一般化の能力が与えられていないとすれば、科学は存在しえないことになるだろう。あるいは少なくとも、科学は一種の分類目録の作業となり、孤立した無数の事実の確認になってしまって、われわれには何の価値もないものになってしまうであろう。なぜなら、それは秩序と調和とを求めるわれわれの要求に、いかなる満足も与えないものになり、何らかの予見を示すこともなくなるからである。何であれ任意の事実について、それに先行する諸条件がもう一度そっくりそのままの形でいっぺんに再現されることは決してありえないだろうから〔ポアンカレの回帰定理によれば、初期条件にいくらでも近い状況はいずれ再現される。しかし、同じ条件そのものが再現されるのはきわめて稀(まれ)で特殊な場合のみである〕、この環境に最小限の変化が生じた後でも、この事実が再び生じるであろうと予見する作業は、すでに一般化の最初の一歩を含んでいるのである。

しかしながら、すべての命題の一般化は無数の仕方で可能である。われわれは可能な一般化のすべてのなかから選択をする必要があり、しかも最も単純な一般化を選択せざるをえない。それゆえわれわれは、他の一切の事情が等しいのであれば、単純な法則の方が複雑な法則よりも蓋然性(がいぜんせい)が高い、というふうに振る舞うことになる。

半世紀前には、人々はこのことを率直に口にして、自然は単純さを好むと言明していた。ところがその後、自然はこれを打ち消すような事例をあまりにも多くわれわれに提供してきた。われわれは今日では、自然のこの傾向を口にすることができなくなっている。ただ、科学が不可能になることを避けるために、あるいはそれが不可欠だというときのために、この傾向を保存している。

したがってわれわれは、比較的少数の実験しかなく、いろいろな逸脱も示しているような実験のもとで、単純かつ精密な一般法則を定式しようとする場合には、人間精神が免れることのできない必然性に従わざるをえなかったのである。

しかし、〔熱力学の原理に関しては〕単純性以上の何かが存在する。そのことを私はここで強調しておきたい。

マイヤーの原理は、ちょうどニュートンの法則がそれを導いたケプラーの法則よりも長く生きのびたのと同じように、それを導いた個別的な諸法則のすべてよりも生きのびるべく、この名前が付けられたことは誰も疑わない。ケプラーの法則は、摂動が考慮されるようになると、もはや一個の近似的法則にすぎないものになった。

この原理がこのように、すべての物理学の法則のなかで一種の特権的な地位を占めるのはなぜであろうか。それにはたくさんの細かい理由がある。

まず第一に、この原理を拒否したり、その絶対的な厳密性に疑いをはさむことは、永久運動の可能性を認めなければできないと思われている。いうまでもなく、われわれはそうした見込みがあることを疑うので、この原理を否定するよりは肯定する方が無謀さが少ないと考えるのである。ただし、このような考えはおそらくはまったく正しいとはいえないであろう。永久運動の不可能性がエネルギー保存を導くのは、可逆的現象に限ってのことだからである。

さらに、マイヤーの原理の圧倒的な単純さも、この原理に対するわれわれの信頼を強化することに貢献している。たとえばマリオットの法則(一定温度では気体の体積と圧力が反比例すること)のように、実験から直接に演繹された法則において、同様の単純さが見られるならば、それはむしろ不審感を抱かせる理由となるであろう。ところがマイヤーの場合はそうではない。われわれは一見したところばらばらに思われる諸要素から、思いもかけない秩序が形成され、調和的な全体が形づくられるのを認める。われわれにはこの予期せざる調和が単なる偶然の結果であるとは信じられない。われわれの獲得物は、それを手に入れるために払った努力が大きければ大きいほど、大切な宝物になる。あるいは、われわれがそのヴェールを脱がすことを自然が妬んでいるように思われれば思われるほど、われわれはそれの真実の秘密をもぎ取ったのだと確信することであろう。

とはいえ、これらはあくまでも小さな理由である。マイヤーの法則を絶対的な原理へと昇格させるには、より本格的な議論が必要となるであろう。しかし、それを行おうとすると、この絶対的原理を正確に述べることさえ容易ではないことが分かるであろう。

エネルギーが何であるかということは、個々の個別的な事例に関してはよく理解されている。そして少なくとも、それの暫定的な定義を与えることは可能である。ところが、その一般的な定義を見つけることが不可能なのである。

この原理を最も一般的な形で表現し、それを宇宙全体に適用するなら、この原理はいわば消失してしまって、次のような命題が残るだけである。何かは知らないが定数にとどまる何ものかが存在する。

この命題に何か意味があるだろうか。決定論の仮説の下(もと)では、宇宙の状態はきわめて大きな数 n の個数のパラメーターによって決定される。私はそれらを、$x_1, x_2, \dots, x_n$ と呼ぶことにする。任意のある瞬間におけるこれら n 個のパラメーターの値が知られるならば、そこからまた、時間に関するこれらの導関数も知られるので、その結果、それより前の瞬間における値も、後の瞬間における値も計算することが可能である。いいかえるなら、これらn個のパラメーターはn個の一階の微分方程式を満たすのである。

これらの方程式は$n-1$個の積分を可能にするので、その結果、$x_1, x_2, \ldots, x_n$から得られる$n-1$個の関数が存在し、それが定数にとどまる。ただし、われわれがそのことのゆえに、何かは知らないが定数にとどまる何ものかが存在する、というとしたら、それは同語反復を言明しただけである。人がこの積分すべてのうちで、どれがエネルギー保存という名称を保つべきかと問われるなら、当惑するだけであろう。

人がマイヤーの原理を有限なシステムに適用するというとき、そこで理解しているのは、この意味においてではない。

そこで、n個のパラメーターのうち、p個はそれぞれ独立に変動することを認めるとする。そうすると、われわれはn個のパラメーターとその導関数の間に、一般的に線形の関係をもつ$n-p$個の関係式しかもたないことになるであろう。

話を簡単にするために、システムに働く外的な力の仕事の和をゼロとし、外に取られる熱量もゼロであると仮定する。その場合には、われわれの原理の意味は次のものになる。

これら$n-p$個の関係式において、左辺を完全微分にするような組合わせが存在する。そして、この微分は$n-p$個の関係によってゼロであり、その積分は定数である。われわれがエネルギーと呼ぶのはこの積分のことである。

それでは、その変動が互いに独立であるようなパラメーターが多数ある場合は、どうしたら可能になるのであろうか。このことは外的な力の影響下でしか生じない（単純化のために、これらの外的な力の仕事の和はゼロになると仮定したのであるが）。もしもこのシステムが、実際に外的な力の作用から完全に免れているのであれば、所与の瞬間におけるわれわれのn個のパラメーターの値は、この後の任意の瞬間におけるシステムの状態を決定するのに十分であろう。ただし、これはわれわれが決定論の仮説にとどまっているかぎりのことである。それゆえ、われわれは先の困難へと舞い戻ってしまうのである。

このシステムの未来の状態が、現在の状態に全面的に決定されないということは、このシステムが外部の物体の状態にも依存するということである。しかしそれならば、このシステムの状態を決定する複数のパラメーターxのうちに、この外部の物体の状態に依存しない方程式が存在するということには、十分な蓋然性があるのだろうか。また、われわれが時にそうした方程式を見出しうると信じることがあっても、それはあくまでもわれわれの無知のゆえであって、真実にはこれらの物体の影響があまりにも微弱であるために、われわれの実験がそれを検出できないからではないのか。

もしもこのシステムが外部から完全に孤立しているとみなしえない場合には、システム内部のエネルギーの厳密に正確な表現が、外部の物体の状態に依存することは、十分おこりうることである。私はたしかに、先には、外部の仕事の和はゼロであると仮定したが、この多少とも人工的な制約から解放されようとするなら、エネルギーの定義はもっと困難なものになるであろう。

それゆえ、マイヤーの原理に絶対的な意味を与えて、それを定式化するためには、この原理を宇宙全体に拡張しなければならないが、そうするとわれわれが避けようとして努力したのと同じ困難に、またもや直面することになる。

以上を要約するとこうなる。日常の言葉を使えば、エネルギー保存の法則は一つの意味しかもちえない。すなわち、あらゆる可能なもののうちには、一つの共通の特性が存在するということである。ただし、決定論の仮説の下では可能なものは一つしかなく、したがってこの法則には何も意味がない、ということになる。

他方、非決定論の仮説の下では、この法則は一つの意味をもつことができるであろう。その法則を絶対的な意味で理解しようとする場合でさえ、そうだといえる。そしてそのときには、この法則はわれわれの自由ということに課せられた一つの制限であるかのごとくに見えることであろう。

といっても、〔自由という〕この言葉を使うと、私は自分が道に迷って、数学と物理学の領域の外に踏み込んでしまうのではないかという危惧を覚える。それで私は立ち止まって、この論争のすべてから次のような印象だけをくみ取っておくことにしたい。すなわち、マイヤーの法則は、きわめて柔軟な形式をもっているので、そこには人が欲するすべてを入れることができるようなものではないのか、という印象である。こういったからといって、私はこの法則がいかなる客観的実在とも対応していないとか、それが単純な同語反復に帰着する、といいたいわけではない。なぜなら、この法則は個々の特殊な場合には、また、人がそれを絶対的なところまで推し進めようとしないかぎりは、完全に明瞭な意味をもっているからである。

この法則がもつ柔軟さこそ、この法則が長い期間にわたってもちこたえるであろうと信じうる、一つの理由である。その上さらに、これ以上に素晴らしい調和に基礎を置くことができないかぎり、この法則が消え去ることはないであろうから、われわれは自分の研究が将来無駄になることはないであろうと、あらかじめ確信して、この法則に依拠しつつ自信をもって研究することができるのである。

私がここまで述べてきたことは、そのほとんどすべてが、クラウジウスの原理にも当てはまる。この原理の他にない特徴は、これが不等式によって表わされるという点である。こういうとおそらく、すべての物理学の法則についても、その厳密さは観測の誤差という制限の下にあるので、同じことがいえるといわれるであろう。しかしながら、それらの法則は少なくとも、第一次の近似にすぎないと主張していて、順次さらに厳密なものへと少しずつ置き換えられるという希望を含んでいる。ところが、クラウジウスの原理が不等式に帰着するとしたら、その原因は、われわれの観察手段の不完全性にはなくて、問題の本質そのものにあるのである。

第三部の一般的結論

以上のことから、力学の諸原理は、われわれに対して異なった二つの側面の下(もと)で現れることがわかる。それらは一面では、経験に基礎づけられた真理であり、ほとんど孤立した多くのシステムに関わる事柄については、近似的な仕方で検証されている。しかし、それらは他方では、宇宙全体に適用可能な要請としてあり、厳密に真なるものであるとみなされている。

もしもこの要請が、それを導いた実験的真理には欠けている一般性と確実性をもっているとすると、それは、これが最終的な分析においては、われわれ自身が作り出す権利をもった単なる規約に帰着するからである。そして、われわれがそれを作り出す権利をもつのは、われわれがあらかじめ、これに矛盾するであろう経験を何一つもつことがないことを確信しているからである。

そうだとしても、この規約は絶対的に恣意的なものとはなりえない。それはわれわれの気まぐれから生まれたものではない。われわれにはいくつかの経験が示されて、それを採用することが便利なことだと示されたゆえに、それを採用するのである。したがって、このことから、実験がいかにして力学の諸原理を築き上げたのか、また、実験はどうしてそれをひっくり返すことができないのか、ということを理解することができる。

幾何学と比較してみよう。たとえばユークリッドの公準のような幾何学の根本的諸命題は、規約以外の何ものでもない。それが真か偽かを探究することは、メートル法が真か偽かを尋ねるのと同様に、まったくばかげたことである。

これらの規約はただ便利だというだけであり、そのことをわれわれに教えるのはいくつかの経験である。

それゆえ一見したところでは、二つの学問の類似性は完全である。どちらにおいても経験の役割は同じであるように見える。そこで、力学を実験科学とみなすべきであるとすれば、幾何学についても同じ見方をするべきであるか、それとも、幾何学を演繹科学であるとすれば、力学についても同じことをいうべきかの、どちらかだといいたくなるだろう。

しかし、こうした結論は正しくない。幾何学の根本的規約をより便利なものとして採用するようにわれわれを導いた実験には、幾何学そのものが研究する対象とはいかなる共通性もない。実験が対象にしているのは、固体の性質であり、光の直線的伝播（でんぱ）である。これは力学の実験であり、光学の実験である。幾何学の実験とみなすことはどうしてもできない。しかも、われわれの幾何学が便利であると思わせる主要な理由が、われわれの身体のさまざまな部分、すなわち目や手足が固体の諸特性をもっているということにある。そのために、われわれの根本的な実験は何よりもまず生理学的実験であり、幾何学者の研究すべき対象である空間ではなく、身体、つまり、この研究に使われる道具についての研究なのである。

これとは対照的に、力学の根本的規約と、それを便利であることをわれわれに示す実験とは、どちらも同じ対象に関わるか、類似の対象に関わっている。力学の規約的で一般的な諸原理は、実験的かつ個別的な諸原理に対する自然で直接的な一般化である。

私がこのように述べると、科学同士の間に人為的な境界を設けているといわれるかもしれないし、本来の幾何学と固体の研究の間に境界を設けるのであれば、実験的力学と一般的な原理にもとづく規約的力学の間にも境界を立てることができるはずだ、といわれるかもしれないが、私としてはそういってほしくはない。二つの力学の間に区別を立てるなら、どちらの部門にも大きな損傷を与えることになるだろうし、規約的力学を孤立させるならば、そこに残る部分はほとんど何もないくらい小さくなるので、幾何学と呼ばれる壮麗な体系とは比べようもないものになる。このことは誰でも見て取れるであろう。

われわれはいまや、力学の教育はなぜ実験的であるべきか、ということを理解できるであろう。

その理由は、われわれがそうすることによってのみ、この科学の誕生の事情を理解することができるからであり、その理解がこの科学自体の完全な理解のために不可欠だからである。

いずれにしても、人が力学を研究するとしたら、それを応用するためである。そして、人がそれを応用できるとしたら、それは対象に即した客観的なものでなければならない。ところで、すでに見たように、力学の諸原理は一般性と確実性を獲得するにつれて、この客観性の方は失っていく。それゆえ、できるだけ早くから身につけなければならないのは、原理のもつ客観性の側面であり、それが可能になるのは個別的なものから一般的なものへと進むことによってであり、反対向きの進み方に従っていては無理なのである。

原理はすべて規約的であり偽装された定義である。しかし、それらは実験的法則から導き出されたものであり、この実験的法則がいわば、われわれの精神によって絶対的価値を付与される原理へと昇格されることによってでき上がるのである。

哲学者のなかには、こうした事実を過大に一般化する人もいる。彼らはこれらの原理が科学のすべてであると思い込み、その結果、科学全体が規約的なものだと信じた。

こうしたパラドキシカルな学説は唯名論と呼ばれたが、綿密な吟味に堪えられるようなものではない。

ある法則が一つの原理になるのはいかにしてか。法則はAとBという二つの実在的な項の関係を表わしている。しかし、それは厳密な意味での真理ではなく、近似的なものにすぎなかった。われわれはそこで、多少とも仮想的な中間項Cを想定して、これらの二項の間に導入する。Ｃは定義によって、Ａとの間にこの法則によって表わされる関係を正確に保つ。

そうすると、われわれの法則はＡとＣとの間の関係を表わす絶対的かつ厳密な原理と、ＣとＢとの間の関係を表わす近似的かつ改訂可能な実験的法則とに分解される。われわれがこの分解を推し進めても、いつでも何らかの法則が残り続けることは明らかである。

われわれはそこで、これらの本来の意味での諸法則の領域へと考察を進めることにする。

第四部　自　然

第九章　物理学における仮説

実験の役割と一般化の役割

実験は真理の唯一の源泉である。実験のみがわれわれに何か新しいことを教えられるし、実験のみがわれわれに確実性を与えることができる。この二点については誰も否定できないであろう。

しかしその場合、実験がすべてだとすると、数理物理学にはいかなる場所が残されているというのであろうか。実験物理学は、かくも無用で場合によっては危険であるようにさえ見える補助を使って、何をすることがあるのだろうか。

とはいえ、その数理物理学は現に存在している。それは否定しようもない務めを果たしてきた。これは説明を要する一つの事実である。

それはまさに、観察だけでは十分でなく、その観察を応用する必要があり、そのためには一般化しなければならないということである。人はこれまでこのことをつねに行ってきた。ただ、人は過去のさまざまな誤謬を思い出すたびに、より慎重になってきたので、観察はますます盛んに行われるようになる一方、一般化が行われることはますます少なくなってきたのである。

どの世紀もそれぞれ、それより前の世紀を嘲笑し、あまりにも性急かつ幼稚な一般化を行ったといって責めてきた。デカルトは古代のイオニアの科学者たちを憐れんだが、われわれの時代には彼が微笑の対象となる番である。そして間違いなくわれわれの子孫はいつか、われわれを笑うにちがいない。

それならしかし、われわれは直ちにゴールへと進むことはできないのだろうか。それこそが、われわれもまた予想せざるをえない、この嘲笑を免れる方法ではないのか。われわれはまったく裸の実験結果に満足しているわけにはいかないのだろうか。

否、それはできないのである。そうすることは科学の本当の性質を完全に見誤ることである。科学者は秩序づけなければならない。人は石を使って家を作るように、事実を使って科学を作る。とはいえ、単なる石の集積が家ではないのと同様、諸事実を集積しても科学ではない。

さらに、科学者は何よりも予見しなければならない。カーライルはどこかでこんなことを書いていた。「大事なのは事実である。欠地王ジョン〔イングランド王。在位一一九九―一二一六〕がこの道を通った。ここには素晴らしい事実がある。ここには、われわれがそのために世界の全理論を引き換えにしても惜しくないような、一つの現実があるる」。カーライルはベーコンの同国人であるが、ベーコンならこうはいわなかったであろう。これは歴史家の言葉である。物理学者ならこういうはずである。「欠地王ジョンがこの道を通った。とはいえ私にはそれはどうでもよいことだ。なぜなら、彼が再びここを通ることはありえないであろうから」。

われわれはみな、実験には良い実験と悪い実験があることを知っている。後者は事実を無駄に集積することであり、百回行っても千回行っても、それを忘却の底に沈めるには、たとえばパストゥールのような真の達人の一回の仕事があれば十分である。ベーコンはこのことをよく理解していたのであろう。というのも、決定実験（*experimentum crucis*）という言葉を考案したのは彼だからである。しかし、カーライルはそのことを理解するべくもなかった。一つの事実は一つの事実。小学生が寒暖計である数字を読み取った。彼は何の用心もしなかった。それだからといって、どうということはない。彼はそれを読み取ったのだから。考慮するべきはただ事実だというのであれば、ここには欠地王ジョンの遍歴物語と同じ一つの現実がある。とはいえ、この小学生の温度の読み取りは何の興味もひかず、逆に有能な物理学者が別の読み取りを行えば、きわめて重要なことととされるのは、どうしてであろうか。その理由は、小学生の読み取りがいかなる結論も導くことがないからである。そうだとしたら、良い実験とは何なのか。それは、孤立した一つの事実とは別のことさえわれわれに教え、われわれに予見することを可能にする実験である。いいかえると、それはわれわれに一般化を可能にする実験である。

というのも、一般化なくして予見は不可能だからである。実験が行われた状況は、決してもう一度すべてが一度に再現されることはないであろう。観察された事実は決して再び始まることはないであろう。確言できることは、類似した状況の下(もと)では類似した事実が生じるであろう、ということだけである。したがって、予見するためには少なくとも類推に頼らざるをえないが、それはいいかえれば、すでに一般化を意味している。

人がどんなに冒険を嫌っていても、データに対する内挿の作業は行わざるをえない。実験はわれわれにある数からなる孤立した点を与えるだけであるから、これらを連続した線で結ぶ必要がある。これは真の一般化である。しかし、行われることはそれ以上である。点を結ぶために描かれる曲線は、観察された点の間やその近くを通るが、点そのものの上は通らないこともありうるであろう。したがって、実験には一般化のみならず訂正も行われるのである。この訂正を遠慮して、本当に裸のままの実験だけで満足しているような物理学者がいたとすれば、彼はとてつもなく異常な法則を表明することにならざるをえないだろう。

それゆえ、われわれにとってまったく裸の事実だけで十分だ、ということはありえない。それはわれわれが、秩序をもった科学というよりもむしろ、組織立った科学を必要としているからである。

実験は先入見なしに行う必要がある、としばしばいわれる。しかしそれは不可能である。それはすべての実験を何の結論も生まないものにしてしまうだけでなく、そもそもできないことをしようとすることになるからである。どの人も自分のなかに、とても簡単には捨て去ることのできない世界観というものをもっている。たとえば、われわれは言語を使用せざるをえないが、われわれの言語は先入見に満ちていて、それ以外の何ものでもありえない。それらはただ意識されていない先入見であり、それだけに他の先入見の千倍も危険なのである。

われわれが十分意識できるような別の先入見を介入させるなら、それだけ危害をさらに拡大することになるにちがいない。といわれるかもしれない。しかし私はそうは考えない。私はむしろ、それらの先入見同士が互いにつり合う錘（おもり）として相殺（そうさい）し合うと考え、あるいは解毒し合うであろうとさえいいたい。先入見同士は一般に、互いに一致し合うことはない。それらは互いに衝突し、結果としてわれわれは事柄をもっと別の角度から考察しなければならなくなる。それはわれわれを解放するのに十分である。人が自分の主人を選べるのであれば、もはや奴隷ではないのである。

かくして、個々の知覚された事実は、その一般化のおかげで、われわれにきわめて多様な予見を可能にしてくれる。われわれはただ、最初の事実だけが確実であり、その他のすべてはあくまでも蓋然的（がいぜんてき）である、ということを忘れてはならない。一つの予見がわれわれの目にいかに堅固なものに映ろうとも、われわれがそれを実際に検証しようとしたら、実験がそれを否定することはないと、絶対的に確信できることは決してありえない。しかし、その確率が実際上それで満足できるほど大きいということはしばしばある。そして何も予見できないよりは、確実性はなくても予見できる方がよいのである。

　したがって、検証の機会があるのに、その実行を軽んじたりしてはならない。とはいえ、実験はとても長い時間を要し、困難をきわめる。それを実行する者は多くない。そして予見が必要な事実の数は膨大(ぼうだい)である。この大きな量に比べれば、われわれに可能な直接的検証の数は、どこまでいってもきわめて僅少(きんしょう)なものにとどまる。

　われわれはこの直接に手に入れることのできる少数の事例から、できるだけ多くの収穫を引き出す必要がある。個々の実験が最大限の数の予見をもたらし、それの蓋然性を最大限にする必要がある。つまり問題は、科学という機械の生産性を増大させることである。

　私はここで、科学というものを絶え間なく蔵書の増える図書館にたとえてもかまわないであろう。図書館の人は図書の購入資金を不十分にしかもっていない。彼は資金を浪費しないようにしなければならない。

　この購入の役割をまかされているのが、実験物理学である。したがって、図書館を充実できるのは、この科学だけである。

数理物理学についていえば、それは図書目録を作成することを任務とする。この目録がきちんとしていても、図書館がさらに充実したものになるわけではない。しかし、利用者がその充実した内容を利用する助けとはなるであろう。

図書目録はまた、図書館の人々に蔵書の欠落部分を教えることで、彼らが予算を賢く使うための助けとなるであろう。このことは資金が大幅に不足していればいるほど重要になる。

数理物理学の役割とはこのようなものである。それはいま述べた科学の生産性を増大させるために、一般化を導かなければならない。どのような手段でそれが可能なのか。そして、それはいかにして危険を伴わずに可能なのか。われわれがさらに検討しなければならないのはこの点である。

自然の統一性

まず、すべての一般化は、自然の統一性と単純性に対する一定程度の信頼を前提にしているということを確認しよう。統一性に関しては困難はありえない。宇宙のさまざまな部分が、同じ一つの身体のさまざまな器官のようになっていなければ、一方が他方に作用することもないし、互いに知り合うこともないであろう。とくに、われわれは自然の一部分だけしか認識することがないであろう。したがって、われわれは自然が全体として一つであるかどうかを問う必要はなく、どのような一つなのかを問う必要があるだけである。

二番目の自然の単純性については、このように簡単に片づけるわけにはいかない。自然が単純かどうかは確かなことではない。われわれが自然を単純であるかのように扱っても、何の危険もないのだろうか。

かつてはマリオットの法則の単純性を持ち出すことで、その正確さの理由とする時代があった。その時代では、フレネルでさえ、ラプラスとの会話のなかで自然は本来解析学上の困難など気にはしていないはずだと指摘しつつ、それでも流行の意見に全面的に逆らわないためには、いろいろな説明を与える必要を感じていた。

いまではこうした考えはすっかり変わってしまっている。しかしそれでも、自然法則が単純であるべきだとはもはや考えない人でさえ、さもそう信じているかのごとく振る舞う他はない場合がしばしばある。この要請を完全に捨てることは、すべての一般化を不可能にし、その結果として一切の科学を不可能にしてしまわずにはおかないからである。

いかなる事実についても、それを一般化する方法は無限にあることが明らかであるから、問題になるのは選択である。そして選択は、単純性への顧慮に導かれることなくしては不可能である。その最も平凡な例として、内挿法の例を考えてみよう。われわれは観察によって与えられた点の間を通る、できるだけ規則正しい連続的な線を引こうとする。なぜ、角張った点やあまりにも急な屈曲を入れることを避けるのであろうか。どうして、最も気まぐれな曲線であるジグザグの線を描こうとはしないのか。その理由は、われわれは表現すべき法則がそれほど複雑なものではないことをあらかじめ知っているか、あるいは知っていると信じているからである。

木星の質量は、その衛星の運動からでも、大きな惑星の摂動からでも、小惑星の摂動からでも導出することができる。これら三つの方法から得られるそれぞれの平均値をとれば、その値は互いにきわめて近似しているが、しかし異なった三つの数となるであろう。この結果を解釈して、三つの場合に重力の係数は同一ではないと想定することも可能である。間違いなくその想定の方が、観察結果は正確に表現されることになるであろう。われわれはなぜこの解釈を退けるのか。その理由は、この解釈が不合理だというのではなく、ただ必要以上に複雑だという点にある。われわれはこの解釈を採用することを強いられる日が来るまで、それを採用しないであろうし、その日はまだ来ていないのである。

要するに、すべての法則は非常に多くの場合、その反対が証明されるまでは、単純なはずだとみなされるのである。

この習慣は物理学者に対して、これまで説明した理由から課せられてきた習慣である。しかし、現代のように科学上の発見が、豊かでますます複雑になる新しい細部を伴っていることを目にするとき、こうした習慣はいかにして正当化されるのであろうか。どうやってこのような事実を、自然の統一性というわれわれの思想と調和させることができるのであろうか。というのも、すべてがすべてに依存するのであれば、これほど多様な諸対象の間に成り立つ諸関係は、もはや単純なものではありえないからである。

われわれが科学の歴史を研究すると、そこにはいわば逆方向の二つの現象が生じていることが観察される。それはある時には、見かけ上の複雑さの下(もと)に隠れた単純性であり、別の時には反対に、表面上の単純さを装いつつ、極度に複雑な現実を隠しているような単純性である。

惑星の錯綜(さくそう)した運行くらい複雑なものがあるだろうか。ニュートンの法則よりも単純なものがあるだろうか。つまり、フレネルがいったように、自然は解析学的な困難をあざけりつつ、単純な手段しか用いずに、単にその組合わせによって解きほぐすことのできない、何ともいえないもつれを生じさせるのである。これこそが隠された単純性であり、それが発見されるべきものである。

これとは反対の例もたくさんある。気体の運動論〔今日では気体分子運動論の方が普通だが、原書の表記に従う〕においては、非常に速い速度で活発に動く分子が扱われるが、それらの軌道は絶え間ない衝突によって曲げられ、最も気まぐれな形を描き、空間のあらゆる方向に横切る。その結果観察されるのが、単純なマリオットの法則である。個々の事象は複雑である。しかし大数の法則がその平均において単純性を取り戻した。この場合、単純性は見かけだけであり、われわれの感覚の粗雑さが現象の複雑さを見通すことを妨げているのである。

多くの現象は比例関係の法則に従う。しかしなぜなのか。その理由は、そうした現象のうちには、何か非常に小さなものが存在していることにある。観察された単純な法則は、次のような解析の一般的な規則の一つの翻訳に他ならない。すなわち、関数の無限に小さな増大は、変数の増大分に比例している。実際にはわれわれが目にする増大は無限小ではなく、あくまでも非常に小さいだけなので、比例関係の法則は近似的なものでしかなく、単純性は見かけだけである。私がここで述べたことは、微小な運動に関する重ね合わせの規則にも適用できる。その適用は非常に豊かな結果を生み出しており、光学の基礎にもなっている。

それでは、ニュートンの法則も同じことなのだろうか。この法則の単純性は長い期間隠されてきたが、おそらくは見かけだけのものである。これが何か複雑なメカニズムのせいで生じているのではないこと、不規則な運動へと駆られている何らかの微細な物質の衝突によるのではないこと、そして、平均値の働きと大数の法則のおかげで単純になっているのではないことを、誰が知っていようか。いずれにしても、見かけに隠れた真の法則が、小さな距離についてであれば感知できるような、複数の相補的な項を含んでいないと想定することは困難である。もし、天文学において、それらの項がニュートンの法則に比して無視できるもので、それゆえにその法則は単純性を取り戻すとしても、それはただ、天体同士の距離がとてつもなく大きいからである［重力の法則が微小な距離では変わる、というポアンカレの予想は、現代の物理学の主要テーマの一つである」。

疑いもなく、われわれの探究の手段が徐々にその解明力を増していくならば、われわれは複雑なもののうちに単純さを見出し、次に単純なもののうちに複雑さを見出し、次いで複雑なもののうちに新しい単純さを見出す、という具合に進んでいくであろうし、どれが最終の項となるかを予見することは不可能である。

もちろんこの進行は、どこかで停止する必要があり、科学が可能であるためには、単純性が見出されたところで停止する必要がある。それだけが、われわれが一般化による体系を打ち立てるための、ただ一つの地盤となる。しかし、この単純性が見かけにすぎないのであれば、この地盤は十分に堅固であるといえるのだろうか。この点こそが探究するべき問題である。

そのためにまず、われわれの一般化という作業において、単純性への信頼がいかなる役割を果たしているかを見てみよう。われわれはきわめて多数の個別的な事例のうちに、一つの単純な法則を検証してきた。われわれはこれほど何度も繰り返される一致が、単なる偶然の結果であると認めることを拒否し、その法則が一般的な場合に真でなければならないと結論する。

ケプラーはティコ・ブラーエによって観察された一つの惑星の位置のすべてが、同一の楕円（だえん）軌道の上にあることに気がつく。ケプラーは、ティコがまさに特異な偶然の戯れのせいで、惑星の真の軌道がこの楕円と交差するときしか天空を観察しなかったとは、ただの一瞬も思わなかった。

それなら、単純性が実在的なものであろうと、複雑な真理を隠しているだけであろうと、それが何か問題になるのだろうか。この単純性が個々の相違をならしてしまう大数の法則の影響による場合でも、ある量が大きいか小さいかという理由である項を無視することが許された結果であっても、それは偶然のせいだということではない。この単純性は実在的なものであれ見かけのものであれ、何らかの原因をもつ。したがって、われわれはつねに同じ推論を行うことが許されるし、多数からなる個々の場合に関して単純な法則が観察されたのであれば、同様の場合にもこの法則が真であろうと想定する正当性をもつ。われわれがそれを退けるのであれば、それは偶然に対して不当な役割を帰することになるだろう。

とはいえ、二つの単純性の間には相違がある。もしも単純性が実在するもので深いものであるなら、われわれの計測手段が正確さを増しても、それに抗してそれは残るであろう。また、もしもわれわれが自然は深いところまで単純であると信じるのであれば、近似的な単純性から厳密な単純性を結論づけるであろう。これは以前の科学では行われたが、いまや認められない推論である。

たとえば、ケプラーの法則の単純性は見かけだけのものである。このことは、太陽系に似たすべての天体のシステムにおいて、ほとんどこの法則が適用できることを妨げるわけではない。しかし、それが厳密に正確だということは認められないのである。

仮説の役割

すべての一般化は一つの仮説である。それゆえ仮説は誰も反論できなかった必須の役割をもっている。ただし、仮説はつねにできるだけ早く、できるだけ何度も、検証にさらされる必要がある。そして、それが検証というテストに通らないときには、ためらうことなく捨てる必要があることはいうまでもない。これは一般に行われていることであるが、時としてある種の不機嫌を伴うこともある。

しかし、この不機嫌な気分でさえ正しい態度とはいえないのである。自分の仮説の一つを放棄することになった物理学者は、むしろ喜びに満ちているはずである。なぜなら、彼は予期せぬ発見の機会に遭遇しているからである。思うに、彼はその仮説を軽々しく採用したわけではなかったであろう。その仮説は該当する現象に関係すると思われる、すべての既知の要素を考慮に入れて作られた。それが検証されなかったということは、何かしら予期されていないこと、異常なことが存在するからである。これこそがこれから未知なもの、新しいことが、発見されようとしていることである。

それでは、こうして覆(くつがえ)された仮説は不毛なものだったということになるのだろうか。とんでもない、それは真なる仮説以上に役立ったというべきである。それは決定実験の機会を提供したというだけではない。むしろ、同じ実験を偶然に行いながら、仮説として立てていなければ、そこからは何の帰結も導かれなかったであろう。その場合は、事態の異常さを認めることもなかったであろう。ほんの少しの帰結を導くこともなく、ただ一つの事実を目録に加えるだけであったろう。

さてそれでは、仮説の使用はどのような条件下であれば、危険がないのだろうか。われわれがそれを実験にかけようという強い意志をもっていたとしても、それだけでは不十分である。それでもまだ危険な仮説というものはある。それは第一に、またとくに、暗黙かつ無意識的に使用されている仮説である。われわれはそれを自分でも知らずに作っているので、それを放棄することもできないのである。ここにもまた、数理物理学がわれわれにもたらしてくれる恩恵がある。それはこの学問に特有の精密さのゆえに、それなくしては暗黙裡(あんもくり)に作っていたであろうすべての仮説について、明示的に定式化するようわれわれに強いるからである。

さらに、次の点も注意すべきである。すなわち、仮説の数を限度を超えてたくさん作らないこと、また、一つずつしか作らないことが重要だ、という点である。われわれが複数の仮説を基盤にした理論を構築していて、実験がこれを否定した場合、変更を加える必要があるのはわれわれの前提のどれなのだろうか。それを知ることは不可能である。反対に、実験によってこの理論が認められたとき、これらの仮説はすべて一度に検証されたと信じられるのか。一つの方程式が複数の未知数を決定したと信じられるのだろうか。

同様に重要であるのは、さまざまに異なった種類の仮説を区別することである。その最初の種類は、まったく自然な仮説であって、それを除くことがほとんどできないような仮説である。非常に遠い距離にある物体同士の影響はほとんど無視できること、微小な動きは線形法則に従うこと、結果はその原因の連続的関数であること、これらを前提しないことは困難である。対称性によって課せられる諸条件についても、同様のことがいわれるべきである。これらの仮説のすべては、数理物理学のすべての理論のいわば基盤に当たる。それらは放棄するのが最後になるべき仮説である。

仮説には第二のカテゴリーがあり、私はそれを中立的な(indifférentes)仮説と形容することにする。解析学者は大部分の問いに関して、その計算の最初に、物質が連続的であると仮定するか、逆に原子からなると仮定する。彼が反対の仮定を採用していても、その計算結果は変わらなかったであろう。とはいえ、結果を得るためにより大きな苦労を味わうことになるであろう。違いはそれだけである。この場合もしも実験がその結果を検証するなら、それによってたとえば原子の実在が証明されたと考えられるだろうか。

光学の理論ではベクトルが二種類導入される。一つは速度で、もう一つは渦動とみなされるものである。これも中立的な仮説の例である。なぜなら、まったく反対の仮説を作っても同じ結論に至るからである。したがって、実験での成果は最初のベクトルが速度であったことを証明できない。それは〔何であるかを証明することはできず〕、ただ、一つのベクトルだということしか証明できない。つまり、前提のなかに本当に導入していたのは、その仮説だけだったのである。このベクトルに対してこの種の具体的な形を与えることは、われわれの精神の弱さのゆえに要求されることである。そのためにこのベクトルを速度として、あるいは渦動として考察しなければならなかったが、それはそれを文字でxとかyとかで表わす必要があったのと同じである。しかし、それが何であれ、その結果はxと呼ぶのが正しいとか、yと呼ぶのが正しいことを証明しないように、それを速度とみなすことが正しいか否かは証明しないであろう。

この種の中立的な仮説は、その性格さえ見誤ることがなければ、決して危険なものではない。これらの仮説は計算のための道具として、あるいは具体的なイメージでわれわれの知性を支え、いわゆるアイデアを固めるために有用なものである。したがってそれを締め出す理由はないのである。

仮説の第三のカテゴリーは、真の一般化というべきものである。そのためにそれは、実験によって検証されたり反証されたりする。そして検証されるにせよ反証されるにせよ、実りの多い結果をもたらしてくれる。ただし、私が先に述べた理由のゆえに、それが結果を生むのはその数が多すぎない場合に限られる。

数理物理学の起源

ここからさらに深く掘り下げて、数理物理学の発達を可能にした条件をより詳しく研究することにしよう。われわれが一瞥(いちべつ)しただけでまず認めうるのは、科学者たちの努力がつねに、直接に与えられた複雑な現象を実験を通じてきわめて多数の要素的現象へと分解する方向に向かってきた、という事実である。

そしてその分解の方法には三つの異なった種類がある。まず、時間に関する分解である。ある現象の発展的な進行について、その全体をつかむのではなく、各々の瞬間をその直前の瞬間に結びつけようと努める。世界の現在の状態はただ単に直前の過去の状態にのみ依存していて、いわば遠い過去についての記憶による直接の影響はない、と認める。この要請のおかげで、研究を現象の継起の全体へと直接に向けることなく、「微分方程式」を書くことに限定することができる。ケプラーの法則の代わりにニュートンの法則ですますということである〔惑星の軌道が楕円である、というケプラーの法則が軌道全体の記述であることを、ニュートンの法則と対比している〕。

次に、現象を空間に関して分解することに努める。実験がわれわれに与えてくれるのは、ある広さの舞台で生じている諸事実の混乱した全体である。これを分解して、逆に空間の非常に小さい範囲へと局所化できるような、要素的現象を識別するように努める必要がある。

おそらく私がここで念頭に置いていることは、いくつかの例を挙げることで、よく理解されるであろう。もしも冷却しつつある一つの固体に関して、その温度の分布というものをその複雑さのままで研究しようとするなら、どこにも辿り着くことはできないであろう。しかし、固体の一点は遠く離れた点には熱を直接に伝えることができないことを思い起こせば、すべては簡単になる。熱は最も近い点にのみ直接伝わるので、熱の流れが固体の他の場所へと到達するのは、次から次へという仕方である。この場合の要素的現象は、隣接する二つの点の間の熱の交換である。それは厳密に局所的であり、分子間の距離が相当大きい場合には互いの温度が影響し合わないことは自然だと認めるなら、比較的単純な現象である。

私が一本の棒を曲げてみる。そうすると棒は、それを直接の仕方で研究することが不可能なほど、非常に複雑な形をとるにちがいない。しかしながら、この屈曲が棒を作る非常に小さな部分の変形から結果したものに他ならないこと、そして、その要素の一つ一つの変形は、これらに直接加えられた力にのみ依存し、他の要素に働く力にはまったく依存しないことを観察するなら、私は研究に着手できるはずである。

こうした例をもっと増やすことは容易であるが、どの例でも遠隔的な作用はないと認められている。少なくとも非常に遠いものからの作用はない。これは一つの仮説である。ただし、つねに真であるわけではない。その証拠に重力の法則がある。したがってこの仮説を検証にかける必要がある。これがたとえ近似的にせよ検証されるなら、貴重な仮説となる。なぜなら、それは少なくとも、逐次近似法による数理物理学の活用をわれわれに許すからである。

この仮説がテストに通らない場合には、これに似た別のものを探す必要がある。というのも、要素的現象に至る方法には、別の方法があるからである。多数の物体が同時に作用するときに、それらの作用は互いに独立で、ベクトルの形であれスカラー量の形であれ、単純にそれぞれを加え合わせる形で結果を生むという可能性がある。この場合の要素的現象は孤立的物体の作用である。あるいはまた、微小な運動や、もっと一般的に微小な変動は、重ね合わせというよく知られた法則に従う。この場合には観察される運動は、複数の単純な運動に分解される。音がその成分に分解され、白色光が単色の構成要素へと分解されるのが、その例である。

それでは、要素的現象を求めるべき方向がすでに識別されているとき、どうやってそれを得たらよいのだろうか。

まず、その現象を見抜くためには、あるいはその現象のなかでわれわれに有用なのは何かを見抜くためには、そのメカニズムに深く精通する必要はないということがしばしばある。大数の法則だけで十分である。熱伝導の例をとってみよう。各々の分子は隣の分子に熱を放射する。放射がいかなる法則に従っているかを、われわれは知る必要がない。これに関して何かを仮定するとしても、それは中立的な仮説であり、したがって無用かつ検証不可能である。そして実際に、平均化の作用と媒質の対称性のおかげで、すべての差異はならされるので、立てられている仮説がいかなるものであっても、その結果はつねに同じである。

同じ事情は、弾性論においても毛細管現象の理論においても生じる。近接した分子同士は引き合ったり退け合ったりするが、それがどのような法則に従っているのか、われわれには知る必要がない。この牽引(けんいん)作用が小さな距離においてのみ感知できること、分子の数が非常に多いこと、媒質が対称的であることで十分であり、後は大数の法則が働くのにまかせればよいのである。

ここでもまた、要素的現象の単純性が、観察される結果的現象の複雑さの下(もと)に隠れていた。とはいえ、この場合の単純性は、実際には見かけ上のものであり、非常に複雑なメカニズムを包み込んでいたのである。

一方、明らかに要素的現象に到達する最善の方法は実験である。実験上の技巧によって、自然がわれわれの探究に提供してくれる複雑な塊(かたまり)をばらばらにして、できるかぎり純粋化された諸要素を注意深く研究する必要がある。たとえば、プリズムを用いて白色の自然光を単色光に分解し、偏光器を用いて偏光に分解する。

しかし残念なことに、こうした作業はつねに可能であるとはかぎらないし、それだけで十分だともかぎらない。そのために、時として精神の働きが経験を追い越して進むことも必要になる。その例として、私は次の例を挙げることしかできないが、この例は私にとっていつも強い驚きを覚えずにはいられない例である。

私が白色光を分解すると、スペクトルの小さな一部分を分離することができるであろうが、この部分はいかに小さくとも、一定の幅を残しているであろう。単色光線と呼ばれる自然の光線も、同じように、われわれに非常に細い線を与えてはくれるが、それは無限に細いわけではない。われわれはこの自然光線の性質を実験的に研究する過程で、扱うスペクトル線を次第次第に細くしていくことによって、最後にはいわばその極限にまで進み、厳密に単色である光線の諸性質を知ることができるだろう、と想定するかもしれない。

　これはしかし実際には正しくない。同一の光源から二本の光線が発するとして、これらをまず直交する二平面に偏光させ、次いでもう一度これらを同じ偏光面に戻して、二つを干渉させてみようとしたとする。もしもこの光線が厳密に単色光であるならば、それらは干渉を起こすはずである。ところが、われわれが取り上げたほぼ単色であるような光線では、それがいかにスペクル幅の狭い光線であったとしても、干渉は生じないであろう。そうなるためには、われわれが知っている最も狭い光線よりも、その数百万〔原文ママ〕倍も狭い光線でなければならないのである。

　ここで示されているのは、われわれが精神だけを頼りに極限まで進むことで誤った、ということである。われわれがこれまで、精神によって実験を追い越して進むことを必要としてきたのは確かである。しかし、それが成功を収めることができたとすれば、単純さの直感に導かれたからである。

われわれが要素的事実をすでに知っていれば、われわれは問題を方程式に落とし込むことができる。その後は組合わせによって、観察可能かつ検証可能な複合的事実を演繹すればよい。これが積分と呼ばれる作業である。それは数学者の領分である。

人によっては、物理科学において一般化が進むとなぜ数学的形式を採用することになるのか、といぶかる人がいるかもしれない。その理由を理解するのは、いまや簡単である。それはただ単に、現象を数値的な法則によって表現しなければならないから、ということだけではない。観察可能な現象は、すべてが互いに類似した多数の要素的事実の重ね合わせの結果であると考えられるからである。そのために、微分方程式が導入されるのはきわめて自然なのである。

個々の要素的現象がいくつかの単純な法則に従っている、というだけでは不十分である。組み合わされるべきすべての現象が、同一の法則に従うということが必要である。数学が関与することが有用なのは、ただそうした場合だけである。実際、数学は類似したものを類似したものと組み合わせる仕方を教えるのである。その目的は、組合わせを一個一個について繰り返すことをせずに、組合わせの結果を見抜くということにある。同一の操作を何度も何度も繰り返さなければならないときに、数学は一種の帰納法によって、その結果をわれわれに前もって知らせ、この繰り返しを省くことを可能にしてくれる。私はこのことを、数学的推論の本性を論じた前の方の章〔第一章〕ですでに説明している。

ただし、そのためには、すべての操作が互いに類似していなければならない。そうでない場合には、当然のことながら、われわれはこの方法を断念して、実際に一つずつ順番に捜査を行う必要があるが、そのときには数学は無用になるであろう。

したがって、数理物理学が誕生できたのは、物理学者たちの研究する素材が、近似的にせよ一様性をもっていたおかげである。

博物学の領域では、一様性、遠く離れた部分同士の相対的独立性、要素的事実の単純性という〔数理物理学の対象のもつ〕条件は認められない。それゆえ、博物学者たちは一般化に関して別の様式に頼ることを余儀なくされるのである。

第一〇章　現代物理学の諸理論

物理学的諸理論の意義

世間の人々は、科学の理論がどれほど短命なものであるかを知って驚いている。人々はさまざまな理論が何年か栄えた後、順番に廃棄されるのを目の当たりにしている。彼らが目にしているのは、無数の廃墟の上にさらに廃墟が積み重なるさまである。彼らは今日流行の諸理論もまた早晩倒されるはずだと予想し、そこから、それらの諸理論は絶対的に空しいものだと結論する。これが彼らのいう科学の破綻である。

こうした人々の懐疑論は表層的である。彼らは科学の諸理論の目的も役割もまったく考えに入れていないが、それらを考慮に入れれば、無数の廃墟もまた何かの役に立っているのだということを理解したはずである。

光の本性をエーテルの運動に帰するフレネルの理論ほど、確固とした基礎をもつと思われた理論はない。ところが現在では、フレネルの理論よりもマクスウェルの理論の方が好まれている。それならこのことは、フレネルの業績が空しいものだったということを意味するのであろうか。そうではない。というのも、フレネルの目的は、エーテルが実在するかどうか、エーテルが原子によってできているのか否(いな)か、あるいは、それらの原子はこれこれの方向に本当に運動するのかどうか、を知ることにはなかった。その目的は光学的現象の予見にあった。

さて、このフレネルの理論は、マクスウェル以前と同様に、今日においてもつねにこの予見を可能にしている。その微分方程式はいまも真である。以前と同じ方法でそれを積分することが可能であり、積分の結果もつねに同じ価値を有している。

われわれがこういったからといって、物理学の諸理論の価値を実際的な処方箋(しょほうせん)の役割に貶(おとし)めているのだとは考えないでもらいたい。これらの方程式はもろもろの連関関係を表現しているのであり、もしも方程式が真であり続けるなら、それはこれらの関係が実在性を保持しているからなのである。これらの方程式は以前と同様にこれからも、何かと他の何かとの間にこれこれの連関があることを、われわれに教える。ただ、われわれはかつてそれを運動と呼び、いまではそれを電流と呼んでいるだけである。とはいえこうした名称は、自然がわれわれに対して永遠に隠し続けるであろう、真に実在する対象の代理的な表象にすぎなかった。この実在する対象間にある真の関係こそ、われわれが捉えることのできる唯一の実在である。それが可能になる唯一の条件とは、これらの対象同士の間に、われわれが代理で用いざるをえない表象同士の関係とまったく同じ関係があるということである。われわれがすでにこの連関関係を認識しているのであれば、この表象の代わりにこちらの表象を用いた方が便利だと判断したとしても、何ら問題にはならない。

たとえば、(電気的振動などの)ある種の周期的現象は、本当は何らかの原子の振動によるものであり、その原子は振り子のような振舞いをして、実際にこれこれの方向に動くということがあったとしても、それ自体は決して確実でもなければ重要でもない。しかし、電気的振動と振り子の運動とすべての周期的な現象の間には一つの深い実在に対応するような密接な血縁的関係があり、この血縁的関係、この類似性、というよりもむしろこの平行関係というべきものが、その細部にまで保たれている。それはエネルギーの原理や最小作用の原理など、より一般的な諸原理の帰結である。このときわれわれはそれこそが真なるものであると言明する。すなわち、ここにはわれわれが好きなように変な衣装を着せたとしても、その下で同一のままにとどまるような真理があるのである。

光の分散をめぐってはこれまで多くの理論が提案されてきた。最初期の理論は不十分なもので、真理のごく一部しか含んではいなかった。その後にヘルムホルツの理論が登場した。そして、多くの人々がさまざまな手法でこれに手を加えた後には、創始者自身もマクスウェルの原理を基礎とするような、さらに別の理論まで想像するに至った。とはいえ、注目すべきことは、ヘルムホルツ以降のすべての科学者がいずれも見た目には非常にかけ離れた点から出発したにもかかわらず、同一の方程式に到達したという事実である。私はあえて、これらの理論がすべて同時に真であるといいたいのである。その理由は、それらがわれわれに同じ現象を予見させるだけでなく、真なる連関関係、吸収と異常分散〔光の屈折率が周波数とともに減少すること、吸収帯近傍で起きる〕の間の関係について、はっきりとした理解をもたらすからである。これらの理論の諸前提には一つの真理が含まれており、それはどの理論家に関しても同一である。それは、ある理論家がこの名前で呼び、別の理論家が別の名前で呼ぶとしても、一定の事物同士にはかくかくしかじかの関係がある、という主張をしているということとである。

気体の運動論はこれまで多くの反論を招いてきた分野である。それらの反論は、この理論が絶対的に真であるといい張っているかぎり、返答するのがかなり困難な反論であった。しかしながら、これらの反論があったとしても、この理論が有用であり、とくに気体の圧力と浸透圧の間にある真の関係を教えてくれたという事実は、否定のしようがない。この関係は、この理論がなければ、われわれには深く隠れたままになっていたのである。その意味で、この理論は真であるといってもよいのである。

物理学者は、自分にとって同程度になじみの理論であるのに、互いに矛盾することを見出したとき、次のようにいうことがある。われわれはそのことを気にする必要はない。ただ、その中間にある鎖が見えないとしても、両端の鎖をしっかりつかんでおいて、手を離さないようにすればよいのだ、と。これは議論で追い詰められた神学者たちがよく使う決まり文句である。もしも世間の人々が使う言葉の意味が、物理学の理論にも当てはまるのだとすれば、こうした言い回しは十分に滑稽である。何らかの矛盾があるという場合、少なくとも二つのうちの一方は誤りとみなされる必要がある。とはいえ、研究者が、自分が研究する必要のあることだけを研究している場合、この理屈は当てはまらない。彼らの理論は両方とも真なる関係を表現してはいるが、われわれが実在に着せたイメージという衣装のなかでだけ矛盾が起きているということもありうるからである。

われわれの議論は、科学者の扱いうる問題をあまりにも狭いところに制限しているのではないのか。こう考える人もいるかもしれないが、私はその人に次のように答えたい。われわれはたしかにいくつかの問いを禁止し、そのことがあなたがたには遺憾に思われるかもしれない。しかし、それらの問いは解けないだけでなく幻想の問いであり、意味のない問いなのである、と。

哲学者によっては、物理学の一切が原子同士の衝突によって説明されると考える人もいる。この主張がただ、物理的現象同士の間には多数のビリヤード・ボールの衝突と同じような関係性があるということだけを意味するのであれば、これ以上に素晴らしいことはない。それは検証可能であるし、おそらくは正しいであろう。とはいえ、この主張はそれ以上のことをいおうとしており、われわれもそのことを理解していると思い込んでいる。というのも、われわれは衝突ということがそれ自体としてどういうことか、よく理解していると思い込んでいるからである。なぜであろうか。その理由はただ、われわれがこれまで何度もビリヤード・ボールのゲームを見たことがあるからにすぎない。われわれは、神が自らの創造物を眺めながら、われわれがビリヤード・ボールの試合を見ているときと同じような感覚を抱いているにちがいない、などと考えるであろうか。もしもわれわれが哲学者の意見にこうした奇怪な意味を与えたくなければ、そしていま説明したように、誤ってはいないが、非常に限定された意味以上のものを与えたくないのであれば、この主張には意味がなくなるのである。

多くのこうした類の仮説は、したがって、比喩的な意味以上のものをもってはいない。詩人が比喩的表現を禁じられるべきではないのと同様に、科学者にもそれを禁じるべきではない。ただ、それがもっている価値をしっかりと知っている必要がある。これらの仮説は、精神に対して一定の満足を与えるという意味では有用であり、それが中立的な仮説であるかぎりでは無害なのである。

われわれは以上の考察から、なぜある種の理論がすでに放棄されており、実験によって決定的に否定されているにもかかわらず、とつぜん灰のなかからよみがえり、新たな生を営むことがある理由を理解することができる。その理由は、それらの理論が真なる連関関係を表現しているからであり、さまざまな理由から同一の関係を別の言葉で表わす必要があると信じられるようになるまでは、一定の役割を果たしているからである。それはこの意味で、潜伏的な生命を維持しているのである。

ほんの一五年前には、クーロンの流体ほどばかげた、幼稚で古ぼけた発想はなかった。ところがいまでは、同じものが電子という名前で再登場している。永続的な仕方で帯電しているこの微粒子と、クーロンの帯電分子と、いったいどこが違うのであろうか。たしかに電子においては、電気はきわめて小さいとしても微細な質量をもつ物質によって担われている。別の言葉でいえば、電子は質量をもっている（といっても、この点についてはいまでは異論も出ている〔異論はその後否定されている〕）が、クーロンもその流体に質量を認めなかったわけではなく、実際には認めなかったとしても、仕方なくそうしたにすぎない。電子に対する信頼が、今後失墜することはないとまで断言するのは、軽率にすぎるかもしれない。それでも、この思いがけない再生を認めることは、まったく興味のないことではないはずである。

とはいえ、この種の事例で最も驚くべきなのはカルノーの原理である。カルノーは間違った諸仮定から出発して、この原理を打ち立てた。熱が不滅ではないこと、それが仕事の形に変換できると理解されるようになると、それらの考えは完全に放棄されることになった。ところが、その後にクラウジウスがもう一度これらの考えを復活させて、それに決定的な勝利を収めさせた。カルノーの原理はその最初の形式においては、一方で真なる関係を表現しつつ、他方では古い観念の残余物にすぎない誤った関係を表現していた。しかし、その存在が前者の実在性にまで影響を及ぼすことはなかった。クラウジウスはただ、枯れ枝を刈り上げるように、それを取り払いさえすればよかったのである。

その結果としてもたらされたのが、熱力学の第二基本法則である。そこにあったのは、同じ対象間で少なくとも見かけ上は成立しなくなっても、ずっと同じ連関関係である。この原理が価値をもち続けるためには、この事実だけで十分である。また、カルノーの推論も、それゆえ滅びたりはしなかった。それは誤りという汚点のある素材に適用されてはいたが、その形相(すなわち、本質的な側面)に関しては正しいままであった。

私がここまで述べてきたことは、同時に、最小作用の原理やエネルギー保存の原理のような、一般的原理というものの役割についても明らかにしてくれる。

これらの原理はきわめて高い価値をもっている。こうした原理は、数多くの物理的法則を表わす命題の間にある共通のものを求めようとしたことから得られた。したがって、これらの原理は数えきれぬ実験的観察の精髄を示しているのである。

とはいえ、こうした原理が一般的であるということはまた、一つの帰結をもたらすのであり、私はそのことについて、すでに第八章で読者の注意を促しておいた。その帰結とはすなわち、それ〔一般的原理〕は検証不可能である、ということである。エネルギーに一般的な定義を与えることは不可能である以上、エネルギー保存の原理が意味しているのは、決して変動しない恒常的な何かがある、ということだけである。それはつまり、将来の実験がわれわれに世界について何らかの新しい概念をもたらすことがあったとしても、われわれはそれ以前にすでに、恒常的にとどまるような何かがあって、それをエネルギーと名づけることができるはずだ、と確信しているということである。

そうであるなら、この種の原理には何も意味はなく、一種の同語反復として雲散霧消するのであろうか。そうではない。それはわれわれがエネルギーと呼ぶ互いに異なったもの同士が、真の血縁関係で結ばれていることを意味しているのである。とはいえ、もしもこの原理が意味をもつのであれば、それは過つ可能性もあるということになる。つまり、われわれはその適用を無際限に拡張する権利はないにもかかわらず、言葉の厳密な意味で、こうした原理が受け入れ可能であることを前もって確信してしまっているのだ、ということになるだろう。それではわれわれは、この原理に与える正当な拡張の範囲の限界に達してしまうであろうときを、どうやって知りうるのだろうか。それはまったく単純に、それがわれわれに誤ることなく新しい現象を予見することを可能にするという意味での、有用性を失ったときである。そうなったとき、われわれは、そこまで拡張されてきた連関がもはや実在していない、ということを確信するであろう。そうでないかぎり、原理は不毛ではないということになる。実験は、正しい予見をもたらさない新しい拡張作業と直接に矛盾をきたすことがなくとも、不当なものだと判定するはずである。

物理学と力学的世界観

理論家たちの多くは、力学や動力学から借りてきた説明を愛好するという変わらぬ傾向をもっている。彼らのなかには、一切の現象が特定の法則に従った分子同士の引き合う作用によって説明されるならば、それで十分だと考える人もいる。しかし、遠隔的な引力はすべて排除したいという、もっと難しい要求をもつ人もいる。こういう人々の考える分子は、直線的な軌道に沿ってのみ運動し、衝突による以外には、そこからそれることはないとされる。さらに、ヘルツのように力の作用まで除いてしまって、分子はたとえば、われわれの体の機械的なつながりと同様に、幾何学的な連結関係にのみ従うと考える人もいる。こうした人々は動力学を一種の運動学に還元したいと考えるのである。

ひと言でいうと、こうした人々はみな、自然を特定の形式に従わせようとするのである。それ以外の形式では満足できない。しかし自然はそれほど融通のきくものなのであろうか。

われわれはこの問題について、第一二章でマクスウェルの理論を扱う際に検討することにしたい。いずれにしても、われわれはエネルギー〔保存〕の原理や最小作用の原理が満たされるたびに、可能な力学的説明があることを認めるだけでなく、その説明は無限にあることを確認するのである。まさによく知られたケーニッヒ氏の力学的結合の定理〔角運動量やエネルギーについて、システム全体のもつ量を、重心に全質量が集まったとしてもつ量と、個々の成分が重心の周りにもつ量の和に分割できること〕のおかげで、すべては無限の仕方で説明可能であり、幾何学的連結関係で記述するヘルツの仕方でも、あるいは中心力の仕方であってさえ、説明がつくことを示せる。もちろん、すべてが単純な衝突によってつねに説明されるということも、容易に証明することができる。

いうまでもないが、そうするためには、われわれが通俗的な物質観にとどまって、感覚によって知覚され、その運動が直接に観察できるような物質を考えることに満足してはいけない。そのために、たとえば、この物質が原子からできていて、内部での原子の運動は知られないが、その全体の移動は感覚で捉えられるのだ、と想定する必要があるだろう。あるいはまた、物理学理論においてつねに非常に大きな役割を果たしてきたエーテルという名前やその他の名前で呼ぶ捉えがたい流体について、想像する必要があるだろう。

それどころか、しばしばこれ以上に遠くまで進んで、エーテルが唯一の原初的物質であるとか、唯一の真なる物質であるとみなす人もいる。最も穏健な人でも、普通の物質はエーテルの凝縮したものだと考えることがあるが、これには格別に驚く点はない。しかし、それ以外に、普通の物質はもっとずっと重要性が少なく、ただエーテルの特異点の描く幾何学的軌跡にすぎないのだ、と考える人もいる。たとえばケルヴィン卿によると、われわれが物質と呼ぶものは、エーテルが活性化して渦動運動をしている点の軌跡以外のものではないという。また、リーマンによると、それはエーテルが絶え間なく破壊されている点の軌跡なのであり、さらに最近のウィーヒェルトやラーモアによれば、それはエーテルが非常に特異な一種のねじれをこうむる点の軌跡だという。もしも誰かがこれらの見解のどれか一つを採用しようとするなら、私は次のように自問しないではいられない。人はどうやったら、エーテルが真の物質であるという仮定から出発しながら、偽りの物質でしかない普通の物質がもつ力学的特性をエーテルにまで拡張されることを許せるのだろうか、と。

熱素や電気など昔の流体は、熱が不滅でないことが知られてから、捨てられることになった。しかし、それらが捨てられた理由は他にもある。それらを具体的な物質とみなすためには、いわゆる個別化が必要になったが、その結果として一種の深い溝さえそれらの間に掘ってしまった。人々が自然の統一性について非常に生き生きとした感覚をもち、自然のすべての部分が親密な関係で結ばれていることを認識するとき、この深淵は埋める必要があった。昔の物理学者は流体の数を増やして、不必要な存在まで作り出しただけでなく、真の結びつきまで破壊したのである。

理論は偽りの連関を主張しないというだけでは不十分であって、真に存在する連関を隠したりしない、ということも必要である。

それでは、われわれのエーテルは本当に実在するのであろうか。

エーテルの存在を信じるようになった事情はよく知られている。遠く離れた星からわれわれのところに光が届くとき、光は長期間にわたって、その星の上にはもはやなく、地上にはいまだ届いていないという状態にあるのだとすれば、その間にはどこかにあり、それを維持するいわば物質的支えが必要になる。

同じ考えを、さらに数学的かつ抽象的に表わすこともできるだろう。われわれが実際に確認しているのは、物質の分子がこうむっている変化である。たとえばわれわれは、星の白熱した塊（かたまり）が何年か前に演じた〔発光〕現象の諸帰結が、われわれの写真板の上に現れるのを目にしている。あるいは、通常の力学では、研究対象の力学上のシステムの状態は、その一瞬前の状態にしか依存していない。そのため、このシステムは微分方程式を満たすのである。ところがこれと異なって、われわれがエーテルの存在を信じないとすると、物質的宇宙の状態は、すぐ直前の状態のみならず、もっとずっと前の多くの状態にも依存する、ということになる。このシステムは有限差方程式を満たすことになるが、それは力学の一般法則に背くことであり、われわれがエーテルを考案したのは、まさにそれを避けるためである。

これだけの理由であれば、エーテルに求められているのは、天体間の空虚な空間を満たすことだけであり、それが物質の奥の奥まで貫入することは求められていない。ところがフィゾーの実験はさらに先まで進んだ。運動中の空気や水のなかを通過した光が干渉を起こすとき、その干渉は二つの異なった媒体〔物質とエーテル〕が互いに侵入し合っており、しかも一方が他方に対して移動していることを示すように思われる〔流水中の光の速度は静水中の光速と異なるが、その差は水の流速より小さく、部分的随伴現象と呼ばれる〕。それゆえ、エーテルは指で触れられるようなものになったのである。

しかも、さらに身近な仕方でエーテルに触れる実験も考えられる。作用と反作用は等しいというニュートンの原理は、それが物質のみに適用されるときにはもはや真ではないということが実際にも確証されていると仮定してみよう。その場合には物質の分子全体にかかっている力の幾何学的総和はゼロではないことになろう。それゆえ、力学の全体を根本から変更しようと思わないのであれば、物質がこうむるように思われるこの作用に対して、何らかの事物への物質の反作用との間につり合いをとるために、エーテルを導入する必要が生じるであろう。

あるいは、また別に、光学的または電気的な現象は地球の運動によって影響を受ける、ということが知られたと仮定しよう。その場合には、これらの現象は物質的な事物の相対運動のみならず、絶対運動と思われるものについても、われわれに教えることができるという結論をもたらしそうである。ここで絶対運動と称せられるものが、空虚な空間との関係の下(もと)での移動のみならず、何らかの具体的なものとの関係の下での移動となるためには、またしてもエーテルが存在する必要があるだろう。

われわれはいずれそうした結論に至るのであろうか。私自身はそういう期待を抱いてはいない。その理由はこの後すぐに述べるが、他の人のなかにはそう考える人もいるのであるから、この期待が不条理だというわけではない。

たとえば、ローレンツの理論〔電子論〕についていうと、私はその詳細については後の第一三章で語ることにするが、この理論が正しいとしてみよう。そうするとニュートンの原理は物質のみに適用されることがなくなり、〔物質のみの作用と反作用の〕差異は実験が遠く及ばないものではなくなるだろう。

他方で、地球の運動の影響ということについては、かなりの研究がなされてきた。いまのところ、その結果はどれも否定的なものにとどまっている〔マイケルソンとモーリーの実験が名高い〕。しかし、こうした実験が行われたのは、前もってそのことを確信できなかったからであり、さらに、現在の支配的理論によれば、運動による相殺作用は近似的なものにすぎないのであるから、もっと精密な方法によれば肯定的な実験結果も得ることができると期待されるかもしれない。

私自身はこうした期待は錯覚にすぎないと信じている。しかしこの種の成功が、ある意味で、われわれの目の前に新しい世界を開いて見せてくれるのでは、という好奇心はある。

さてここで、少々脇道に進むことを許していただきたい。というのも私はまさに、ローレンツの理論に反して、たとえより精密な観察がなされたとしても、物質的事物の相対的移動以外のものが確証されることがあるとは思われない、その理由を説明する必要があるからである。物体の移動を表わす式に現れる第一次の諸項を検知するはずの実験が行われたが、その結果は否定的なものであった。これは偶然なのであろうか。誰もそのようには考えない。求められているのは一般的な説明であり、ローレンツがそれを見出した。第一次の諸項は互いに相殺するはずであるが、第二次の諸項に関してはそうではないことが示されている。そこで、より精密な実験が行われた。ところがその実験結果も否定的なものであった。それもまた偶然の結果とはいいがたい。それには説明が必要であり、その説明がなされた。説明はつねに見出される。仮説は減ることの最も少ない財産だからである。

とはいえ、これではまだ十分だとはいえない。これでも偶然の果たしている役割が大きすぎることに、誰でも気づくからである。何らかの特殊な環境において、第一次の諸項がちょうどぴったり互いに相殺するとともに、まったく別の環境にありながら、同じように第二次の諸項が相殺し合うことを引き受けているという特異な一致は、それ自体が偶然のことではないのか。否、前者にも後者にも当てはまるような、同じ説明が登場する必要があり、しかも、その説明がより高次の諸項についても等しく当てはまって、それらの間の相殺作用について厳密かつ絶対的な説明を与えるはずだ。われわれはこのように考えざるをえないのである〔ポアンカレがここで述べる相対性の仮説と、アインシュタインの真空中の光速度一定の仮説が、特殊相対性理論の中心原理をなす〕。

科学の現状

物理学の発展の歴史に関しては、二つの逆向きの傾向を認めることができる。一方では、いつになってもまったく別のものにとどまるだろうと見えた対象同士のうちに、新しい結びつきが次々と発見されるということがある。ばらばらの対象は互いにもはや無縁のものではなくなり、一つの堂々たる総合のうちに秩序づけられる。科学は統一性と単純性に向けて進むのである。

他方で、観察はわれわれの目の前に、絶えることなく新たな現象を露わにしてくる。それらの現象はその地位を獲得するまでに長い期間を待たねばならなかったし、その地位を認められるために、建築物の一角を壊す必要がある場合もあった。既知の現象であっても、われわれの粗雑な感覚では一様と見えたものが、その細部に関してずっと多様性をもつことが認められるようになる。単純だと信じていたものが複雑になるので、科学は多様性と複雑さに向けて進んでいるように見える。

これら二つの相反する傾向は交互に勝利を収めているように見えるが、最終的な勝利はどちらが得るのであろうか。それが前者であるとすれば、たしかに科学は可能になるであろうが、しかし、その勝利をア・プリオリに証明するものは何もない。われわれが無理やりに自然を捻じ曲げて、統一性という自分たちの理想に合わせようと無駄な努力を重ねたあげくに、豊かな新しい事実によって絶え間なく水かさを増し続ける洪水の氾濫を前にして、それらの事実を分類することを諦め、統一性という理想を捨てて、科学全体を無数の処法の記録作業へと貶めるということも、ないとはかぎらないと思われる。

どちらの傾向が勝つのか、というこの問いに答えることは不可能である。可能なのはただ、科学の今日の姿を観察し昨日の姿と比較してみることだけである。われわれはその吟味を通じて、疑いなくいくつかの推測を行うことはできるであろう。

人々は半世紀前には最大級の希望に燃えていた。エネルギー保存の原理とその変換に関する発見は、力の統一についての啓示となった。この発見はたとえば、熱現象が分子の運動によって説明されることを示した。この運動の本性が何であるかは、いまだ完全には知られていなかったが、それがやがて知られるであろうことは疑われなかった。光については、課題はすべて達成されたと思われた。電気についてはそれほど進んでいなかった。電気は磁気に結びつけられたばかりであった。それは統一へ向けた重要な一歩であり、決定的な一歩でもあった。しかし、その結果として電気がいかにして普遍的統一に組み込まれるのか、いかにして普遍的力学の体系に組み込まれるのか。それについてはいかなるアイデアもなかった。それでも、この還元の可能性を疑った者は一人もおらず、あくまでもそうなるだろうと信じられた。そして最後に、物質的事物を作っている分子の特性については、この種の還元はずっと容易であると思われたが、その細部はまったくの霧のなかであった。つまりひと言でいうと、希望はまさに広大であり、生き生きとしていたが、漠然としたものであった。

今日われわれが見るのは何であろうか。

まず何よりも、第一級の進歩、非常に大きな進歩である。いまや電気と光の関係が知られている。これによって光、電気、磁気というこれまで別々のものと考えられた三つの領域が、いまは一つのものとなった。この統一はしかも、決定的なものであると思われている。

しかしながら、こうした獲得を成し遂げるために、いくつかの犠牲も払われた。光学上の諸現象は電気的諸現象の特殊例になってしまった。それが孤立していたときは、その現象は細部に至るまでわかっていると信じられていた運動によって説明可能であったし、そうされてきた。ところがいまでは、これについての説明も、電気学の領域全体に容易に拡張可能というのでなければ、受け入れられないことになった。しかもそうなるためには、困難なしにはすまないのである。

われわれが手にしている最も満足のいく理論は、ローレンツの理論である。これについては本書の後ろの章〔第一三章〕で考察するが、この理論では電流を帯電した微細粒子の運動によって説明する。これは既知の諸事実を最もうまく説明し、真なる連関関係を最大限に解明すると同時に、決定的な理論構築において、最も多大な痕跡を残すであろう理論と考えられている。それでもしかし、この理論は私が先に注意したような重大な欠陥を抱えている。この理論は、作用と反作用が等しいというニュートンの原理に反している。あるいはむしろ、ローレンツの立場では、この原理は物質のみには適用できないように見えるのだろう。この理論が真であるためには、エーテルが物質に対して及ぼす作用と、物質がエーテルに対して及ぼす反作用とを、計算に組み込む必要があるだろう。ところが当面のところ、事実はそうなってはいないというのが真であるらしい見方なのである。

しかしそれがどうなるかはともかくとして、ローレンツのおかげで、運動している物体に関する光学についてのフィゾーの結果や、正常および異常分散の法則や吸収の法則は、これら同士やエーテルの他の特性に対して、もはや切れる疑いがまったくない鎖でつながっていることが確認された。ゼーマンの新しい現象〔ゼーマン効果。物質の出す特性的な光の波長が磁場で変化すること〕がどれほど容易にぴったりとした居場所を得たことか、マクスウェルの努力にもかかわらず放置されていた、ファラデーの磁気回転を分類することにさえ、どれほど容易に役立ったかは、注目に値する。こうした容易さは、ローレンツの理論がすぐばらばらになってしまうような人工的な寄せ集めではないことを、十分に証明している。おそらくこの理論にも修正の必要は生じるであろうが、破棄することにはならないであろう。

といってもローレンツ自身は、運動中の物体の光学と電気力学の総体を一つの理論に包括したい、という以上の野望をもってはいなかった。彼はこれに力学的説明を与えようとは思わなかったのである。これに対して、ラーモアはもっと先を目指していた。彼はローレンツの理論を本質的には保持しつつ、エーテルの運動の方向に関するマッカラフの考えをいわば接ぎ木しようとした。彼にとってエーテルの速度は、磁力と同じ方向と大きさとをもつ。そうであれば、磁力は実験によって捉えられるのであるから、この速度も知りうることになる。しかしこうした試みがいかに巧妙なものであったとしても、ローレンツの理論の欠陥は残ったままであり、むしろ大きくなったともいえる。作用は反作用に等しくない。ローレンツによれば、われわれはエーテルの運動がいかなるものであるかを知らない。われわれはこの無知のゆえに、この運動が物質の運動と互いに補い合うような性質をもつものと想定できるのであり、作用と反作用とが等しいことを、再び回復できるのである。しかしラーモアによれば、われわれはエーテルの運動を知っており、その相補作用が生じないことを確認できることになる。〔作用と反作用が等しいことが定義であるとの論述（第六章）の例になるが、マクスウェルやポアンカレたちにより物質と場の全体を対象とする法則に変わることになる。〕

ところで、もしもラーモアの説が私のいっている意味で、暗礁に乗り上げているのだとしたら、それは力学的説明が不可能だということを意味するのであろうか。そう考えるのはまったくの誤りである。先に述べたように、ある現象がエネルギーの保存と最小作用という二つの原理に従うのであれば、それは無数の力学的説明を受け入れる。それゆえ、光学的現象や電気的現象もそうなっている。

とはいえ、これだけでは説明として十分ではない。ある力学的説明が良い説明であるためには、それが単純である必要がある。あらゆる可能な説明のうちで、一つの説明を選ぶためには、何であれ選択しなければならないという理由以外に、別の理由が必要である。そして、こうした条件を満たし、何かの役に立つような理論をわれわれが手に入れているかといえば、まだそうなってはいない。そうだとすると、われわれはこのような事態を嘆くべきなのかどうか。もしもわれわれがそれを嘆かわしいと思うなら、自分たちが追求するべき目標について、その中身を見失っているということになるだろう。目標は力学的説明ということにあるのではなく、唯一の真の目的、すなわち統一ということにある。

それゆえ、われわれは自分たちの野望に対して、一定の制限を加える必要があるということになる。われわれは力学的説明の定式化を求めるべきではない。ただ、それを欲するときにはつねに手に入る可能性がある、ということを示すだけで満足すべきである。われわれはこの点に関しては、すでに成功を収めている。エネルギー保存の原理は、確証のみを受けてきた。第二の原理、すなわち最小作用の原理も、物理学に適した形式をまとって、これに加わっている。この原理もまた、つねに検証されてきたし、少なくとも可逆的現象に関してはそうであった。可逆的現象はそのために、ラグランジュの方程式という力学の最も一般的な法則に従っている。たしかに、不可逆的現象はもっとずっと手ごわい相手である。しかし、それらもまた整理されて、統一へともたらされる傾向を示している。これらの現象の解明に光を照らしているのは、カルノーの原理である。熱力学は長い間、物体の膨張やその状態変化の研究にとどまっていた。しかし最近は、熱力学が大胆さを発揮して、研究の範囲を著しく拡大した。われわれは電池の理論、熱電気現象の理論をこれに負っている。物理学のすみずみまで熱力学が探索できないところはなく、化学の分野にまで攻略の手を伸ばしている。いたるところで同一の法則が支配しており、外見がいかに多様であっても、発見されるのはカルノーの原理である。しかも、エントロピーという驚くほど抽象的なこの概念は、いたるところに見出され、エネルギー概念と同様に普遍性をもち、実在しているように見える。輻射熱(ふくしゃねつ)はこの法則から外れているように思われてきたが、最近ではこれもまた同じ法則に服することが発見されている。

われわれはこのような事実のおかげで、新しい類縁関係に目を開くことができるようになったが、この種の類縁関係は諸現象の細部において見出されている。電流の抵抗は液体の粘性に似ている。履歴現象〔ヒステリシス〕は、固体同士の摩擦現象に似ているようだ。これらすべての場合に、きわめて多様な不可逆的現象が模倣しているように見えるのは、摩擦現象である。この類縁関係は実在的であり、かつ深いものである。

これらの現象についてもまた、本来の意味での力学的説明が求められてきた。これらの現象はしかし、それにほとんど適合しなかった。この種の説明のためには、不可逆性はあくまでも見かけだけのものにすぎず、要素となる現象そのものは可逆的であって、既知の動力学の法則に従っている、と想定する必要があった。しかし、現象を構成する諸要素はあまりにも数が膨大であり、それら同士は次々と混じり合っているために、われわれの粗雑な目には一様性へと向かっているように見えてしまう。つまり、一切が全体として同じ方向に進んでいて、後戻りすることがないように見えるのである。とはいえ、見かけ上の不可逆性は大数の法則の結果でしかない。ただ、空想上のマクスウェルの魔のように、その感覚が極限まで研ぎ澄まされている者だけが、このもつれきった状態を解きほぐし、世界を前の状態へと引き戻すことができるのである。

気体の運動論に結びついている不可逆性というこの考えについては、これまで非常に多くの努力が費やされたにもかかわらず、全体としてほんの少しの成果しか生み出されてこなかったが、いずれ成果が生み出される可能性はありそうである。いずれにしても、この考えが最終的に矛盾へと突き当たらないのか、あるいはこれが諸事物の真の本性に十分合致したものなのかどうか、ここではそれを考えるべきではないであろう。

ただ、ブラウン運動に関するグイ氏の独創的な考えには、注意を払う必要がある。この科学者の意見では、この特異な運動はカルノーの原理に従っていない。この運動によって攪乱（かくらん）される粒子は、きわめて細かくもつれ合った網目よりもさらに小さいであろう。それゆえ、粒子はもつれを解くことができるので、世界の流れを逆向きにすることもできるはずである。われわれはここにこそ、マクスウェルの魔の仕業を目にしているのだ、と考えることもできるであろう。

要約するとこうなる。ずっと昔からよく知られた現象に関しては、その分類が次々と整備されてきている。しかし、新たな現象もその居場所を求め、説明を要求している。それらの大部分については、ゼーマン効果のように、すぐその居場所を見出した。

とはいえ、われわれにはそれ以外にも、陰極線やX線、ウラニウム線やラジウム線がある。ここにはいわば、これまで誰も予想だにしなかった世界がある。われわれはこれから、どれだけ多くの予期せざる客を迎えて、それぞれに部屋を当てがう必要が出てくるのであろうか。

いまのところまだ、これらが占めるべき場所を予想できている者は誰もいない。とはいえ私には、これらが科学の普遍的統一を破壊するであろうとは思えない。むしろ、それらが統一を補うのではないかと考える。実際に、一方では新しい放射線は光の現象と結びついていると思われる。これらの放射線は蛍光作用を生じさせるだけでなく、ときとしては蛍光と同じ条件下で生じることもあるからである〔光電効果を指す〕。新しい放射線はまた、紫外線の作用の下で火花を発するさまざまな原因とも類縁関係をもっている。

さらにまた、とりわけ注目されるのは、これらの現象に関して、電解質中のイオンとは比較にならないほどの、非常に大きな速度をもって動く真のイオンが見出される、と信じられていることである。

これらの点はすべて、現時点ではまだとても曖昧であるが、いずれは正確なものになるであろう。燐光や、火花に働く光の作用は、研究上の地図の上で多少とも孤立した地域に属しているために、結果として研究者たちに少々見捨てられてきたきらいがある。しかしいまや、これらと普遍的科学との交通を容易にするような、新しい線路が敷かれることが期待されている。

われわれはさまざまな新しい現象を発見しているが、それだけでなく、既知と思われてきた現象にも、予期せざる諸側面が浮き彫りにされつつある。〔物質との相互作用を考えない〕自由エーテルのなかでは、諸法則は堂々たる態度で単純性を保持している。しかし、本来の意味での物質そのものは、次第次第に複雑化しているように見える。物質に関するこれまでのすべての言説は近似的なものでしかなく、われわれの公式には次々と新しい項を加えることが求められている。

といっても、科学理論の大枠が壊れてしまったわけではない。われわれが単純なものと思い込んでいる対象間の連関関係は、それらが有する複雑性が知られた後でも再確認されて、その存在が認められるが、まさに重要なのはそれなのである。たしかにわれわれの方程式は、自然がもつ複雑性にさらにぴったりと寄り添うために、次第次第に複雑化している。とはいえ、これらの方程式を順次もたらすことを許した関係そのものには、いかなる変化も生じていない。ひと言でいえば、これらの方程式の形相自体は変化に抗して残っているのである。

例として光の反射に関する諸法則について考えてみよう。フレネルはその諸法則を、実験を通じて検証できると思われる、一つの単純かつ魅力的な理論によって確立した。しかしその後、より精密な実験によって、この検証は近似的なものにすぎないことが証明された。これらの研究は、楕円偏光の痕跡をいたるところに見出した。ところが、これらの変則事例の原因は、第一次近似の助けを借りて、すぐに発見された。それは光の通過に遷移層〔複数の媒質の境界の層〕が関与しているということである。そのために、フレネルの理論はその本質的な側面に関しては最後まで残ったのである。

ただし、次のような反省だけはしておく必要があるだろう。すなわち、人がもしも法則によって結びつけられる対象のもっている複雑性について、最初から恐れを抱くような状況にいたなら、それらの法則は発見できずに終わったであろうということである。昔からいわれていることだが、もしもティコが彼自身の天文学の道具よりも十倍も精密な道具をもっていたなら、ケプラーは現れなかったし、ニュートンも生まれず、天文学も誕生しなかっただろう。ある科学にとって、観察手段があまりにも完全なものになってしまった後に、あまりにも遅くその誕生を迎えるということは、一つの不幸である。現在こうしたことが目立つのは物理化学の分野である。この科学の創始者たちは、小数点以下三位や四位などの細かい点にとらわれ、はっきりとした見通しをつけることができないでいる。それでも、彼らが強固な信念を保持しているのは幸いなことである。

人が物質の特性をよく理解するようになればなるほど、それらを支配している連続性ということに気づかされる。アンドリューズとファン・デル・ワールスの業績以来、物質の液体状態から気体状態への移行がよく理解されるようになり、この移行が突然ではないことが理解された。また、液体状態から固体状態への間にも断絶は存在せず、最近の学会の報告でも、液体の剛性に関する研究と並んで、固体の流動性に関する覚書(おぼえがき)が見出される。

こうした傾向においては、当然のことながら単純性は失われている。ある現象はこれまで複数の直線によって表わされてきたが、これらの直線は多少とも複雑な曲線で引き直される必要がある。そうすれば統一性がしっかりと得られることであろう。これらのばらばらに描かれた部分は、精神の休息をもたらしはしたが、その満足までは与えていないのである。

物理学の諸方法はいまや、新しい領域である化学の領域までも攻略し、その結果として物理化学が誕生した。この科学はまだ非常に幼い段階にあるが、それでもすでに、電気分解、浸透作用、イオンの運動などの現象を、一つに結びつけることが可能になるであろうと見込まれている。

以上が、今日の科学についての急ぎ足の概観であるが、ここからわれわれが導く結論は何であろうか。

われわれがすべてを勘定に入れて考えてみると、結局いえることは、科学が統一へと近づいているということである。その進歩は五〇年前に期待されていたほど急速ではなく、またつねに予見された道だけを進んできたわけではないが、それでもわれわれは結局のところ、非常に大きな土地を手に入れることができたのである。

第一一章　確率計算

読者はこの場所で確率計算についての考察を見出すことに、間違いなく驚きを覚えることであろう。それは物理的諸科学の方法論と何の関係があるのか。

とはいえ、私は以下に確率に関するいくつかの問いを提起するが、それらの問いは、物理学について吟味を行おうとする哲学者にとっても、自然に提起される問いなのである。ただし、私はそれらに解答を与えるまでには至らないのだが。

確率計算が自然に提起される問題をはらんでいるというこの理由のゆえに、私は前の二つの章の多くの箇所で、確率や偶然という言葉を使わざるをえなかった。

私は先に〔二五四―二五五頁〕次のように述べていた。「〔一般化のおかげで〕予見されている事実はあくまでも蓋然的(がいぜんてき)である。一つの予見がわれわれの目にいかに堅固なものに映ろうとも、われわれがそれを実際に検証しようとしたら、実験がそれを否定することはないと、絶対的に確信できることは決してありえない。しかし、その確率が実際上それで満足できるほど大きいということはしばしばある」。

また、その少し後〔二六二頁〕でこう付け加えた。

「われわれの一般化という作業において、単純性への信頼がいかなる役割を果たしているかを見てみよう。われわれはきわめて多数の個別的な事例のうちに、一つの単純な法則を検証してきた。われわれはこれほど何度も繰り返される一致が、単なる偶然の結果であると認めることを拒否し……」

それゆえ、物理学者は多くの状況で、自分の運を計算している賭博者と同じ境遇にいることになる。物理学者は帰納法によって推論しているとき、その自覚の程度には差があるとしても、誰もが確率の計算を行っているのである。

私がこの場所に一つの章をはさんで、物理的諸科学の方法論の研究を中断し、この計算がどんな価値をもち、いかなる信頼に値するのかを吟味しなければならない理由もここにある。

さて、「確率計算」という言葉は、名前からして逆説的である。蓋然性〔probabilité 確からしさ〕とは、確実性と対比的であるという意味で、何かが知られていないということを意味する。いかにして知られていないことを計算できるというのであろうか。ところが、卓越した科学者の多くが、この計算に関する研究に没頭してきたし、そこからいくばくかの有用なものを科学が引き出してきたことも、否定することができない。そうだとすると、この見たところ矛盾に思われる状況は、どうやって説明がつくのだろうか。

確率は定義されているのか。それはそもそも定義可能なのか。そして、もしもそれが定義不可能であるなら、なぜあえてこれについて推論しようとするのか。人によって定義はきわめて単純だ、という人もあろう。ある出来事の確率とは、生じることが可能な場合の総数に対する、その出来事が生じることに好都合な場合の割合である。

この定義がいかに不完全なものであるかは、次の単純な例で容易に理解されるであろう。私が二つのサイコロを投げる。二つのうちの少なくとも一方が六の目を出す確率はいくらであろうか。各々のサイコロは六つの異なった目を出しうる。二つが好都合な結果を生む場合の数は全部で一一通りである。生じることが可能な場合の総数は六掛ける六で、三六である。したがって確率は三六分の一一になる。

この解は正しい。しかし、同様に、次のようにもいえるのではないのか。二つのサイコロから生じる相異なる組合わせの数は、六掛ける七割る二で、二一である。この組合わせのうち好都合な場合は六通りであり、したがって確率は二一分の六である、と。

最初の可能な場合の数え方のほうが、二番目の可能な場合の数え方よりも正当なのはなぜであろうか。いずれにしても、そのことは右の定義では答えられない。

そこで、この定義に次のような言葉を加えて、定義を完全なものにせざるをえない。「……生じることが可能な場合であり、かつ、互いに同等な蓋然性をもつような場合の総数に対する、その出来事が生じることに好都合な場合の割合」、と。つまり、われわれは確率を定義するのに、蓋然性、つまり確からしさを使わざるをえないのである。

二つの可能な場合が互いに同等に蓋然的であるということを、われわれはどうやって知るのか。規約によるのだろうか。たしかに、もしもわれわれが個々の問題の初めに、規約を明示的に掲げておけば、すべてはうまくいくであろう。われわれは算術と代数学の規則を適用するだけで十分であり、計算を最後まで行ったところで、いかなる疑問の余地も残すことはないであろう。しかし、われわれがこの結果をほんの少しでも応用しようとすれば、われわれは当の規約が正当であったことを証明せざるをえず、回避できたと思っていた最初の困難へと再び直面することになるはずである。

人によっては、どのような規約が必要かということは、常識で判断できるという人もいるであろう。悲しいかな、そうとはかぎらないのである。ベルトラン氏は一つの単純な問題を取り上げて、謎(なぞ)を楽しんでいる。「一つの円に関して、その弦の長さが円に内接する正三角形の辺よりも大きくなる確率はどれだけか」。この卓越した数学者は、常識が等しく課するであろう二つの規約を順番に採用してみて、それぞれが二分の一と三分の一という異なった結果を生むことを発見したのである〔ベルトランの逆理と呼ばれ、弦の選び方が指定されていないため、選び方によって異なる値が出る〕。

以上の考察すべてから得られる結論はこうなるかもしれない。確率論は空(むな)しい科学であり、われわれが常識と呼び、それによってわれわれの規約を正当化しようと求めたこの曖昧(あいまい)な直感は信じるに足るものではない、と。

しかしながら、この結論にも完全に同意するわけにはいかないのである。われわれは自分の曖昧な直感をなしですますわけにもいかない。これなくしては科学は不可能になり、これなくしては一つの法則の発見も、その応用も不可能になる。たとえば、われわれはニュートンの法則を主張することに、どの程度の正当性をもっているのか。もちろん非常に多数の観察がこの法則に合致している。しかし、それは単純な偶然の結果ではないのだろうか。それに、われわれがこの法則はこれまで何世紀にもわたって真であったことを知っているとしても、来年になってもなお、これが真であることを、どうやって知るのであろうか。そう問われたら、われわれが答えられるのは、次のようなことだけである。「それは非常に蓋然性が低いであろう」。

では、この法則を認めることにしよう。この法則のおかげで、われわれは一年後の木星の位置を計算できると信じている。しかし、私にはそう信じる正当な権利があるのだろうか。現在からその時点までの間に、巨大な質量と膨大な速度をもった運動体が太陽系の近くを通過して、予見しなかった摂動を起こすことはないと、私にいえる人がいるであろうか。この場合にも、答えられるのは次の言葉だけである。「それは非常に蓋然性が低いであろう」。

こうして考えてみると、すべての科学は確率計算を無意識のまま適用した結果にすぎないともいえる。確率計算を捨てること、それは科学の一切を捨てることに等しいであろう。

科学的問題のなかには、確率計算の関与が比較的明白な例もある。私はこの種の問題については多くを語らないことにする。その例としてはまず第一に、内挿法の問題などがあるが、それはある関数のとるいくつかの値を知って、その中間にある値を見抜こうと努めることである。

同じように次の例も挙げることができる。たとえば観測誤差に関する有名な理論があるが、これについては後でもう一度取り上げる。気体の運動論はよく知られた仮説であるが、この理論によると、気体を作る個々の分子それぞれは極度に複雑な軌跡を描いているが、数が多いゆえに、唯一の観察可能な現象である平均の現象は、結果としてマリオットとゲーリュサックの法則という、単純な法則に従うことになる。

これらの理論はすべて大数の法則にもとづいており、確率計算が破滅するなら、これらもその破滅に巻き込まれざるをえない。たしかにこれらの理論は特殊な関心を呼び起こすだけであり、内挿法に関係すること以外では、その犠牲になっても諦(あきら)めがつくかもしれない。

しかし、すでに述べたように、関係するのはこうした部分的な犠牲だけというわけにはいかないのである。確率計算の破滅は、科学全体の正当性に対する疑いを引き起こすのである。

私は、人によっては次のようにいうであろうことを、よく承知している。「われわれは無知であるが、だからといって、行動しないわけにはいかない。行動するためには、われわれの無知を払拭するための検討に必要な、十分な時間をとっているわけにはいかない。また、そうした無知の解消のための検討には、無限の時間を要するであろう。したがって、われわれは知ることなく決断せざるをえないのである。どうしても運を頼りに決断し、それほど信じているわけでもない規則に従う必要がある。私が知っているのは、かくかくしかじかのことが真だということではなく、それが真であるかのごとく行動するのが最善だ、ということである」。そうすると、確率計算は、そして科学全体は、実用的な価値しかない、ということになる。

残念なことに、困難はこれで消え去るというわけでもない。賭博者が賭けで次の手を打とうとしている。彼は私に助言を求める。私が助言を与えようとすれば、確率計算にお伺いを立てるであろう。といっても、私は彼に勝利を約束するわけではない。それはまさに、私が主観的確率と呼ぶものである。この場合には、私が右にスケッチしたような説明で十分満足できる。とはいえ、私は次のような場合も想定できる。一人の観察者が賭博台にはりついていて、打たれたすべての手を記録にとっている。しかも賭けは長時間続くとする。このとき彼が記録のまとめを作るならば、出来事のすべては確率計算の法則にきちんと合致していることを確認できるであろう。これこそ私が客観的確率と呼ぶものであり、説明の必要があるのはこちらの確率である。

社会には数多くの保険会社が存在し、確率計算の規則を適用して株主たちに配当金を分配しているが、その配当の客観的実在性には何らの抗議もできない。この事実を説明するためには、ただ人間の無知と行動の必要性にのみ頼るだけでは不十分である。

したがって、絶対的な意味での懐疑論は採用できないことになる。われわれは用心深い必要があるが、一切をそっくり捨て去ることもできない。必要なのは慎重な吟味である。

一　確率に関する問題の分類

確率について提起される問題を分類しようとする場合、互いに異なった複数の観点に立つことができる。その最初の観点は一般性の観点である。私は先に、確率とは可能な場合の数に対する好都合な場合の数の割合である、ということを述べた。よりうまい言葉が見つからないので、私は一般性と呼ぶことにするが、確率の一般性は、可能な場合の数が増せば増すほど大きくなる。その数は有限でありうる。たとえば、二つのサイコロを投げたときの可能な目の出方は三六である。これは第一段階の一般性である。

しかし、たとえば一つの円に関して、その内部の点が円に内接する正方形の内側にある確率を考える場合、可能性をもつ場合の数は、円のなかに無数の点がある以上、無限である。これは第二段階の一般性である。一般性はさらに先まで進むことができる。一つの関数が何らかの与えられた条件を満たす確率はいくらか、という問いがありうるだろう。このとき異なった関数は無数に想像することができるのであるから、いくらでも可能性はあることになる。これが第三段階の一般性であり、たとえば、有限の数の観察結果をもとにして、最も蓋然性の高い法則を予測しようとする場合、この段階の一般性にのぼる。

これとはまったく異なった別の観点からする分類も可能である。われわれが知らないことが何もない場合には、確実性以外に余地がないのであるから、確率の出る幕はない。同時に、無知が絶対的であっても確率は存在しないだろうが、われわれの無知は絶対的なものではない。なぜなら、現在のような不確実な科学に至るためにも、多少の光はなければならないからである。したがって、確率についての問題は、この無知の深さの度合に応じて分類することもできるのである。

確率の問題は数学の領域でもすでに出題が可能である。対数表からランダムに選んだ対数の小数点第五位の数字が9である確率はどれだけであるか。この問いについては、ためらうことなく、その確率は一〇分の一であると答えることができるだろう。この場合われわれは問題に関わるすべてのデータを手にしている。われわれは対数表に助けを借りなくても、われわれの対数を計算できるが、それさえしようとは思わないであろう。これが第一段階の無知である。

物理学の諸分野に関しては、われわれの無知はずっと大きい。ある時点におけるあるシステムの状態は、二つのものに依存している。その初期状態と、この状態の変化が従う法則とである。われわれはこの法則と初期状態とを同時に知っているのであれば、解くべき問題としては数学の問題しかなく、われわれが置かれた無知の段階は第一段階へと下りる。

しかし、われわれは法則を知ってはいるが初期状態については知らない、ということがしばしば起きる。たとえば、太陽系での小惑星群の現在の分布はどうなっているのか、と問うことがある。われわれはそれらがつねに、ケプラーの法則に従っていることは知っている。しかし、その初期の分布状態はいかなるものであったのかを知らない。

気体の運動論では、気体の分子は直線の軌跡を描き、弾性衝突の法則に従うと想定されている。しかし、その初期の速度が分からない以上、現在の速度についても知ることはできない。ただ確率計算が、複数の速度の組合わせから生じる平均の現象を予見することができる。これは無知の第二段階というべきものである。

最後に、初期状態のみならず法則そのものが知られていない、ということもありうる。その場合には第三段階の無知に至るが、そのときにはある現象の確率という主題に関して断定できることは、一般に何もないということになる。

われわれは多かれ少なかれ、不完全な法則の知識にもとづいて何らかの現象に関する予見を行うのではなく、出来事の方が分かっていて、法則を知ろうとすることがある。原因から結果を導くのではなく、結果からその原因の方を予見しよう、ということもしばしば生じる。それが原因の確率(*probabilité des causes*)といわれる問題であり、科学における確率の応用という点では最も興味深い問題である。

私が正直な人物であることを十分に知っている一人の男性と、トランプでエカルテのゲーム〔2から6のカードを除き三二枚のカードを用いて二人で行う〕をしているとする。彼がカードをめくる番である。キングをめくる確率はいくらであろうか。それは八分の一である。これは結果の確率の問題である。私が素性を知らない男性と同じゲームをしているとする。彼は一〇回のうち六回キングを引いた。彼がいかさま師である確率はいくらであろうか。これが原因の確率の問題である。

これこそ実験科学の方法に関する本質的な問題であるということもできるであろう。私はxの値についてn個のデータを得るとともに、それに対応するyの値も得た。私は第二の値の第一の値に対する比が、ほぼ一定であることを確認した。これが出来事である。では、原因は何なのか。

この場合、yがxと比例するという一般法則が存在し、小さな逸脱は観察の誤差なのかもしれないが、それは蓋然的であろうか。これこそ、人が科学に従事しているときに絶えず提起し、また無意識ながらもその解答を与えている類の問題である。私は以下で、確率に関する異なったカテゴリーの問題を吟味すべく、先に私が主観的確率と呼んだものと、客観的確率と呼んだものについて、順番に検討する作業に移ろうと思う。

二　数学の分野における確率

円を同じ面積の四角形にする作図は不可能である。このことは一八八二年（原著の「一八八三年」を修正した）以来証明されている。しかしそれよりずっと以前でも、すべての数学者はこの不可能性がきわめて「蓋然的」であると考えてきたので、不幸な愚か者たちが毎年この主題について論文を提出してきても――残念なことにその数は膨大である！――科学アカデミーはいちいち審査することなくすべての論文をつき返してきた。

アカデミーは誤っていたのであろうか。明らかにそうではない。アカデミーはこうした振舞いに出ても、重大な発見を押しつぶしてしまう心配がないことをよく知っていた。彼らはそれが正しいということを証明できなかったが、その直感に誤りはないことはよく知っていた。もしも人々がアカデミーの会員に尋ねたら、彼らはこう答えたであろう。「われわれは次の二つの確率を比較してみて、二番目の方がずっと大きいと思ったのである。一つは、これほど長期にわたって解明されなかったものが見知らぬ科学者によって発見される確率であり、もう一つは、愚か者がまた一人この世に現れたという確率である」。これはとても素晴らしい理屈であるが、しかしこの理屈には数学的なところが何もなく、純粋に心理的な理屈があるだけである。

もしも人々がさらにもっと強く詰問したら、彼らはこう付け加えたことであろう。「あなたはなぜ、ある超越関数の一つの特殊な値が代数的数でなければならないと考えるのか。そして、仮にπが代数方程式の根(こん)であったとしても、この根が関数 $\sin 2x$ の周期であり、同じ方程式の別の根はそうはならない、となぜ考えるのか」。要するに彼らは、最も曖昧な形で充足理由律〔le principe de raison suffisante 十分な理由の原理〕に訴えて答える他なかったであろう。

彼らはこの種の理屈を使ってどんな帰結を得ることができたのか。それはせいぜいのところ、彼らの研究生活での時間配分に関する規則を導いただけであろう。つまり、自分に正当な不信感を抱かせる大論文を読むよりも、いつもの仕事を続けた方が有効な時間の使い方である、という規則である。とはいえ、私が先に客観的確率と呼んだものは、この第一の問題とはまったく関係がない。

第二の問題では、事情はまったく異なっている。

一つの対数表の最初の一万個の対数をよく見てみよう。その一万個のうちから無作為に一つの対数を取り出すとき、その小数点第三位が偶数である確率はいくらであろうか。読者はためらわずに、それは二分の一であると答えるであろう。実際に、読者が一万個の対数の小数点第三位の数をピック・アップするなら、ほとんど同数の偶数と奇数とを得ることであろう。

あるいはこう考えることもできる。一万個の対数に対応する別の一万個の数を作る。一つの対数の小数点第三位が偶数であれば、それに対応する数はプラス1であり、そうでなければそれに対応する数はマイナス1であるとする。次に、これら一万個の数の平均をとる。

私はためらうことなく、これらの平均値はおそらくゼロであろうというであろうし、実際に計算してみれば、それが非常に小さい値であることを確かめることができるであろう。

とはいえ、この検証作業そのものが本当は不要なのである。私はこの平均値が0.003よりも小さいことを、厳密に証明することができる。私がこの結果を確立しようとすれば、非常に長い計算を必要とするが、ここではその場所がないので、雑誌『科学の一般評論』の一八九九年四月一五日号に発表した論文に譲る他はない。注意していただきたいのは、ただ次の点である。この計算では二つの事実にのみ依拠している。すなわち、一つは、対数の一階の導関数は考察されている範囲内では一定の限界内におさまるという事実であり、もう一つは、対数の二階の導関数も同じ性質をもつ、という事実である。

このことから導かれる第一の帰結は、この性質が対数のみに関して成立するのではなく、任意の連続関数に関して成立するということである。というのも、あらゆる連続関数の導関数は一定の限界内におさまるからである〔著者は十分な微分可能性を暗黙に仮定している〕。

もしも私がこの結果を、実際に確かめる前から確信していたとするなら、その理由は第一に、私が別の連続関数についてもしばしば同じような事実を観察する経験があったからであるが、それだけでなく、無自覚かつ不完全な形であっても、私自身が心のなかで先の不等式を導出する推論を行っていたからである。これはちょうど熟練の計算家が、乗算し終わらないうちから、「これは大体このくらいになる」という見積もりを抱くのと同じである。

いずれにしても、私が直観と呼んだものは、本当の推論の不完全な見取り図に他ならなかったのであるから、ここでは観察によって私の予見が確かめられ、主観的確率が客観的確率に一致することが、理解されるのである。

私は第三の例として、次のような問題を選ぶことにする。無作為に一つの数uを選び、nは所与の非常に大きな整数とする。そのとき、$\sin nu$がとるであろう値として蓋然性の高いものは何か。この問題はこれだけでは意味がない問題である。これに意味をもたせるためには、一つの規約が必要になる。この数uがaと$a+da$の間に納まるであろう確率は$\varphi(a)da$に等しい、、、と取り決めることにしよう。そうすると、この確率の値は無限に小さい区間であるdaの長さに比例し、しかもこの長さに、aにしか依存しない関数$\varphi(a)$を掛けたものであるということになる。この関数については無作為に選ばれるのであるが、私はこの関数が連続的であると仮定する必要がある。$\sin nu$の値は、uが2πだけ増加しても変わらないので、uが0と2πの間にあると仮定しても、一般性を損なうことはまったくない。同じ考えから、関数 $\varphi(\alpha)$ は周期が 2π の周期関数であると仮定することにする。

そうすると求める確率の値は、単純な積分で表現できることが容易に理解されるし、この積分が

$$\frac{2\pi M_k}{n^k}$$

より小であることを示すことも簡単である。ただし、M_k は $\varphi(\alpha)$ の k 階導関数の最大値であるとする。それゆえ、もしも k 階導関数が有限であるなら、われわれの求めている確率の値は n が無限に増大するときゼロに収束し、しかもその収束の速度は $1/n^{k-1}$ よりも速い。

したがって、$\sin n\alpha$ がとる確率の値は、n が非常に大きいときにはゼロである。私はこの値を定義するために、一つの規約を必要としたが、この規約は実は**どんなもの**、**であった**としても、結果は同じである。私が課した制限は、関数 $\varphi(\alpha)$ が連続的であり〔また M_k が有限であり〕、かつ周期的であるという弱い制限のみであった。このような仮説は、どうすればそこから外れることができるのかと、自問したくなるほど自然

な仮説である。

以上の三つの例はあらゆる点で互いに異なった例であるが、これらの例を吟味することを通じて、不完全な形ではあれ次の二つのことが理解されてくる。一つは、哲学者たちが充足理由律と呼ぶものの果たす役割であり、もう一つは、ある性質がすべての連続関数において共通であるという事実の重要性である。われわれは物理科学における確率の研究からも、同じ結論を得ることになるであろう。

三　物理科学における確率

われわれはいまや、私が先に第二段階の無知と呼んだものに関わる問題に向かうことになる。それは法則が知られているが、システムの初期状態については知られていない、という種類の無知である。この種の例はいくらでも増やせるが、ここでは一つだけを取り上げる。獣帯〔天球の黄道付近。黄道帯〕に沿って存在する小惑星について、その現在の分布について蓋然性の高いものはどれか。

われわれはそれらがケプラーの法則に従っていることを知っている。さらに、問題の性質をまったく変えることなく、次の想定をすることも可能である。すなわち、これらの軌道はいずれも円軌道であり、同一平面上にあり、この平面は知られている。反対に、小惑星の最初の分布については、それがいかなるものであるかまったく知らない。それでも、われわれは今日、この分布がほとんど均一であると躊躇なく断定する。なぜであろうか。

最初の時点$t=0$における一つの小惑星の経度をbとし、その平均運動をaとする。現在の時点tにおける経度は、$at+b$である。現在の分布が均一であるということは、多数の$at+b$のサインとコサインの平均値がゼロであるということを意味する。われわれがそのように断定するのはなぜであろうか。

個々の小惑星を平面上の一点として表現する。いいかえると、その点を座標がちょうどaとbになる点で代表させる。これらの代表点のすべてをとると、それらは平面内のある区域に含まれることになるが、その点の数は非常に多いので、この区域が点で穴だらけのものに見えてくる。われわれが点の分布について知っていることは、これ以外には何もない。

確率の理論をこうした問題に応用するときにはどうするべきであろうか。一つないし複数の代表する点が、平面上のかくかくしかじかの特定部分に存在する確率は、どれだけであるのか。われわれが無知の状態にあるかぎり、恣意的な仮説を作る以外に方法はない。この仮説の本性を説明するために、ここでは数学の公式の代わりに、粗っぽいが具体的なイメージを利用する、というやり方を採用することを許していただきたい。われわれが問題にしている平面の表面に、その密度は可変的であるが、その変化が連続的であるような、ある架空の物質が広がっていると想像してみよう。われわれは規約によって、この平面の一部分に存在する代表点数の蓋然値は、そこに存在する架空の物質の量に比例すると取り決める。そうすると、平面上の同じ面積をもつ二つの部分を考えると、一つの小惑星を代表する点が一方かもう一方の部分に存在する確率は、それぞれにおける架空の物質の平均密度になる〔架空の物質の密度は適宜規格化されている〕。

ここには二つの分布が考えられている。一方は実在的なもので、そこには代表点がきわめて多数存在し、非常につまっているが、それぞれは原子仮説における物質の分子のように互いに不連続である。もう一方は実在とは程遠いものであるが、われわれのいう代表点の集まりが連続的な架空の物質によって置き換えられている。われわれはそれが実在的でないことを承知しているが、自分たちの無知のゆえにそれを採用せざるをえない。

もしもわれわれが代表点からなる実在的な分布について、これ以外にも何らかの知識をもっているとすれば、次のような取り決めをすることもできたであろう。すなわち、この連続的な物質の密度は代表点の数にほぼ比例している。あるいはさらに、この区域の内なる物質の原子の数と比例する、と。ところが、これさえも不可能であり、われわれの無知は非常に甚だしいので、この架空の物質の密度を規定する関数についても、恣意的に選ばざるをえないのである。ただ、われわれは拒否することがほとんど不可能な、次の仮説だけは認めることにしよう。それは、この関数が連続的だという仮定である。以下に見るとおり、われわれにはこれだけでも一つの結論を導くのに十分なのである。

時点 t における小惑星群の蓋然的な分布はいかなるものであるか。あるいは、時点 t における経度の正弦、つまり $\sin(at+b)$ の確率的値はいかなるものであるか。われわれは最初に一つの恣意的な規約を設定したが、これを実際に採用するなら、この値は完全に確定する。平面を複数の要素的面に分割する。これらの面それぞれの中心における $\sin(at+b)$ の値を考察する。この値に要素の面積と、それに対応する架空の物質の密度とを掛け、その後に、平面のすべての面に関してそれを合計する。この和は定義によって、求められている確率的平均値となる。それはしたがって、二重積分となっている。

われわれはまず、この平均値が架空の物質の密度を決定する関数φの選択に依存しており、しかもこの関数は恣意的なものであるから、この恣意的な選択に応じてどんな平均値も得ることができるだろうと思い込む。ところが、まったくそうではないのである。

単純な計算によって分かるように、われわれの二重積分の値はtの増大に従って非常に急速に減少する。

それゆえ、私はかくかくしかじかの初期の分布の確率に関して、いかなる仮説を設けるべきかについて、よくは分からなかったが、いかなる仮説を設けていても結果は同じになるのであり、そのため私は困難を免れることができるのである。

関数φがいかなるものであっても、tが増大すれば平均値はゼロに収束し、しかもこれらの小惑星がこれまで非常に多数の公転を経てきていることは確実なのだから、私はこの平均値がきわめて小さいということを断言できる。

私はφを好きなように選ぶことができるが、次の制約には従う必要がある。それは、この関数が連続的だという制約である。さらに、実際のところ主観的確率の観点からすれば、非連続的な関数を選ぶのは不合理であると思われる。たとえば、最初の経度が正確に0度であることは可能であるが、0度と1度の間にあることはないと仮定することに、どれほどの正当性があるといえるであろうか。

ところが、客観的確率の観点に立ち戻って、架空の物質が連続的であるという仮定の下にある想像上の分布を捨てて、われわれの代表点のそれぞれが非連続の原子のような形をしている実在の分布に返ってくると、困難はもう一度現れる。$\sin(at+b)$の平均値は非常に単純に次の式で表わされる。

$$\frac{1}{n}\sum\sin(at+b)$$

この式のnは小惑星の数であるとする。われわれは連続的な関数の二重積分の代わりに、それぞれ非連続である項の総和を考える。それでも、この平均値が実際にきわめて小さいということは、誰も本気で疑うことができないはずである。

その理由は、われわれの考える代表点が互いに非常につまっているので、この総和は一般に積分ときわめてわずかしか食い違うことがないと思われるからである。積分とは項の数が無際限に増大していくときに、この項の総和が向かう極限のことである。もしも項の数が非常に大きいときには、その和と極限、つまり積分とは非常にわずかの食い違いしかない。したがって、後者について私が述べたことは総和についても成り立つであろう。

しかしそれでも、例外の場合があるのである。あらゆる小惑星について次の式が当てはまるとする。

$$b=\frac{\pi}{2}-at$$

あらゆる小惑星は時点tにおいて、経度が$\pi/2$となるので、平均の値は明らかに1に等しくなる。そうなるためには、時点0において小惑星は一種の渦巻きの上にあり、しかもその渦巻きは巻き方が非常にきつい特殊な形をしていた、とする必要がある。小惑星の最初の分布がそうしたものであったという想定については、誰もが蓋然性はきわめて低いと判断するにちがいない(しかも、この想定が実際に生じたとして、現在、たとえば一九〇〇年一月一日の時点では、一様ではないとしても、遠からず一様の状態に戻るであろう)。

しかし、われわれはなぜこの想定が非常に低い蓋然性しかないと判断するのであろうか。それを説明する必要がある。というのも、この突拍子もない想定を真理らしからぬものとして拒否すべき根拠が何もないのだとしたら、すべてはご破算になって、現在のかくかくしかじかの分布の確率に関しても、断定できることは何もないことになるからである。

われわれが頼りにするのは、またもや充足理由律であり、われわれはつねにこの原理に立ち返ることを余儀なくされる。われわれは、惑星群が最初はほぼ直線状に分布していたという想定を容認することもできるし、それが不規則に並んでいたという想定も容認できるであろう。とはいえ、これらの惑星を生み出した未知の原因が、渦巻き型という規則的であり、しかもかくも複雑な曲線に従って作用した結果、現在の一様でない分布を生み出すようにわざわざ選ばれたということには、まったく十分な理由がないように思われるのである。

四　赤と黒

ルーレットのように偶然をめぐって争うゲームに関して提起される問題は、その本質において、これまで扱ってきた問題とまったく同種のものである。たとえば、一つの円盤が非常に多数の扇形に分割されており、それぞれが交互に赤と黒で色づけられているところに、針を力いっぱいの強さで回転させる。針は何周かした後に一つの扇形のところで停止する。それが赤である確率は間違いなく二分の一である。

針は何周かの回転を経て、角度θのところで停止する。私はこの針がある力で回転した結果、θと$\theta+d\theta$の間で停止する確率はいくらかについて何も知らない。しかし、一つの規約を作ることはできる。私はこの確率が$\varphi(\theta)d\theta$であると仮定することができる。関数$\varphi(\theta)$については、まったく恣意的な仕方で選ぶことができる。この選択に関して私を導いてくれるものは何もない。それでも、この関数が連続的であろうと、私は自然に想定することになる。

εを赤と黒の扇形の弧の長さとする(全周を1とする)。$\varphi(\theta)d\theta$に関して、一方ではすべての赤い扇形について積分したものを計算し、他方ではすべての黒い扇形について積分したものを計算し、それらの結果を比較する必要がある。

一つの赤い扇形とそれに繋(つな)がった黒い扇形の辺からなる2εの長さの区間を考える。この区間における関数$\varphi(\theta)$の最大値と最小値をそれぞれMとmとする。赤い部分全体についての積分は$\sum M\varepsilon$より小さく、黒い部分全体についての積分は$\sum m\varepsilon$より大きい。したがって両者の差は$\sum(M-m)\varepsilon$よりも小さい。ところがもしも関数φが連続であると仮定し、しかも区間εは針の全回転の角度よりもきわめて小さい区間であるとすると、$M-m$は非常に小さくなる。したがって、二つの積分の差は非常に小さくなり、求める確率は二分の一にきわめて近くなる。

こうして、私自身は関数φについては何も知らないのに、なぜ確率をあたかも二分の一であるかのように扱う必要があるのかが了解される。その上、私が客観的確率の観点に立って、何回かの針の回転を観察するとき、私がほとんど同数の赤と黒を観察することも、その理由が了解されるのである。

ゲームを行うすべてのプレイヤーは、この客観的な法則を知っている。しかしその法則が、プレイヤーたちをおかしな誤謬(ごびゅう)へと導くのである。この誤謬はしばしば指摘されているのであるが、彼らはいつもまたそこへと落ちてしまう。たとえば、赤が連続して六回出たとすると、次は黒が確実な目だと思って、それに賭ける。彼らは、赤が七回も連続して出るのは非常に稀（まれ）なのだから、という。

本当は、その確率は依然として二分の一なのである。たしかに、観察によれば、赤が七回連続して出るということは非常に稀である。しかし、赤が六回連続して出て、その後、黒が出るということも、まったく同様に稀である。人々が七回の赤の連続が稀であることには注目しながら、六回の赤の次に黒が出ることも同様に稀であることに注目しないとすれば、それはもっぱら、後者の方が目覚ましいものに見えないからである。

五　原因の確率

私の議論は原因の確率に関する問題に到達した。これは科学上の応用という点から見ると、最も重要である。二つの星が天球で非常に近い位置に見える。この表面上の接近は単なる偶然の結果なのか。それらの星は光線としてはほとんど同一の視線上にあるが、地球からはまったく異なった距離にある場所に位置しており、実際には互いに非常に遠いところにあるのだろうか。それとも、表面上の近さが本当に隣接していることに対応しているのだろうか。これが原因の確率に関する問題の一つである。

われわれがこれまで問題にしてきたのは、すべて結果の確率に関する問題であったが、その問題に対処するために、とりあえず正当とみなしうるような規約を初めに作らざるをえなかったということを、まず思い出してみよう。たしかに、これらの大多数の場合に、その結果は規約からはある程度独立のものであったが、それはたとえば、非連続の関数や不条理な規約をア・プリオリに拒否してもよい、といった仮説を条件にしてであったために正当化されたのである。

われわれは原因の確率を扱う際にも、何かこれと同様の事実と直面することになる。ある結果があって、その結果は、原因Aによっても原因Bによっても引き起こされた可能性がある。結果の方はいままさに観察されたところである。それが原因Aのゆえに生じた確率はいくらであるのか。これは原因の事後確率〔ア・ポステリオリ確率〕である。とはいえ、とりあえず正当とみなされうる規約が、原因Aが結果に関与している事前確率〔ア・プリオリ確率〕がどれだけであるのかを、私に前もって教えてくれていなければ、私はこれを計算することができない。事前確率とはつまり、この結果をまだ観察していない者にとっての確率を意味している。

もう少しうまく説明するために、前に言及したことのあるエカルテのゲームの例に戻って考えよう。私の相手が最初のカードを引き、キングを出した。彼がいかさま師である確率はいくらであろうか。普通に教えられている公式では、その答えは九分の八であるが、それはたしかに驚くべき数字である。この公式をもう少し詳しく考えてみると、計算はこのように行われたのである。つまり、われわれがゲームのテーブルに着く前に、私は相手が不正直である可能性が二分の一であると考えた。しかし、これはばかげた仮説である。というのも、私はそうであれば間違いなく、この相手とはゲームをしなかったであろうから。このことが結果の不条理の説明になるのである。

このケースでは、事前確率についての規約が正当ではなかった。そのために、事後確率を計算すると、とても認められないような結果が私に与えられたのである。それゆえ、前もって設定される規約が重要だ、ということが分かる。それだけでなく、私がもしもこれについて何らの規約も設定していなかったら、事後確率の問題はまったく意義を欠いたものになったであろうということも、付け加えなければならない。規約は明確に言明されているにしろ、無言のままであるにしろ、つねに設定されている必要があるのである。

次に、もっと科学的な性質の例に移ることにしよう。私が一つの実験的法則を定めようと欲しているとする。この法則は、もしも正確に知られれば、一つの曲線で表わすことができる法則である。私はいくつかの個別的な観察を行うが、結果はそれぞれ点で表わされる。それらの異なる複数の点が得られたら、私はそれらの間に曲線を描くが、その線はできるだけ点から離れないものであるように努めるとともに、とがった場所や、きつい調子の湾曲や、曲率半径の急激な変化を示さない、通常の形の曲線になるように努めるであろう。この曲線は私に蓋然的な法則を示してくれるのであり、観測した値の中間の位置での関数値を教えるだけでなく、それと同時に、直接の観察よりも正確な観察の値を与えてくれると考える(そのため私は点に近いところに曲線を引き、点そのものによって線を引くことはしないのである)。

これが原因の確率の問題の一つである。結果の方は私が記録した観測値である。この値は二つの原因の組合わせに依存している。すなわち、この現象のもつ真の法則と、観察の誤差とである。私は結果の方を知っていて、現象がこれこれの法則に従う確率と、観察がこれこれの誤差によってゆがめられる確率とを求めなければならない。そして、最も蓋然性の高い法則は、描かれた曲線に対応するし、最も蓋然性の高い観測値の誤差は曲線と点とのずれによって表わされるであろう。

とはいえ、この問題はもしも私が観察に先立って、これこれの法則の事前確率を考えず、前もって考えられる誤謬の可能性について考えていなければ、何の意義もないものになったであろう。

もしも私の観測器具がすぐれている(私は観察の前にそのことを知っている)ならば、私は自分の描く曲線が、生の観測データを表わす点からあまり離れないようにするであろう。もしも器具が悪ければ、屈曲の少ない曲線を得るために、これらの点から少々離れてもよいとするであろう。私は規則性を確保するために余計な犠牲を払うのである。

それでは、私はなぜ屈曲のない曲線を描こうとするのであろうか。その理由は、私がア・プリオリに、連続的関数で表わされる法則(あるいは高階の導関数が小さい関数)の方が、この条件を満たさない法則よりも、より蓋然的であると考えるからである。このような信念を抜きにすると、われわれが述べている問いには何の意味もないことになる。内挿法は不可能になるため、有限の数の観察からはいかなる法則も演繹できない。したがって、科学は存在しないことになるのである。

五〇年前には、物理学者たちは他の条件が同じであれば、単純な法則の方が複雑な法則よりも蓋然性が高いと考えた。彼らはルニョーの実験に反対して、マリオットの法則を擁護するためにでさえ、この原理に訴えた。今日、彼らはこの信念を廃棄している。とはいえ、彼らはあたかもこの原理を保持しているかのごとく振る舞うことを、何度も余儀なくされてきた！　いずれにしても、この傾向に関してまだ残っているのは、連続性というものへの信念である。単純性に加えてこの信念もまた消滅することがあれば、実験的科学は不可能となるであろう。それはいま見たとおりである。

六　誤差の理論

われわれは最後に、誤差の理論について語ることになる。これは原因の確率の問題と直接に繋がっている。われわれはここでも結果から原因を推測しようと努めるが、この場合の結果とは、いくつかの食い違いのある観測値である。そしてその原因とは、一方では観測されるべき正しい値であり、他方では個々の観察において生じている誤差である。計算すべきなのは個々の誤差の事後的な蓋然性の大きさであり、それはつまり、測定された量の確率的値ということである。

しかしながら、私がたったいま説明したように、われわれが一切の観察に先立って、事前に誤差の確率の法則を認めていなければ、この計算は実行に移すことができないであろう。それでは誤差の法則というものは存在するのであろうか。

すべての計算家が認めている誤差の法則は、ガウスの法則であり、それは「鐘型」と呼ばれる一種の超越曲線によって表わされる。

とはいえ、まず系統的誤差と偶発的誤差〔ランダムな誤差〕という、古典的な区別の方から思い出す必要がある。われわれが一つの長さを測るのに、メートルの目盛りを長すぎる位置に目盛った物差しを使えば、得られる数値は真の長さより小さすぎるものになるであろう。そしてこの計測を何度となく繰り返してみても、何の役にも立たないであろう。それは系統的誤差である。他方、正確に目盛られた物差しで測る場合にも、われわれの数値には誤差があるかもしれないが、その誤りは時に大きく時に小さくなるので、何度も計測を行い平均をとるなら、誤差は縮小していくであろう。これが偶発的誤差である。

さて、系統的誤差がガウスの法則に従わないことは明らかである。しかし、偶発的誤差は従うのであろうか。これについてはこれまで、非常に多くの証明が試みられたが、そのほとんどすべては粗雑な誤謬推理にすぎないものである。といっても、次のような仮説から出発すれば、ガウスの法則を証明することは可能である。ある生じた誤差とは、非常に多数の部分的かつ独立の誤差の合成された帰結である。一つ一つの部分的誤差は非常に小さく、どんな確率の規則に合致していてもよい。ただし、正の値の誤差の確率は、同じ大きさの負の誤差の確率と等しい。これらの条件は明らかにしばしば満たされているが、しかしつねにとはいいがたい。そのために、われわれはこうした条件に従う誤差のために、偶発的誤差という名前を残しておくのである。

ところで、よく知られているように、最小二乗法はすべての場合に正当な方法であるわけではない。一般に、物理学者は天文学者ほどにはこの方法に信頼を置いていない。このことは間違いなく、天文学者が物理学者と同様に系統的誤差に直面すると同時に、きわめて重要だが偶発的なその他の誤差の原因にも立ち向かわなければならない、ということに関係している。それは大気の乱流ということである。そのために、観測の方法をめぐって物理学者と天文学者が討論しているのを聞くのは興味深いことである。物理学者は一つの良い測定があることを、多数の悪い測定があることよりずっと価値があると思い込んでいて、何よりも系統的誤差をできるだけ小さくすることに気を配っている。これに対して天文学者はこう応答するであろう。「そんなことをしていたら、少数の星しか観測できなくなるでしょう。それに、偶発的誤差が消えることもないでしょう」。

この点については、どのような結論が出されるべきであろうか。われわれは今後とも最小二乗法を適用し続けるべきであろうか。ともかく、次の点を理解する必要がある。われわれは気にかけるべきすべての系統的誤差を除去したとしても、それ以外の誤差があることを知っており、しかもそれを見出すことはできない。それでもわれわれは決断を下して、最も蓋然的とみなしうるような、はっきりとした値を採用する必要がある。そのためにわれわれが使用できる最良の方法が、ガウスの方法であることは明白である。われわれが行っていることは、主観的確率に関する実際的な規則を適用しているにすぎない。そのかぎりでは文句をつけるべきことは何もない。

ただし、さらに進んで、単に蓋然的な値がこれこれであるということにとどまらず、結果に影響を及ぼしたと考えられる蓋然的な誤差がこれこれだと断定しようとするなら、これは絶対に不当な断定である。それはすべての系統的誤差を除去したことが確実でなければ真ではなく、しかも、われわれがその除去を行ったかどうかについて、絶対に何も知ることはないからである。われわれが二つの観察のシリーズを手にしているとする。最小二乗法の規則を適用すると、第一のシリーズのそれらしい誤差は第二のシリーズのそれよりも半分の大きさしかないことを見出す。しかしそれにもかかわらず、第二のシリーズの方が第一のシリーズよりも良い、ということがありうる。なぜなら、第一のシリーズは場合によっては、何らかの大きな系統的誤差によって影響を受けているかもしれないからである。われわれがいえることはただ、第一のシリーズの方が偶発的な誤差が小さいので、おそらくは第二の観察のシリーズよりも良いであろう、ということだけである。それぞれの系統的誤差については、われわれの無知が絶対的である以上、これについて大小を判断する根拠はまったくない、ということである。

七　結論

以上の議論を通じてわれわれは多くの問題に接してきたが、その解決を行ったわけではない。それでも私は、本章でこれらのことを述べたのを後悔はしていない。なぜなら、それらの問題がおそらく読者に対して、この種のデリケートな問いへの思索を促すことになるだろうからである。

いずれにしても、しっかりと確立されたと思われるいくつかの点があることは間違いない。まず、いかなる確率であれ確率の計算が可能になり、しかもその計算に意味があるためには、まさに出発点となるような何らかの仮説ないし規約が、つねにある程度の恣意性を許す形で認められている必要がある。この規約の選択に関してわれわれを導くものとしては充足理由律しかない。残念なことに、この原理は非常に漠然としており、融通のきくものでもあるので、われわれがこれまで急いで行ってきた検討においても、この原理はさまざまな形式の下で現れることになった。とくにわれわれが最もしばしば目にした形式は、連続性に対する信念というものであった。この信念を不可疑の推論によって正当化することは困難であろう。しかし、これなくしてはいかなる科学も不可能である。最後に、確率計算が有益な仕方で応用できる問題とは、前もって最初に設定される仮説が連続性という条件を満たしているかぎりで、その結果がこの仮説とは独立なものになるような問題だ、ということも判明した。

第一二章　光学と電気学

フレネルの理論

現在の物理学における最良の研究例[*]を選ぶとしたら、光の理論と、この理論と電気理論との関係ということになるだろう。フレネルのおかげで、光学は物理学のなかでも最も発展した部分となった。いわゆる波動理論は全体として、人間精神にとって真に満足のいく理論となっている。ただし、それがわれわれに与えてくれないものまでそれに期待することは慎むべきであろう。

＊この章は、私の二冊の著書、『光の数学理論』（一八八九年、パリ、ノード社）と『電気学と光学』（一九〇一年、パリ、ノード社）から、序文の一部を再録したものである。〔原注〕

数学的理論は、われわれに事物の真の本性を明らかにすることを目的としているわけではない。そのようなことを標榜するのはばかげたことである。それらがもっている唯一の目的は、実験がわれわれに明らかにしながら、数学の助けなくしては言明不可能であるような物理学の諸法則同士を互いに関係づけることである。

エーテルが本当に存在するのかどうかは重要な問題ではない。それは形而上学者が気にすればよい問題である。われわれにとって本質的なのは、すべての出来事があたかもそれが存在するかのように進行しており、数々の物理的説明のために便利な役割を果たしているということである。結局のところ、われわれが物質的対象の実在を信じるという場合、これ以外の理由を必要とするであろうか。これもまた便利な仮説にすぎないが、この見方は便利な仮説でなくなることはないだろう。エーテルの方はいつの日か不必要な仮説として廃棄されることは間違いない。

とはいえ、エーテルが捨てられるようになっても、光学の諸法則とそれを解析的に翻訳する方程式は、少なくとも第一近似としては真であり続けるであろう。それゆえ、これらのすべての方程式を結びつけるような理論を研究することは、つねに有意義なのである。

波動の理論は、分子に関する仮説に依拠している。法則の奥にある原因を発見したと考える人にとっては、これは利点である。他の人にとっては、これは不信感の理由となる。私から見ると、こうした不信感は前者の錯覚と同じくらい不当なものであるように思われる。

これらの仮説は二次的な役割を果たしているにすぎない。それらは犠牲にしてもかまわない。それらはたしかに通常犠牲にされることはないが、その理由は、そうすると説明が明瞭さを欠くことになるからである。しかし、それらを残しておく理由としてはこれ以外にはない。

実際、われわれが事柄を詳しく見てみると、波動理論が分子仮説から借りてきているのは、二つだけであることが分かる。一つは、エネルギー保存の原理であり、もう一つは、方程式がもつ線形という形式である。後者はすべての微小な変動と同様に、すべての微小な運動の一般法則である。

これらのことから、フレネルの結論の大部分は、光の電磁気理論が採用された後でも変更なしに残るだろうということが理解されるのである。

マクスウェルの理論

よく知られているように、これまでまったく無縁と考えられてきた光学と電磁気学〔原著は「電気学（l'électricité）」と記しているが、適宜今日の用語を用いる〕という物理学の二つの分野をしっかりとした絆（きずな）で結びつけたのはマクスウェルである。それによって、フレネルの光学はより広い全体に基礎づけられ、より高度の調和の下（もと）にもたらされたが、それでもそれはいまだ生き生きとした生命を維持している。この光学のさまざまな部分は存続しているし、それら同士の関係も元のままである。ただ、それを表現するために用いられる言語が変化した。それに加うるに、マクスウェルのおかげで、光学の諸部分と電磁気学という領域との間にある、それまで思いもよらなかった他の連関が、われわれに解き明かされたのである。

フランスの読者がマクスウェルの本を最初に開くと、まず賛嘆の念を感じると同時に、何となく落ち着かない感じをもち、しばしば不信の念を抱（いだ）くことさえあるだろう。この感情が消えるのは、この本に長いこと親しみ、しかも大いなる努力を払った後のことである。卓越した精神の持ち主でさえ、いまでもこの感情をもち続けている人がいる。

このイギリス人科学者の考えは、どうしてわれわれとって、慣れるのにこれほど苦労させられるのであろうか。それはもちろん、教養のあるフランス人の大部分が受けてきた教育によって、われわれは他のいかなる特性にもまして正確さと論理を好む傾向を植えつけられているからである。

数理物理学の古典的な理論は、この点に関してわれわれに完全な満足を与えてくれた。ラプラスからコーシーに至るわれわれの偉大な師たちも、同様の手法で理論を展開した。彼らはきちんと表現された仮説から出発して、すべての帰結を数学的な厳密さをもって演繹(えんえき)し、その上でその帰結を実験とつき合わせた。彼らは物理学の分野の各々に対して、天体力学と同じような正確さを与えようとしているように見える。

このような模範的な理論を尊重することに慣れた精神にとって、ある理論が十分な満足を与えるということは容易ではない。それは、ほんの少しの矛盾の可能性の存在さえ許さないだけでなく、その理論のいろいろな部分が論理的に結びつき、個別の仮説の数が最小にまで絞られていることを求める。

しかも、要求されるのはこれだけではない。人々は感覚が捉え実験が知識をもたらすことのできる物質の背後に、もう一つ別の物質を発見したいと考え、その人々の目にはそれこそが唯一の真なる物質であると思える。それは純粋に幾何学的な性質のみをもったものであり、それを構成する原子は、力学の法則にのみ従うような数学的点以上のものではない。私自身の考えでは、こうした要求はさほど合理的とは思われないが、彼らは自分でも気づかない矛盾によって、この見ることもできない無色の物質を表象し、それを通常の物質に可能なかぎり近づけようとするのである。

この精神が満足を覚えるのは、この種の要求が満たされるときであり、それによって自分が宇宙の秘密に通暁していると想像するにちがいない。そして、この満足が偽りのものであったとしても、それを捨てることには苦労を感じることであろう。

フランス人はしたがって、マクスウェルの本を開くとき、そこにエーテル仮説にもとづいた物理的光学と同じくらい論理的で、同じように正確であるような理論の体系を見出すことを期待する。しかし彼はそれによって、来る(きた)べき失望を自分から用意しているようなものなのである。私自身は彼の読者にその種の失望を味わってほしくはないので、以下ではマクスウェルの理論に求めるべきことと、それによっては見出しえないことについて、直ちに説明することに取り掛かりたい。

マクスウェルは電気と磁気の力学的説明を与えているわけではない。彼は自分の役割を、そうした説明が可能であることの証明だけに限定している。彼はまた、光学の現象は電磁気学の現象の特殊な事例にすぎないことも示している。それゆえ、電磁気学の理論の全体から光についての理論が直ちに演繹できるのである。

しかしながら、残念なことに、この逆の、光に関する完全な理論から電磁的現象の完全な説明が容易に引き出されるということは真ではない。それはとくに、フレネルの理論から出発しようとする場合には困難である。たしかにそれは不可能ではないであろう。しかしそうしようとして進むことは、これまで決定的な成果と思われている素晴らしい結果まで、放棄する必要があるかどうか問わざるをえないところまで行くことを意味している。これは一つの後退であるから、多くの良識ある人々はそれを潔しとはしないであろう。

マクスウェルの読者が、このようにその要求を低くすることに同意したとしても、さらに別の困難にぶつかる可能性がある。このイギリス人科学者は、理論の建造物というものが、唯一で、決定的で、しっかり秩序立ったものであることを求めていない。彼はむしろ、非常に多数の暫定的で互いに独立な建物を構築しているように見える。これらの建物を互いに関係づけることは困難で、場合によっては不可能でさえある。

一つの例として、彼の本のなかの、静電的引力の説明のために誘電的媒質内の圧力と張力を使っている章を見てみよう。この章を省いたとしても、この本の他の部分がより不明瞭になるとか、不完全になるわけではない。しかも、この章に含まれているのはそれ自身で十全たる理論であり、それを理解するために、それ以前の章やその後の章を、ほんの一行でも読むことを必要とはしていない。その上、この理論はこの本の他の部分と独立であるばかりか、この本の基本的思想と融和させることさえ困難なのである。実際にマクスウェル自身、そうした融和を図ろうともせず、ただ次のように述べているだけである。「私は誘電的媒質内の応力を力学的考察によって説明するという次の一歩については、踏み出すことができなかった」〔この引用文は原著では英語〕。

私の考えを理解してもらうにはこの例で十分であろうが、必要であれば別の例を、いくらでもたくさん引くことができる。たとえば、磁気による偏光の回転を論じた箇所を読んだ人が、光学的現象と磁気的現象の同一性について予想することなどあるだろうか。

それゆえ、われわれはすべての矛盾が回避できるという自惚れから解放される必要がある。必要なのはむしろ、それを受け入れる覚悟である。二つの矛盾し合う理論は、それらを混ぜ合わせたり、そこに事物の基礎を求めたりしないかぎり、二つとも研究にとって有用な道具となりうる。マクスウェルがこれほど互いにばらばらな新しい道を切り開いてくれなかったら、彼の本を読むことはこれほど示唆に富んだものにはならなかったはずである。

ただし、彼の根本的な思想は多少とも曖昧な姿の下で示されている。そのため、この分野を扱う通俗的な著作の大多数にあっては、この思想だけが脇に追いやられ無視されている唯一の点となっているくらいである。

私はそれゆえ、この思想の重要性をもっと際立たせるために、その根本的思想が何からできているかということについて、さらに説明する必要があると考えている。しかし、そのためにはまず話を少し脇道にそらせる必要がある。

物理的諸現象の力学的説明

あらゆる物理的現象には、実験によって確認でき、実験を通じてその値を測定できるようないくつかの媒介変数がある。私はこの種の変数をqと呼ぶ。

この媒介変数の変化の法則については、実験を行った後の考察が教えてくれるが、この法則は一般に、変数qと時間とを結びつける微分方程式の形で表わすことができる。

それでは、こうした現象について力学的説明をしようとした場合に、必要となるのは何であろうか。

われわれはそれを通常の物質の運動で説明するか、一つないし複数の仮想的流体の運動によって説明するであろう。

これらの流体は、孤立した分子mが非常に多数集まってできたものと考えられるであろう。

それでは、われわれはどのような場合に、この現象に関する完璧な力学的説明を手にしたといえるのであろうか。それは一方では、こうした仮想的分子mの座標が満たす微分方程式を知ることができたときであろうが、その方程式はさらに動力学の諸原理にも合致する必要がある。そしてそれは他方では、分子mの座標を、実験で確認することのできる媒介変数qの関数として決定する関係式を知ることができたときでもある。

これらの方程式は、いま述べたように動力学の諸原理に合致する必要があるが、そのなかでもとりわけ、エネルギー保存の原理と最小作用の原理に合致する必要がある。

二つの原理のうちの前者の方は、エネルギーの総量が一定であることを教えるが、そのエネルギーはさらに二つの部分に分けることができる。

1°　運動エネルギー、すなわち活力(force vive)。これは仮想的分子mの質量とその速度に依存する。このエネルギーをTと呼ぶ。

2°　ポテンシャル・エネルギー。これは、これらの分子の座標にのみ依存し、これをUと呼ぶ。恒常的に一定であるのは、二つのエネルギーTとUの和である。

それでは、最小作用の原理の方は何を教えるのだろうか。それは、運動する系が最初の瞬間t_0に占める位置から、最後の瞬間t_1に占める位置までの移動において、その移動が次のような経路を通る必要があるということである。その経路とはすなわち、

t_0とt_1という二つの瞬間の間においては、その「作用量」〔つまり、TとUというエネルギーの差の時間平均値〕が可能なかぎり小さくなっているような経路である。さらには〔本書の考える場合〕先の二つの原理のうちの前者は、こちらの原理の帰結であるということになる。

TとUを表わす二つの関数が知られるならば、この原理は運動の方程式を十分に決定することができる。

一つの位置から別の位置へと移動するためにとりうるすべての経路のうちには、明らかにその作用の平均値が他の経路より小さいものが一つ存在する。しかもそれは一つしか存在しない。それゆえ、最小作用の原理はそれだけで、通過した経路を決定することができ、運動方程式を決定するのである。

われわれがこうして獲得するのはラグランジュの方程式と呼ばれるものである。

この方程式にあっては、独立の変数は仮想的分子mの座標〔の値〕である。しかし、私はここでは、実験によって直接に確認可能な媒介変数qを、この変数とみなしうると想定する。

そうすると、エネルギーを構成する二つの部分は、変数qとその導関数の関数として表わすことができる。それらは明らかに、実験家の目の前に、この形式をとって現れる。実験家は当然のことながら、ポテンシャル・エネルギーと運動エネルギーを、自分が直接に観察することのできる量の助けを借りて、決定しようとするはずである。*

＊少し付け加えておくと、Uはただ媒介変数qにのみ依存し、Tはqとその時間に関する導関数に依存し、それらの媒介変数の導関数の二次の同次多項式となる。〔原注〕

以上のようなことが認められるとき、この運動はつねに、ある位置から別の位置に移動する際に、その作用量が最小であるような経路を通るであろう。

かくしてTとUは、変数qとその導関数を用いて表現できるようになるが、そのこと自体は重要ではない。運動する系の最初の位置と最後の位置が、これらの変数のおかげで決定できることも重要ではない。最小作用の原理はつねに真であり続けるであろう。

なぜなら、ここでもまた、ある位置から別の位置へと至るすべての経路には、その作用量が最小であるものが一つあり、しかもただ一つだけあるからである。それゆえ、変数qの変化を規定する微分方程式を決定するには、最小作用の原理さえあればよいのである。

このようにして得られた方程式は、ラグランジュの方程式の別の形に他ならない。われわれはこれらの方程式を作るために、媒介変数qと仮想的分子の座標とを結びつける関係を知る必要はないし、これらの分子の質量も、その分子の座標の関数として表現されたUの表式も知る必要はない。われわれが知る必要があるのは、qの関数としてのUと、qとその導関数で表わされるTだけであり、それはすなわち、実験データの関数として表わされる運動エネルギーとポテンシャル・エネルギーの形式のみである。

したがって、われわれが直面する事態は、次の二つの可能性のいずれかである。つまり、ある適切なTとUという関数の選択によって、いま述べたような形で作られたラグランジュの方程式が、実験によって得られた微分方程式と同一であるか、それとも、この一致が生じるような関数TとUは存在しないか、という二つの可能性である。後者の場合には、いかなる力学的説明も不可能であることは明らかである。

かくして、何らかの力学的説明が可能となる必要条件は、最小作用の原理を満たすような関数TとUを選択できることであり、この原理はエネルギー保存の原理も含むのである〔時間並進対称性が仮定されている〕。

しかも、この条件はまた十分でもある。その理由はこうである。われわれが実際に変数qの関数Uを見出したとする。これはエネルギーの一方の部分を表わしており、もう一つの部分は、qとその導関数によって表わされるTであるが、それはこれらの導関数に関する二次の同次式であり、もう一つのTとUという二つの関数の助けによって得られたラグランジュの方程式は、実験のデータに一致するものとする。

ここから力学的説明を導くためには何が必要であろうか。それは、Uが一つの運動系のポテンシャル・エネルギーであり、Tが同じ運動系の活力とみなしうる、ということである。

この場合、Uについては何も問題がない。しかしTについては、それを一つの物質の系の活力とみなすことができるかどうかが、たしかに問題である。

とはいえ、このことがつねに可能であることを示すのは簡単である。また、そのやり方も無限に存在する。この点に関してより詳細を知りたい読者には、私の著書『電気学と光学』の序文を参照していただきたいと思う。

ともあれ、もしも最小作用の原理を満たすことができないならば、力学的説明は存在しえない。反対に、もしも満たすことができるのであれば、説明は一通りでなく無数に存在する。つまり、一つの説明ができるなら、その他の説明も無限にできるということである。

さらに注意すべき点がもう一つある。

実験が直接に捉える量のなかには、われわれの考える仮想的分子の座標の関数とみなしうるものがある。それはまさに、われわれの媒介変数 q である。われわれはそれ以外のものを、単にその座標のみでなく速度にも依存する、あるいは同じことだが、q の導関数に、またこれらの変数とその導関数の組合わせにも依存するとみなす。

そうであるとすると、次の問いが生じることになる。われわれが実験によって測定することのできるすべての量のうち、媒介変数 q を表わすものとして選ぶべきはどれなのか。われわれがそれの導関数とみなすことを欲するのはどれであろうか。この選択はかなり恣意的なものであるが、力学的説明を可能にするために、最小作用の原理に一致するような仕方で選択を行えばよいのである。

マクスウェルはそのために、この選択と T と U という二つのエネルギーの選択を行うことで、電気現象がこの原理を満たすことができるかどうかを自問してみたわけである。実験は電磁場のエネルギーが静電気エネルギーと動力学的電磁エネルギーの、二つの部分に分けられることを示している。私が思うに、マクスウェルは前者をポテンシャル・エネルギーUとみなし、後者を運動エネルギーTとみなすならば、そして、導体の静電気を媒介変数qとみなし、電流の強さを別の媒介変数qの導関数とみなすならば、電気現象は最小作用の原理を満たすことになると考えた。そして彼はそれによって、力学的説明が可能であるという確信を得たのである。

さて、もしも彼がこのような考えを、その著作の第二巻の片隅に押し込めるのではなく、本の冒頭で表明しておいてくれたなら、大多数の読者はそれを見逃すことはなかったであろう。

仮に、ある現象が一つの完全な力学的説明を受け入れることになれば、実験を通じて明らかになるすべての特殊事情を同様に説明できるような無数の説明を受け入れることになるであろう。

このことは、物理学のあらゆる部門に関して、歴史的に確かめられてきたことである。たとえば、光学においては、フレネルが光の振動を偏光面に垂直なものと考えたのに対して、ノイマンは振動がその面に平行であると考えた。この二つの理論のどちらが妥当であるかを決定する、決定実験による検証が、長年にわたって求められてきた。しかし、それは〔原著の時代には〕まだ見出されてはいない。

同じように、電気学の領域だけを考えても、二種類の流体と一種類の流体による理論の二つがあるが、これらはどちらも静電気において観察された法則のすべてを等しく満たす説明を与えうるということを確認することができる。

こうした事実はどれも、先に注目したラグランジュの方程式のもつ性質によって、簡単に説明のつくことである。

さて、いずれにしてもわれわれはいまや、マクスウェル自身の根本的思想がどのようなものであるのかを、容易に理解できるところまで来ている。われわれは電磁気現象の力学的説明を手にするために、この説明そのものの発見に精を出す必要はない。エネルギーの二つの部分であるTとUという関数の式を知り、この二つの関数を用いたラグランジュの方程式を作り、その後にこの方程式を実験的法則と照らし合わせてみる。必要なのはこれだけである。

説明となりうるあらゆる可能な選択肢があり、しかも実験の助けを借りて決定することができない場合には、どれを選択するべきなのか。おそらく将来の物理学者たちは、実験的方法にかからないこうした疑問については関心を払わなくなって、問題を哲学者たちにまかせるようになるにちがいない。しかし、そのような日はまだ到来していない。しかも、われわれ人間が、事物の根柢を永遠に不可知なものとして簡単に諦(あきら)めてしまうことはないはずである。

それゆえ、われわれの選択は、個人の好みが大きく影響するようなものになる他はない。といっても、それによって得られる解答のうち、あるものは変わっているためにに誰もが拒否し、あるものは単純性のゆえに誰もが好む、ということはあるはずである。

マクスウェル自身は、電気や磁気に関してこの種の選択を行うことを差し控えている。ただし、これは彼が実験的方法によって到達できない事柄については、すべてを一律に軽視していたからだ、ということではない。彼が気体の運動論について熱心に研究していた時期がその証拠となる〔気体分子運動論ではマクスウェル分布が分子の速度分布関数の基礎概念として確立された〕。私はさらに次のことも付け加えておきたい。彼はたしかにあの偉大な著作において完全性を期した説明を展開しているわけではないとしても、それ以前に『フィロソフィカル・マガジン』に発表した論文では、それを与えようと努めていた。ただ、彼がそこで設定せざるをえなかった仮説があまりにもなじみのないもので、複雑でもあったために、結局その企てを放棄することになったのである。

彼の著作のすべてには、同じ精神が行き渡っている。そこでは本質的なこと、つまり理論全体に共通でなければならないことに、焦点が当てられている。個別的な理論だけに適合するような事柄については、そのすべてがほとんどつねに黙って無視されている。そのために、彼の著作を読む人は、内実がほとんどない、形相だけからなるものを目の当たりにすることになり、この形相を移ろいやすい影のような、捉えどころのないものと取り違えかねないのである。こうした特徴のゆえに、読者の側には特別の思考の努力が要求されるのであるが、彼の読者がそうした努力を重ねてみると、自分が最初に賛嘆の念を覚えていたのは、その理論のなかでも多少とも技巧的な部分にすぎなかったということが、十分に理解できるようになるのである。

第一三章　電気力学

電気力学の歴史はわれわれの関心にとって、とりわけ教えるところが多い。

アンペールはその不滅の著作に次のような表題を付けている。『もっぱら実験に基礎づけされた電気力学的現象の理論』。したがって彼は、自分がいかなる仮説も設けていないのだと想像したことになる。しかし、われわれがすぐ後で見るように、彼は仮説を設けていた。ただ、そのことに気づかずにいただけである。

一方、彼の後に登場した人々は、そのことに気づくことになった。というのも、彼らの注意はアンペールの解答のもつ弱点に引きつけられていたからである。彼らはさまざまな仮説を考案したが、そのことを十分に自覚していた。彼らはそれによって今日古典的体系とされるものに到達したが、その過程でどれだけ何度も仮説を変更しなければならなかったことか。しかも、今日の古典的体系でさえいまだ決定的とはいえないであろう。これから見ていくのはこれらのことである。

一 アンペールの理論

アンペールが実験によって電流の相互作用についての研究を行っていたとき、彼は閉じた電流だけを扱っており、しかもそれしか扱えなかった。といっても、彼が開かれた電流について、その可能性を否定していたということではない。二つの導体が反対の符号の電気で帯電しているとき、これらを一本の導線で結ぶと、一方からもう一方へと流れる電流を作り出すことになる。この電流は互いに電位が等しくなるまで持続する。アンペールの時代に支配的であった考えでは、これは開かれた電流である。第一の導体から第二の導体への電流は十分に認められたが、逆方向の第二の導体から第一の導体への電流は認められなかった。

こうした事情から、アンペールはこの種の電流、たとえば蓄電器から放電された電流のようなものを、開かれた電流とみなしたのであるが、このような電流の持続はあまりにも短いため、これを実験の対象とすることはできなかったのである。開かれた電流については、これとは別種のものを想像することもできる。二つの導体ＡとＢが導線ＡＭＢで結ばれていると仮定する。質量の小さな伝導性の物体が運動していて、最初にＢに接触してそこで一定の荷電を受けてから、Ｂを離れて運動を始めＢＮＡの道をとる。そのとき、荷電したままでＡに接触し、そこで荷電を放ち、その荷電は導線ＡＭＢに沿って再びＢに戻ってくる。

これは、ある意味では閉じた回路である。というのも、電気はＢＮＡＭＢという閉じた回路を描いているからである。しかし、この電流の二つの部分は互いにまったく異なっている。電気は導線ＡＭＢでは、ヴォルタの電流と同じように、オームの抵抗に打ち勝ち、その結果として熱を発する形で、固定された導体を通って移動している。このとき、電気は伝導によって移動する、と呼ばれる。他方、ＢＮＡの部分では、電気は動く導体によって運ばれている。このとき、電気は対流によって移動すると呼ばれる。

この場合、対流による電流と伝導による電流をまったく類似の現象だとみなすならば、回路ＢＮＡＭＢは閉じている。しかし、対流による電流は「真の電流」ではなく、たとえば磁石に影響を与えることができないというのであれば、残るのは伝導による電流ＡＭＢだけであるから、これは開かれているといわれるであろう。

たとえば、ホルツの機械〔ガラス板などの回転運動を通じて静電気を集め、高い電位を生み出す装置〕の両極を一本の針金で結ぶと、帯電した回転盤は一方の極からもう一方の極に対流によって電流を運搬し、その電気が伝導によって針金を通って最初の極に戻ってくる。

ところが、このような電流を測定が可能になるほどの強さで実現することは、非常に困難である。アンペールが利用できた方法では、それは不可能であるといわざるをえないのである。

結局アンペールは、開かれた電流の二種類の存在について、想定することはできたが、そのどちらについても実験的な操作を行うことはできなかった。なぜなら、それらはあまりにも弱すぎた〔原著の「強すぎた」を修正した〕か、あまりにも短い時間しか持続しなかったからである。

したがって、実験がアンペールに示すことができたのは、一つの閉じた電流が別の閉じた電流に及ぼす作用のみであった。あるいは厳密にいうと、ある閉じた電流が電流の一部分に及ぼす作用のみであった。なぜなら、電流は動く部分と固定した部分によって構成される閉じた回路を通ることができるからである。そのとき、動く部分が別の閉じられた電流の作用の下（もと）で行う移動について研究することができる。反対にアンペールは、開かれた電流が閉じた電流に及ぼす作用や、開かれた電流が別の開かれた電流に及ぼす作用については、いかなる研究の手段も持ち合わせていなかった。

1　閉じた電流の場合

アンペールは、二つの閉じた電流同士の相互作用について、実験にもとづいて驚くほど単純な法則を示した。

私はここでは、後（のち）ほど有用となる事柄を簡単に想起しておくことにする。

1°　電流の強さが一定に保たれていて、二つの回路が任意の変位や変形を受けた後に、最終的に最初の位置に戻ってくるとすると、この過程の電気力学的作用による仕事量はゼロである。

これはいいかえると、二つの回路の電気力学的ポテンシャルが存在するが、これは二つの電流の強さの積に比例し、回路の形とその相対的位置に依存しているということ、また、電気力学的作用による仕事とはこのポテンシャルの変動に等しい、ということを意味する。

2° 閉じたソレノイド〔管状に電線を巻いたもの。「閉じた」とはドーナツ型を指す〕の作用はゼロである。

3° 一つの回路Cが別のヴォルタの回路C′に及ぼす作用は、回路Cによって発生する「磁場」にのみ依存している。空間上の各点においては、実際に、その大きさと方向によって特定される磁気力と呼ばれる一種の力を定義することができる。この力は次のような性質をもっている。

(a) Cが磁極に及ぼす力はこの極に加えられ、この力は磁気力と極の磁気量の積に等しい〔磁気力は普通「磁場」と呼ばれるが、原著の表現に従う〕。

(b) 非常に短い磁針は、磁気力の働く方向をとろうとする傾向をもつ。それを戻そうとするトルクは、磁気力と、磁針の磁気モーメントと、磁針の傾きの角の正弦との積に比例する。

(c) 回路C′が移動するなら、CがC′に及ぼす電気力学的作用の仕事量は、この回路を横切る「磁気力の束〔磁束〕」の増加分に等しい。

2　閉じた電流がその部分に及ぼす作用

アンペールは厳密な意味での開かれた電流を実現することはできず、ただ、閉じた電流が閉じた電流の一部分に及ぼす作用を研究することができただけであった。それは、一部分が固定され他の部分が動くような、二つの部分からなる回路C′を扱うことであった。動く部分は、たとえば動く針金$\alpha\beta$のようなもので、その両端αとβが固定した針金に沿って滑るようになっている。動く針金がとりうる位置の一つにおいては、一端αは固定した針金上の一点Aのところにあり、一端βは固定した針金上の一点Bのところにある。電流はαからβへと流れるが、これはすなわち動く針金に沿ってAからBへと流れることである。電流はそれから次に、BからAに固定した針金に沿って戻る。したがって、この電流は閉じた電流である。

動く針金が滑り、第二の位置を取る。一端αは固定した針金上の一点A′のところにあり、一端βは固定した針金上の一点B′のところにある。このとき電流はαからβに循環するが、これはすなわち、動く針金に沿ってA′からB′へと流れ、それからずっと固定した針金に沿ってB′からBに、次いでBからAに、そして最後にAからA′に戻ることである。したがって、この電流はやはり閉じた電流である。

このような回路が閉じた電流Cの作用を受けると、動く部分はあたかも何らかの力の作用を受けたかのごとくに移動する。アンペールの考えでは、この動く部分がこのような仕方で受けているように見える力は、Cが電流の$\alpha\beta$の部分に及ぼした作用を表わすのであるから、βに達してから回路の固定部分を通過してαに戻るような閉じた電流が流れていたとする代わりに、αとβとで止まるような開かれた電流が流れていたとしても、この力は同じであると思われる。彼はこのように認めるのである。

この仮説は十分に自然であるように見えるであろうし、実際にアンペールはそれと意識せずにこの仮説を設定していた。ところが、この仮説の採用は決して必然ではなく、そのことは後で見るように、ヘルムホルツがこれを拒否したことでも明らかである。しかし、それがどうであったにしろ、アンペールは最後まで開かれた電流を実現できなかったにもかかわらず、この仮説を採用することで、閉じた電流が開かれた電流に及ぼす作用や、それが電流の一要素に及ぼす作用についてさえ、その法則を示すことができると考えたのである。

それらの法則もまた単純である。

1° 電流の一要素に作用する力はこの要素に加えられる。この力は要素と磁気力に垂直に働き、要素に垂直なこの磁気力の成分に比例する。

2° 閉じたソレノイドが電流の一要素に及ぼす作用はつねにゼロである。とはいえ、この電流では、電気力学的ポテンシャルはもはや存在していない。つまり、一つの閉じた電流と一つの開かれた電流を、その強さを一定に保ったまま元の位置に戻したとしても、仕事の総量はゼロにはならない。

3　連続回転

電気力学の実験のうちでも最も興味深い実験は、連続的回転を実現することのできる実験であり、この実験は、単極誘導(*induction unipolaire*)の実験と呼ばれることもある。一つの磁石をその軸の周りに回転できるようにし、最初に電流を固定した針金に流し、たとえばN極から磁石に入れて、磁石の半分まで通ったところで、次に滑り接触から出て、固定した針金へと戻ってこさせる。こうすると磁石は連続回転を始めて、いつまでたっても平衡の位置に達することはない。これがファラデーの行った実験である。

このような現象はどうして可能なのか。もしも実験の対象が変形することのない二個の回路であって、一つは固定したCであり、もう一つは軸の周りを動くC′であるとすると、後者はいつになっても連続回転を始めることはない。実際に、このときには電気力学的ポテンシャルが存在している。そのために、必ず平衡の位置が存在することになる。それはつまり、このポテンシャルが最大に達するところである。

したがって、連続回転が可能になるのは、次のような場合だけである。すなわち、ファラデーの実験がまさしくそうなっているように、回路C′が二つの部分からなっていて、一方は固定され、もう一方が軸の周りを動く場合である。ここではさらに、次の二つの区別が便利である。固定した部分から動く部分に電流が流れたり、その逆に流れるときに、単なる接触による場合(動く部分の同じ点がつねに固定した部分の同じ点に接触する)と、滑り接触による場合(動く部分の同じ点は固定した部分の複数の点に順番に接触する)とがある。

連続回転が生じうるのは、このうちの第二の場合のみである。そのときに起きるのは次のようなことである。このシステムは平衡の位置をとろうとするが、まさにこの位置に達しようとするとき、滑り接触によってこの動く部分が固定した部分の別の点と連結させられる。そのために連結が変化し、それに伴って平衡の条件が変化する。その結果、平衡の位置はいわば、これに達しようとしているシステムから逃げてしまう。そのために回転が際限なく続くことになるのである。

アンペールは、C′の動く部分に及ぼす回路の作用は、C′に固定した部分が存在せず、したがって動く部分に流れる電流が開かれているとしても同じであると考えた。そのためにアンペールは、閉じた電流が開かれた電流に及ぼす作用、あるいは逆の、開かれた電流が閉じた電流に及ぼす作用は、連続回転を起こしうると結論した。しかし、この結論は私が先に挙げた仮説によっている。そして、これも私が先に述べたように、ヘルムホルツはこの仮説を認めないのである。

4　二つの開かれた電流の相互作用

二つの開かれた電流の相互作用について、とくに二つの電流の要素の相互作用については、すべて実験ができなかった。アンペールは仮説に訴える道をとった。次のような仮説である。

1°　二つの要素の相互作用は、これらを結ぶ直線に沿った方向の一つの力に還元される。

2°　二つの閉じた電流の相互作用は、これらの電流の諸要素の相互作用を合成したものであり、また、これらの諸要素の相互作用は、要素が互いに離ればなれである場合の相互作用と同じである。

注目に値するのは、ここでもアンペールはそれと自覚することなく仮説を設けていることである。

しかし、それはともかく、この二つの仮説を閉じた電流についての実験結果と合体させると、二つの要素の相互作用の法則は十分に決定できることになる。

ところがその場合には、われわれが閉じた電流に関して見出してきた単純な諸法則の大部分について、もはや真ではないということになる。

というのも、まず、電気力学的ポテンシャルは存在しないということになる。これは前に見たように、一つの閉じた電流が一つの開かれた電流に作用を及ぼす場合にも存在しなかった。

次に、本来の意味での磁気力ももはや存在しない。

われわれは先に、この力について次のような三つの異なる定義を与えていた。

1° 磁極に及ぼされる作用によって。

2° 磁針の方向を定めるトルクによって。

3° 電流の一要素に及ぼされる作用によって。

ところが、いま考察している場合には、これら三つの定義がもはや一致しなくなるばかりでなく、この定義のそれぞれが無意味なものになっている。というのも、

1° 磁極はもはやこの極に加えられる単独の力の作用を受けるだけではない。むしろ、電流の一要素の作用によって極に及ぼす力は、極に加えられるのではなく、要素に加えられることになる。その上、この力は極に加えられる力と偶力によって置き換えられるだろう。

2° 磁針に作用する偶力はもはや針の方向を変える単なる偶力ではない。その針の軸に関する能率がゼロではないからである。本来の意味で、針の方向を与える偶力と、私が先に述べた連続回転を生じさせる補足的な偶力とに分解される。

3° 最後に、電流の要素に作用する力はこの要素に垂直に働くわけではない。

要するに、*磁気力の統一性は失われたのである*。

これによって、この統一性が何によっているのかが理解される。それはすなわち、

一つの磁極に同じ作用を与える二つのシステムは、この極のあった空間の同じ点に置かれる無限小の磁針にも電流の要素にも、同じ作用を生じさせるであろう、ということである。

さて、もしもこれらの二つのシステムが閉じた電流だけを含むのであれば、このことは正しい。しかし、アンペールによれば、もしもこのシステムが開かれた電流を含むのであれば、このことは真ではないことになる。

このことを理解するためには、たとえば一つの磁極がAに、要素がBに置かれていて、要素の方向は直線ABの延長線上にあるとすると、この要素は磁極に少しも作用を及ぼさないが、点Aに置かれた磁針や電流の要素などには作用を及ぼしうることに注意すれば十分である。

5　誘導

アンペールの不滅の業績の後、まもなく電磁誘導が発見されたことはよく知られているとおりである。

アンペールの理論は閉じた電流についてだけであればまったく問題がないし、ヘルムホルツは、アンペールの電気力学の諸法則から誘導の諸法則を演繹するにはエネルギー保存の原理で十分なことさえ指摘した。しかし、それが可能なのは、まさしくベルトラン氏が示したように、一つの条件の下においてである。すなわち、これ以外にもいくつかの仮説を容認する、という条件である。

同じ原理によって、開かれた電流に関してもこの演繹は可能である。とはいえ、このような電流を実験において実現できないのであるから、その結果を検証することはいうまでもなく不可能である。

もしも開かれた電流についてのアンペールの理論に対してこの分析の方法を適用しようとすると、われわれを驚かそうとわざわざ作られたのか、と思うような結果が生じることになる。

第一に、誘導は、研究者にも実用家にもよく知られた公式に従って磁場の変動から導出することが不可能であり、実際すでに述べたように、本来の意味での磁場はもはや存在しないのである。

しかし、それだけではない。一つの回路Cが、ヴォルタの電流システムSから誘導を受けるとする。さらに、このシステムSが何らかの仕方で移動し変形する際に、電流の強さは何らかの法則に従って変化するとする。この変化の後に、このシステムが最終的に元の状態に戻るとすると、回路Cのなかで誘導によって生じた起電力の平均はゼロであると考えるのが自然であろう。

このことは回路Cが閉じていて、システムSが閉じた電流しか含んでいないのであれば真である。ところが、アンペールの理論を受け入れて、開かれた電流が存在すると考えると、それはもはや真ではなくなる。その結果、誘導は、この言葉の普通の意味のいずれにおいても、磁束の変動ではなくなるが、そればかりではない。それはいかなるものの変動としてでさえ表現できなくなるのである。

二　ヘルムホルツの理論

私はここまで、アンペールの理論の諸帰結と、彼が開かれた電流について理解しようとした仕方について、細かく述べてきた。

この理論から導かれるこれらの命題が、きわめて逆説的で人工的な性格を帯びていることはすぐに分かる。人はそのために、「これがそのとおりであるはずはない」という思いに駆られるのである。

したがって、ヘルムホルツが別のものを探究しようとしたことはよく理解できる。彼はアンペールの根本的仮説を退ける。それは、電流の二つの要素の相互作用は、これらを結ぶ直線に沿った方向の一つの力に還元できる、という仮説である。

ヘルムホルツは、電流の要素が受けるのは単独の力ではなく、一つの力と一つの偶力であると認める。これこそまさに、ベルトランとヘルムホルツとの間で戦わされた有名な論争の主題である。

ヘルムホルツはアンペールの仮説にかえて、次の仮説を立てる。すなわち、電流の二つの要素はつねに電気力学的ポテンシャルをもつことを許容する。これはそれらの要素の位置と方向に依存しており、片方がもう一方に及ぼす力の仕事量は、このポテンシャルの変動に等しい、という仮説である。それゆえ、ヘルムホルツもアンペールに劣らず仮説なしではすますことができないのである。違いはただ、ヘルムホルツは少なくとも、明示的に述べることなく仮説を設けることはしない、ということである。

実験で捉えられるのは閉じた電流だけの場合であるが、この場合については二人の理論は合致している。しかし、それ以外のすべての場合については二人の理論は異なっている。

まず第一に、アンペールの想定とは反対に、閉じた電流の動く部分が受けるように見える力は、この動く部分が孤立していて開かれた電流であるときに受ける力と同一ではない。

先に見た回路C′、すなわち固定した針金の上を滑って動く針金$\alpha\beta$から構成されている回路C′に戻って考えてみよう。われわれが実現できるただ一つの実験では、動く部分$\alpha\beta$は孤立しておらず、一つの閉じた回路の一部分をなしている。これがABからA′B′へと来るときには、電気力学的ポテンシャルの総量は、次の二つの理由によって変化する。

1° ポテンシャルは第一の増分を受ける。なぜなら、A′B′の回路Cに関わるポテンシャルは、ABのポテンシャルと等しくないからである。

2° それはさらに第二の増分を受ける。なぜなら、要素AA′と要素BB′のCに関わるポテンシャルが、それを増加させるはずだからである。

部分ABが受けると思われる力の仕事量を表わすのは、この二重の増分である。

しかしながら、反対に、もしも$\alpha\beta$が孤立していたとすると、ポテンシャルが受けるのは第一の増分のみであり、ＡＢに働く力の仕事量を決定するのは第一の増分だけということになる。

そして第二に、滑り接触のない連続回転というものは存在しえない。実際にこのことは、閉じた電流について述べたところで触れたように、電気力学的ポテンシャルが存在することからの直接的帰結である。

ファラデーの実験によれば、もしも磁石が固定していて、磁石の外の部分の電流が動く針金のなかを通るとすると、この動く部分は連続回転をするだろう。しかし、このことは、もしも針金と磁石の接触をなくして、開かれた電流を針金に流した場合にも、針金が連続回転をするだろうということを意味しているわけではない。

実際に、すぐ前に述べたように、孤立した要素は、閉じた回路の一部分を作っている動く要素と同じ作用を受けることはないのである。

二人の理論のその他の違いとしては次の点がある。ソレノイドによる閉じた電流への作用は、実験によってゼロであることが分かっており、このことは両者の理論でもそうなる。しかし、それが開かれた回路に及ぼす作用については、アンペールではゼロなのに対して、ヘルムホルツではゼロではない。

ここからは重要な帰結が得られる。われわれは先に磁気力の定義として三つの定義を与えていたが、そのうちの第三の定義がここではまったく意味をなさないことになる。というのも、電流の要素はもはや単独の力を受けるだけではないからである。同じように、第一の定義も意味をなさなくなる。磁極とはそもそも何であろうか。それは任意の線形の磁石について、その端のことをいう〔著者は暗に単独の磁荷（モノポール）を否定している。現在でも単独の磁荷は見つかっていない〕。この磁石の代わりにソレノイドをとってもよい。磁気力の定義が有意味であるためには、それが開かれた電流によってソレノイドに及ぼす作用が、ソレノイドの端の位置にしか依存しないこと、すなわち閉じたソレノイドに及ぼす作用がゼロである、ということが必要である。ところが、このことはいま見たように真ではないのである。

これに対して、第二の定義は磁針の向きを定めるように働く偶力の測定にもとづいているので、採用することはまったく問題がない。

といっても、これを採用するならば、誘導の効果も電気力学的効果も、この磁場の磁力線の分布だけに依存するわけではない、ということが帰結するだろう。

三　これらの理論によって生じる困難

ヘルムホルツの理論はアンペールの理論から見れば進歩している。とはいえ、必要なのはすべての困難が取り除かれることである。これらの理論では、どちらも磁場という用語にはまったく意味がないことになる。あるいは、何とか人工的な規約を作ることでこの言葉に意味をもたせようとしても、それはすべての電気学者が親しんでいる普通の法則に適用させることはできない。たとえば、針金のなかの誘導起電力は、この針金が横切る力線の数によっては測られなくなってしまう。

しかも、われわれがこれらの理論に覚える不満の理由は、長年慣れ親しんだ言葉と思考の習慣が、簡単には放棄できないということにあるだけではない。不満の理由にはそれ以上のものがある。われわれが遠隔作用というものを信じないのであれば、電気力学的現象の説明のためには、媒質に修正を加えることが必要である。磁場と呼ばれるものはまさしくこの修正である。したがって、電気力学的効果はこの場のみに依存している必要がある。

これらの困難のすべては、開かれた電流についての仮説に由来しているのである。

四　マクスウェルの理論

マクスウェルが登場した当時、主要な理論における困難は以上のようなものであった。マクスウェルはペンをとって書き始めるやいなや、これらすべての問題を消失させた。他でもない、彼の考えでは、電流は閉じたものしか存在しないからである。マクスウェルは、もしも誘電体のなかで電場がとつぜん変わったとすると、この誘電体が電流のように電流計に作用する特別な現象のありかとなることを認めた。そして彼はこれを変位電流と呼んだ〔変位電流は真空中でも流れる〕。そうすると、お互いに反対の電荷をもった二個の導体を導線で結ぶと、この導線内では放電の間、伝導による開かれた電流だけが流れると考えられるが、同時にこれを囲む誘電体内では変位電流が生じるので、この伝導電流を閉じるのである。

よく知られているように、マクスウェルの理論は光学的現象の説明へと道をひらく。光の現象は非常に速い電気振動によるとされるのである〔光は真空中を一定の速度で伝わることになる。これを原理の一つとしてアインシュタインが特殊相対性理論を構築する〕。

このような考えは、当時はいかなる実験によっても支持されることのない、大胆な仮説にすぎないものとみなされた。

しかしマクスウェルの考えは、二〇年後に実験による確証を得た。ヘルツが電気振動のシステムを作ることに成功したのである。このシステムは光のもつすべての性質を再現した。光との違いはただ波長の長さだけである。いいかえれば、紫の光と赤の光との相違くらいしか存在しない。ヘルツはいわば、光を合成することに成功した。誰もが知るように、無線電信はここに源がある。

人によっては、ヘルツはマクスウェルの基本的考えである変位電流が電流計に及ぼす作用というものを、直接には証明していないというかもしれない。これはある意味では真である。ヘルツが直接に示したのは、要するに、電磁誘導の伝達は人々が信じたように瞬時ではなく光の速度による、ということである。

とはいえ、変位電流は存在せず、誘導が光の速度で伝達すると仮定するか、それとも、変位電流は誘導の効果を生むが、それは瞬時に伝達すると仮定するかは、同じことでしかない。

このことは一瞥（いちべつ）しただけではわからないが、解析的に証明できる。とはいえ、私はここで、その概要さえも述べようとは思わないのであるが。

五　ローランドの実験

ところで、私が前の方で述べたように、開かれた電流というものには二種類あった。まず、一つの種類として、蓄電器あるいは任意の導体の放電の電流がある。さらに、第二の種類として、電荷が閉じた道を描く場合がある。つまり、回路の一部分では伝導によって移動し、他の部分では対流によって移動する場合のことである。

第一の種類の開かれた電流については、問題は解決済みとみなすことができた。これは変位電流によって閉じているとみなしうるからである。

そして、第二の電流についても、解決はさらに簡単であると思われた。もしも電流が閉じているとしたら、それは対流電流によってのみ可能であると思われた。そのために「対流電流」を認めること、すなわち、運動している荷電した導体が電流計に作用しうることを認めさえすればよい、と思われた。

ところがこれには実験による検証が欠けていた。実際に、可能なかぎり導体の荷電と速度を増大させても、十分な強さを得ることは困難だと思われていたのである。

この困難に最初に勝利したのは、きわめて腕のいい実験家であるローランドであった。彼は円盤に強い静電荷を与え、円盤は非常に大きな回転速度を得た。この円盤のそばに無定位磁石のシステムが置かれると、磁針が偏りを見せたのである。

この実験はローランドによって二度行われた。一度目はベルリンで行われ、二度目はボルティモアで行われた。この実験は後(のち)にヒムステッドによって追試された。これらの物理学者たちは、定量的な〔対流電流の〕測定が実行可能になったと表明してよいとさえ考えた。

ローランドによるこの法則は、すべての物理学者によって異議のないものと認められた。

それどころか、すべてのことがこの法則を確証しているように思われた。火花が磁気的効果を生じるのは確かである。ところで、火花による放電が一方の電極からはぎ取られて、もう一方の電極へと電荷とともに運ばれる微細粒子によって生じるということは、十分ありそうなことに思われないか。火花そのもののスペクトルにおいて、電極の金属のスペクトル線が見られるのは、その証拠となるのではないか。そうであるとすると、火花は真の対流電流だといえるであろう。

また別の角度からいうと、電解質において電気は運動しているイオンによって運ばれると認められている。したがって、電解質における電流は、やはり対流電流である。そして、これが磁針に作用するのである。

同じことが陰極線についてもいえる。クルックスは、この線がマイナスの電荷をもち、きわめて大きな速度をもっている微細粒子であるとしている。これはつまり、これらの線を対流電流とみなすということであるが、このような見方は少しの間は反対されたが、今日ではあらゆるところで採用されている。さて、陰極線は磁石によって偏りを受ける。それゆえ、作用と反作用の原理によって、これらは磁針に偏りを与えるのである。

たしかにヘルツは、陰極線がマイナスの電気を運ばず、磁針に作用を及ぼすことはないのを証明したと考えた。しかしながら、ヘルツは間違っていた。最初にペランが、ヘルツが存在を否定していた陰極線によって運ばれる電気を集めることができた。ヘルツはX線の作用に帰せれるべき効果のために欺かれたように思われる。そのときにはX線がまだ発見されていなかったからである。しかし、その後、ごく最近になって、陰極線が磁針に及ぼす作用がはっきりと認識されることになり、ヘルツが犯した間違いの原因も知られるようになったのである。

かくして、電気火花、電解質電流、陰極線という、すべて対流電流とみなすことのできる現象は、同じように電流計に作用して、ローランドの法則に合致するといえるのである。

六　ローレンツの理論

そしてすぐに、さらなる進歩が見られた。ローレンツの理論によれば、伝導電流そのものが本物の対流電流であるということになった。電気とは、電子と呼ばれるある種の物質的粒子に、引き離しがたい形で結びついたものである。ヴォルタの電流は、物質を通してこの電子が循環することで生み出される。導体と絶縁体は、前者が電子の通過を許容するのに対して、後者が電子の運動を阻止することによって区別されるのである。

ローレンツの理論はきわめて魅力的である。というのも、それは古い理論だけでなく、マクスウェルの理論でさえその当初の形では十分に説明できなかったいくつかの現象、たとえば光行差、光の波動の部分的随伴現象、磁場による偏光、ゼーマンの実験などについて、きわめて単純な説明を与えることができるからである。

とはいえ、いくつかの反論は残った。一つのシステムにおける諸現象は、そのシステムの重心の移動の絶対速度に依存しなければならない、ということになりそうである。しかしこれは、われわれがもっている空間の相対性という観念に反している。リップマン氏は、クレミュー氏の学位論文審査において、この反論をはっきりとした形で表わした。二つの帯電した導体があって、同じ速度で移動しているとしよう。これらは相対的には静止しているが、それぞれは対流電流と等しいのであるから、互いに引き合うことになるはずであり〔静電的クーロン力を差し引いている〕、そのために、この引力を測定することで、これらの絶対速度が計測できるようになるだろう。

ローレンツの支持者たちは、そうではない、と答えた。このような仕方で測定されるのは、それらの絶対速度ではなく、これらの導体がエーテルに対してもつ相対速度である。それゆえ相対性の原理は破られていない、と彼らはいうのである。この問題に関しては、ローレンツ自身がその後、さらに複雑だが、ずっと満足のいく解決を発見した。

最後に出てきたこれらの反論がどうなるとしても、電気力学という理論的建造物は、少なくともその全体の輪郭に関しては決定的な形で構築されたと思われる。すべては最も満足のいく相の下に現れている。もはや存在することのない開かれた電流のために、アンペールやヘルムホルツによって作られた理論は、いまでは純粋に歴史的な興味しかもたないように思われる。

それでも、これらの理論的変遷の歴史は、その教育的意義を失うことはないだろう。それはわれわれに、科学者たちがいかなる罠に陥る危険性をもつかを教えるし、いかにしてそこから逃れる希望があるかを教えるはずである。

第一四章　物質の終わり*

＊ギュスターヴ・ル・ボンの『物質の進化』を参照。〔原注〕

物理学者たちが最近数年間に表明した最も驚くべき発見の一つは、物質が実在しないということである。といっても、この発見はまだ決定的とはいいがたいことも、急いで付け加えておく必要がある。物質の本質的属性は、その質量であり、慣性である。質量とは、どこでもつねに恒常的であり、何らかの化学的変化が物質の知覚可能なあらゆる性質を変えて、別の物体にしてしまったように見えるときでも、なお存続しているもののことである。それゆえ、物質の質量すなわち慣性が、真実には物質に属するものではなく、質量とは物質が自らを着飾るためにまとった付加的な借り物であって、質量、とりわけ究極の恒常性が、それ自身変化をこうむるものであることが実証されるならば、物質は実在しないのだ、ということも許されるであろう。そして、そのことがまさしく、現在宣言されていることなのである。

われわれがこれまで観測することのできた速度は、非常に遅いものでしかなかった。天体の運動は、われわれのもっているすべての自動車をしのぐ速さであるが、それでも毎秒やっと六〇から一〇〇「キロメートル」の速度しかない。たしかに光はこれよりも三千倍の速さをもっているが、その場合に移動するのは物質ではなくて、大洋の表面の波のように、比較的動かない実体を通って進んでいく摂動である。このような遅い速度に関してなされたすべての観測は、質量の恒常性を示していたので、もっと大きな速度に関しても同様であろうということを疑う者はなかった。

水星は最も速く運動する惑星であるが、その速さの記録を破ったのは、無限に小さいものであった。私がいいたいのは、その運動が陰極線やラジウムの放射線となる微粒子のことである。これらの放射〔陰極線の場合〕は、分子による本当の砲撃によるものであることが知られている。この砲撃で発射される放射体はマイナスの電荷をもっているが、そのことはこの電気をファラデーのシリンダーのなかに集めることで確認することができる。これらの粒子はこの電荷のために、磁場によっても電場によっても偏りを生じるのであり、これらの偏りを比較することで、その速度に合わせ、電荷と質量の比を知ることができるのである。

ところで、この測定を通じてわれわれは、一方ではその速度が極端に大きく、光の速度の一〇分の一ないし三分の一ほどあり、惑星の速さの一千倍にもなることを発見するとともに、他方では、その電荷が質量と比較して極端に大きいことを発見した。運動している個々の粒子は、そのために顕著な電流を伴う。ところが、これらの電流は自己誘導と呼ばれる、ある特別な慣性を示すことが知られている。一度生み出された電流は、流れ続けようとする傾向をもっており、そのため電流が通っている導体を切断すると、その切断の箇所で火花を飛ばすことが目撃される。このように、運動する物体がその速度を保とうとすることと軌を一にして、電流はその強さを一定に保とうとする。したがって、われわれの陰極線の粒子は、次の二つの理由によって、その速さを変化させうる力に対して逆らおうとする。すなわち、それがもっている本来の意味での慣性と、それの自己誘導という理由からである。なぜなら、速度のあらゆる変化は、同時に、それに対応する電流の変化ともなるからである。この粒子は電子と呼ばれ、二つの慣性をもっている。それは力学的慣性と電磁気的慣性である。

アブラハム氏とカウフマン氏の二人は、前者が理論家で後者は実験家であるが、互いに力を合わせて、これら二種の慣性の役割を決定しようとした。彼らはそのために、一つの仮説を認めることを余儀なくされた。彼らは、すべての負の電子は等しい存在で、共通で本質的に一定の電荷をもち、それらの間に相違が見られるとしたら、それは電子の速さの相違にのみ由来する、と考えた。速度が変化するとき、本当の質量、つまり力学的質量は変化なしにとどまるとするが、これはいわば定義そのものである。これに対して、見かけの質量を形成することに寄与する電磁気的慣性の方は、ある法則に従って速度とともに増加する。それゆえ、速度と質量の電荷に対する比の間には、一つの関係が成立しているはずである。これらの量は、先に述べたように、磁石や電場の作用を受けて生じるこれらの線の偏りを観測することで計算することができる。そして、この関係をよく吟味すれば、二つの慣性の役割を決定することができるのである。その結果は、しかし、まったく驚くべきものである。本当の質量はゼロである。たしかにこの結論を受け入れるには、最初に作った仮説を認める必要がある。とはいえ、理論上計算される曲線と実験で得られる曲線の合致は非常によいので、この仮説はきわめて蓋然性(がいぜんせい)が高いと考えられるのである。

したがって、負の電子は本来の意味での質量をもっていない。それらが慣性を付与されているように見えたとしても、それは電子がエーテルを攪乱せずにはその速度を変えることができない、ということである。こうした見かけの慣性は借り物にすぎない。それは電子に属しているのではなく、エーテルに属している。しかしながら、これらの負の電子だけが物質のすべてであるわけではない。そのために、これ以外のもので、本来の慣性をもっている本物の物質が存在すると考えることができる。たとえば、ゴルトシュタインのカナル線〔陽子など正電荷イオンのビーム〕とか、ラジウムのα線のように、降り注ぐ正の電荷をもつ放射体による〔カナル線の場合〕放射線も存在している。これらの正の荷電粒子〔原語は électrons positifs だが、その後、陽電子(positron)が実際別に発見されているので、このように訳しておく〕は、また質量をもたないのであろうか。そういうことは不可能である。なぜなら、それらの正の荷電粒子は負の電子よりもずっと重く、ずっと速度が小さいからである。したがって、採用しうる仮説として二つがあることになる。これらの正の荷電粒子が負の電子よりも重いのは、借り物の電磁的慣性の他に本来の力学的慣性をもっていて、これこそが本当の物質であるからだとするか、あるいは、これらは負の電子と同じように質量はもっていないのであるが、これらの方が負の電子よりも重いように見えるのは、こちらの方が負の電子よりももっと小さいからだとするかの、いずれかである。私はそれらがずっと小さいというが、これはいかにも逆説的に見えるかもしれない。というのも、こちらの考えを採用すると、粒子はエーテル中の穴でしかなく、エーテルだけが実在的な慣性をもつものだからである。

さて、ここまでのところでは、物質はまだ、その存続が非常に危ぶまれるところまでは来ていない。われわれは右の第一の仮説を採用することもできるし、正の荷電粒子と負の電子の他に、中性の原子が存在すると信じることもできるからである。しかし、ローレンツの最近の研究は、この最後の手段に頼る可能性をわれわれから奪ってしまうだろう。われわれは地球の運動に引きずられているが、この運動の速度はきわめて大きい。光や電気の現象はこの運動によって変化させられているのではないか。地球の運動によるこの影響は、その存在が長いこと信じられてきたし、地球の運動に対する観測装置の方向によって、この差は検知されるだろうと思われてきた。ところが、そうした差はまったく見られなかったし、最も精巧な測定によってもそれらしいことは何も示されなかった。この点で、実験はむしろ、すべての物理学者が共通に抱いている反感を正当化したのである。実験によって実際に何かが発見されたのであれば、太陽に対する地球の相対運動のみならず、それがエーテル内でもつ絶対運動についても知ることができたであろう。しかし、実験はそれを教えてくれず、多くの物理学者たちは、いかなる実験も相対運動以上のものを与えるとは信じられない、と考えるようになった。彼らはむしろ、物質が質量をもたないと信じる方がましだ、と考えるようになったのである。

それゆえ、人々は実験から得られる結果がネガティヴなものであっても、それほど驚かなかった。これらはそれまで教えられている諸理論とはぶつかったが、それらの理論に先行するすべての根深い直感の耳には心地よく響くものであった。たしかに、こうした事実と調和するために、それらの諸理論には変更を加える必要が生じた。そしてそれは、フィッツジェラルドが一つの驚くべき仮説を設けることによって成し遂げたことである。彼は、すべての物体は地球の運動の方向に沿って、およそ一億分の一の短縮を受けるのだと考えた。一つの完全な球体は扁平な楕円体となり、それを自転させると、楕円体の短い方の軸が地球の速度と平行になるような変形を受ける、というのである。とはいえ、測定する器械は測定の対象と同一の短縮を受けているので、光が対象の端から端まで届くのに要する時間を問題なく測定しようと大きな努力を払わないかぎり、この影響はまったく確認できないのである。

この仮説はこれまで観察された事実をすべて考慮に入れている。とはいえ、それだけではまだ十分ではない。われわれはいつか、もっと精密な観測を行うことができるようになるだろう。そのときには、観測結果はポジティヴで、われわれは実験を通じて地球の絶対運動を確定することができるのではないか。ローレンツはそのようには考えなかった。彼はこの確定がどこまでも不可能であると信じた。物理学者たちが皆共通して抱いていた直感と、これまでの実際の不成功例は、彼の主張の正しさを保証している、と。だから、この不可能性を自然がもつ一般的法則であると考え、それを共通の要請として受け入れることにしよう。そうすると、いかなる帰結が導かれるのであろうか。それこそがローレンツの追究したことである。彼は、すべての原子、すべての正または負の電荷をもった粒子が、その速度によって変化する慣性をもたざるをえず、それは同一の法則に従って変化する、ということを発見した。したがって、物質を作っているすべての原子は、小さくて重い正の荷電粒子と、大きくて軽い負の電子から形成されていることになる。さらに、われわれの感覚によって知覚される物質が帯電しているようには見えないとしても、それは、異なる電荷をもつ二種類の粒子がほとんど同じ数だけ存在するからである。これらはいずれも質量をもってはいない。もっているのは借り物の慣性だけである。この理論体系では本当の物質は存在していない。存在しているのはただエーテルのなかの穴だけである。

ランジュヴァン氏の見方に従えば、物質とはエーテルが液化して、物質の運動によりエーテルの諸属性を失ったものである。物質が移動するというとき、それはエーテルを通って進む液化されたもののことをいっているのではなく、液化がエーテル中の新しい部分へと次々に拡大し、その間に先に液化していた後方では元の状態へと戻っていくことを意味している。物質はその運動において、それ自身の同一性を保存していない、というわけである。

以上が、この問題をめぐる少し前までの状況である。しかし、現在カウフマン氏が新しい実験を示している。負の電子は、非常に速い速度をもっているために、フィッツジェラルドの短縮を受けるはずであり、そのために速度と質量の比は変更されるはずである。ところが、最近の実験では、この予想が確証されない。したがって、すべての話が崩れてしまい、結局のところ物質は、その存在の権利を再び得ることになる。といっても、これらの実験は非常にデリケートなものであるから、今日の時点で確定的な結論を引き出すことは時期尚早である。

各章のもとになった論文等

第一章　数学的推論の本性について

「数学的推論の本性について」(『形而上学・倫理学評論』第二巻、一八九四年、三七一―三八四頁)。本書への収録にあたって、いくつかの文言の変更と、複数の文章の削除が行われた。

第二章　数学的量と経験

「数学的連続性」(『形而上学・倫理学評論』第一巻、一八九三年、二六―三四頁)。本章はこの論文にかなりの変更を加えてある。「可測的な量」の節は初出論文にはない。「いくつかの注記」の節はかなり修正されている。「多次元の物理的連続体」の節は、『純粋および応用科学の一般的評論』第三巻、一八九二年、七四―七五頁に掲載の、

「非ユークリッド幾何学に関するムーレ氏への書簡」を下敷きにしている。

第三章　非ユークリッド幾何学

「非ユークリッド幾何学」(『純粋および応用科学の一般的評論』第二巻、一八九一年、七六九—七七四頁)。本章はこの論文に大幅な修正を加えてある。元の論文の「幾何学と天文学」の節は本書の第五章に移された。論文の最後の四つの段落は、次章の冒頭に移された。

第四章　空間と幾何学

「空間と幾何学」(『形而上学・倫理学評論』第三巻、一八九五年、六三一—六四六頁)。かなりの箇所が修正されている。

第五章　経験と幾何学

著者の哲学の作品のなかでも最も有名な一章。次の四つの論文を総合したもの。「非ユークリッド幾何学」(『純粋および応用科学の一般的評論』第二巻、一八九一年、七六九―七七四頁)。「幾何学の基礎について」(『モニスト』第九巻、一八九八年、一―四三頁)。「幾何学の基礎について、ラッセル氏の著作をめぐって」(『形而上学・倫理学評論』第七巻、一八九九年、二五一―二七九頁)。「幾何学の基礎について、ラッセル氏への返答」(『形而上学・倫理学評論』第八巻、一九〇〇年、七三―八六頁)。

第六章　古典力学

「力学の諸原理について」(『国際哲学コングレス論集』第三巻、一九〇一年、四五七―四九四頁)の前半部分に、「時間の測定」(『形而上学・倫理学評論』第六巻、一八九八年、一―一三頁)を加えたもの。

第七章　相対的運動と絶対的運動

「力学の諸原理について」(『国際哲学コングレス論集』第三巻、一九〇一年、四五七―四九四頁)の後半部分。いくつかの削除を行っている。

第八章　エネルギーと熱力学

著書『熱力学』(一八九二年)の序文を短縮。数式などを削除している。

第三部の一般的結論

「力学の諸原理について」(『国際哲学コングレス論集』第三巻、一九〇一年、四五七―四九四頁)の後半、とくに結論部の数パラグラフ。

第九章　物理学における仮説

「実験物理学と数理物理学の諸関係について」(『国際物理学コングレス報告集』第一巻、一九〇〇年、一―二九頁)の冒頭部分。この論文は、同じものが同年の『純粋および応用科学の一般的評論』第一一巻、一一六三―一一七五頁と『科学評論』第一四巻、七〇五―七一五頁にも掲載された。

第一〇章　現代物理学の諸理論

「実験物理学と数理物理学の諸関係について」(『国際物理学コングレス報告集』、第一

巻、一九〇〇年、一―二九頁)の後半部分。

第一一章　確率計算

「確率計算をめぐる省察」(『純粋および応用科学の一般的評論』第一〇巻、一八九九年、二六二―二六九頁)。数式のほとんどを削除している。

第一二章　光学と電気学

原注にもあるように、著書『光の数学理論』(一八八九年)と『電気学と光学』(一九〇一年、巻一(一八九〇年初出)や巻二(一八九一年初出)などを合わせた)の序文の一部を組み合わせたもの。

第一三章　電気力学

著書『光の数学理論』(一八八九年)と『電気学と光学』(一九〇一年、上記と同じ)に主としてもとづくが、加筆もしてある。

第一四章　物質の終わり

「物質の終わり」(『アシニウム』四〇八六号、一九〇六年、二〇一―二〇二頁)。本書の第二版(一九〇六年)で付け加えられた。

解　説

伊藤邦武

はじめに

アンリ・ポアンカレは一九世紀末から二〇世紀初頭にフランスで活躍した、数学者・科学者・哲学者である。彼は、ライプニッツのような万能の天才の系譜に属する最後の人、と呼ばれることもある。本書『科学と仮説』はその天才的数学者・科学者が、算術、幾何学から力学、電磁気学にまで及ぶ幅広い分野に関して、それぞれがもつ客観性や確実性の内実や意味を哲学的に分析したものであり、二〇世紀の数学の哲学・科学哲学を代表する著作の一つであるとみなされている。

本書の出版は一九〇二年であり、著者のポアンカレの没年は一九一二年であるから、本書の思想は今日の私たちにとって、すでに百年以上前のものである。しかし、本書が数学の哲学や科学哲学の世界に与えた影響は、衰えるどころか近年ますます強まっている。とくに著者の没後百年を記念して出版された多くの研究書や、彼の哲学書シリーズの最新巻などを見ると、彼の思想のオリジナリティは、むしろ最近になってより強く意識されるようになったとさえ思われる。

本書の日本語訳は岩波文庫の一冊として、これまで非常に広範囲の読者に愛読されてきた。とはいえ、改訂版から数えても六〇年以上となる今日から見ると、訳語に含まれる古い言葉などが理解を妨げる恐れは否定できない。この新版では、より読みやすくするとともに、本書が語ろうとする独創的な哲学的メッセージについて、最近の研究動向も踏まえつつ、さらにはっきりと伝わるようなものにしたいと考えた。

本書の翻訳は、原著の第二版

Henri Poincaré, *La science et l'hypothèse*, 2e éd., revue et corrigée, Paris, Flammarion, 1906.

にもとづいている。このテキストは、一九六八年以降の版では、科学哲学者ジュール・ヴュィユマンの序文が付けられ、章の区分が整理され、本書の論理が明確にされている（ヴュィユマンはラッセルの研究で有名）。さらに二〇一七年以降の版では、数学者エティエンヌ・ジスへのインタヴューを序文とし、ヴュィユマンの序文はあとがきとして付けられている（ジスは雪の結晶の幾何学で有名）。この翻訳では一九六八年版を底本としているが、構成・レイアウトなどは二〇一七年版にだいたいならった。

一　生　涯

アンリ・ポアンカレは一八五四年の生まれで、父はナンシー大学医学部教授であった。親族のなかからはフランス首相や大統領も出ており、とくに従弟（いとこ）のレーモン・ポアンカレは、第一次大戦後のフランスを国家的統合へ導いた大統領として有名である。アンリは理工科学校（エコール・ポリテクニク）に首席で入学し、国立高等鉱業学校にも在籍したのち、一八七九年（二五歳）にパリ大学で博士号を取得した。初めカーン大学に勤めたが、八一年にパリ大学理学部解析学の講師となり、八六年（三二歳）には数理物理学と確率論の教授となって、さらに九六年に数理天文学と天体力学の講座に移った。八七年（三三歳）にフランス科学アカデミー会員に選ばれ、一九〇八年（五三歳）にアカデミー・フランセーズ会員に選ばれた。一二年に病死、病名は塞栓症（そくせんしょう）、五八歳であった[1]。

（1）ポアンカレの年譜は E. Lebon, *Henri Poincaré Biographie, Bibliographie Analytique des Écrits* (General Books LLC, Memphis 2012) による（満年齢で示す）。

ポアンカレの発表論文は、一八七九年の学位論文以降、生涯で五百篇近くあり、著作は八九年の『光の数学理論』、九二年の『熱力学』、九二—九九年の『天体力学の新しい方法』三巻を初めとして、三〇冊ほどが出版された。死後の全集は全一一巻で構成され、数学・科学の分野での主要論文を収めている。彼が「最後の万能の数学者・科学者」と呼ばれるにふさわしい、驚嘆すべき才能の持ち主であることは、この全集の示す考究の深さと広さを知ることによって、直ちに理解されるであろう。

このなかからあえて著者の名声を不朽のものにした代表的な業績を挙げるとすれば、純粋数学の分野では関数論と位相幾何学での数々の華々しい理論を、物理学の分野では天体力学の体系や相対性理論への寄与を挙げることができる。私たちが今日、ポアンカレの名前に接するのは、「カオス」の発見者であったり、「ポアンカレ予想」によってであるかもしれない。前者は現代の自然観や科学に深い影響を与えている。後者は位相幾何学上の難問であるが、百年の歳月を経た二〇〇二—〇三年、ついに解決が示された。私たちはこれらの世紀の謎(なぞ)に関する解説書などを見ることによっても、ポアンカレの才能の一端に触れることができるだろう。

　ところで、ポアンカレの名前が一般の人々にも知られるようになったのは、一八八九年(三四歳)にスウェーデン国王主催懸賞論文「太陽系の安定性の説明」のコンクールで優勝し、新聞等で広く喧伝(けんでん)されるようになってからである。彼はこれ以降、啓蒙的な科学論文を発表するようになった。たとえば九一年、『純粋および応用科学の一般的評論』に「三体運動論」を発表してからは、同じ雑誌に多くの論文を発表した。

　しかし、ポアンカレはそれだけにとどまらず、専門的な哲学雑誌にも独創的な数学の哲学・科学哲学の論文を発表するようになった。一八九三年、『形而上学・倫理学評論』に「数学的連続性」を発表している。彼はこれ以降も同じ哲学雑誌に論文を発表し続けたが、彼がこのような哲学の分野でも研究を発表するきっかけとなったのは、哲学者エミール・ブートルーとの親交である。

　ブートルーは一九世紀末から二〇世紀初頭のフランスを代表する哲学者である。彼はナンシー大学の教授時代にポアンカレ家と知合いになり、アンリの妹のアリーヌと結婚した。ブートルーはその後ソルボンヌに移り、ベルクソン、デュルケーム、プルーストなど、多くの才能を育成した。彼はブランシュヴィックらとともに、コントの流れをくむ実証主義思想に対抗するための哲学雑誌『形而上学・倫理学評論』を創刊し、この雑誌をフランスの最も権威ある研究雑誌へと発展させた。ブートルーは形而上学者であるとともに、哲学史の研究者であり、とりわけライプニッツの研究で大きな業績を残した。彼は注解付きの『モナドロジー』を編集出版したが、ポアンカレはこのテキストに「ライプニッツの力学の原理への覚書(おぼえがき)」という解説を書いた。

ポアンカレはその後、一八九八年にはアメリカの哲学雑誌『モニスト』にも、「幾何学の基礎について」を発表した。『モニスト』は当時のアメリカを代表する哲学雑誌であり、マッハ、パース、ジェイムズ、ラッセルなど、世界的な哲学者の多くが寄稿する、非常に活発な国際的哲学雑誌であった。彼はこれ以降もここに論文を発表し続けた。

さらに、一九〇〇年の六月から八月にかけて、新世紀の始まりを祝うさまざまな国際会議がパリで開かれたが、ポアンカレは以下のような講演を行った。

国際哲学コングレス　「力学の諸原理について」
国際物理学コングレス　「実験物理学と数理物理学の諸関係について」
国際数学者コングレス　「数学における直観と論理の役割について」

このように、独創的な思想家としてのポアンカレの名前は、いくつかの主要な哲学雑誌への寄稿や国際的講演を通じて広く知られるようになった。そして一九〇二年に、フラマリオン社から「科学的哲学文庫(Bibliothèque de philosophie scientifique)」が、ギュスターヴ・ル・ボンの編集により新しく発刊されることになった。本書はその第一巻として出版されたのであるが、その内容は本書の「各章のもとになった論文等」に挙げたような既出の論文等を改訂し編纂(へんさん)したものである。その後、『科学と仮説』の第二版がいくつかの改訂とともに、雑誌『アシニウム』に一九〇六年掲載の「物質の終わり」を増補して、同年に出版された(本書はこの版の邦訳である)。

この作品は出版と同時に大成功を収め、ポアンカレの科学哲学者としての名声は国際的にも不動のものになった。『科学と仮説』は数年の間に、英語、ドイツ語、スペイン語、ハンガリー語、スウェーデン語、日本語などに訳され、一九一四年にはフランス版だけで一二刷を数え、発行部数は二万部以上であったといわれる。

彼は『科学と仮説』と同じ叢書(そうしょ)で、同じようなスタイルで、一九〇五年に『科学の価値』、〇八年に『科学と方法』を出版したが、いずれも成功を収め、この叢書で最も本が売れた著者となった。さらに続篇が予定されていたが、ポアンカレの急死によって中断し、一三年には第四作が『晩年の思想』と題されて死後出版された結果、最終的には四冊で終わった。

ただし、正確にはこのシリーズにはなおも続篇が計画されて、遺族に出版の許可が打診されたが、遺された妻のルイーズは家族とも相談して、結局許可を与えなかった。この出版が実現したのは第一冊の本書の刊行から百年たった最近のことである(Henri Poincaré, *L'opportunisme scientifique*, compiled by Louis Rougier, edited by Laurent Rollet, Birkhäuser Verlag, Basel, 2002)。この表題にある opportunisme は、『科学の価値』のなかにも登場し、そこでは「規約主義」といった意味で使われている。しかし、表面的には「科学的ご都合主義」という意味にもとれるので、遺族たちにとってもあまり面白くなかったかと想像される。いずれにしても、百年後に陽の目を見たこの本の Postface には、『科学と仮説』に始まるシリーズの出版に関係する非常に詳しい背景説明が付けられている。また、この科学哲学の啓蒙書シリーズ四冊の各章についての初出論文の情報や、ポアンカレの著書・論文の年代順の文献表も付いているので、とても便利な本である。

二　主題と特徴

『科学と仮説』を初めとするポアンカレの哲学の本は、いずれもきわめて明晰(めいせき)な文章で書かれている。彼の問題にしている主題も、それについての彼自身の考えも、はっきりと率直に表明されている。その意味で、彼の哲学書は読解に高度な知識を必要とするような本ではないが、彼が実際に展開している議論そのものは、決して単純なものでも素朴なものでもない。哲学者としての彼の立場は、洗練され、陰影に富んだ複雑なものである。

ここでは彼の立場を理解するために、本書の主題と最も基本的な主張とを、まず押さえておくことにしよう。

彼の哲学的反省の主題は、本書の「序文」に次のように明確に書かれている。

数学や科学が教える真理は、かつては絶対的真理だと考えられてきた。しかし、さまざまな科学のなかで働く仮説や規約の大きな役割が意識されるようになると、今度は、科学は基本的に仮説からできており、まったく信じるに足りないという、懐疑論が流行するようになった。科学への絶対的な信頼と極端な懐疑論という二つの立場は、どちらも誤りである。重要なのは、数学、力学、物理学の各分野において、仮説とか規約と呼ばれるものがどのような役割を果たしているかを、具体的に理解すること、また、「仮説」といっても、いろいろな種類の仮説があることを知ることである。

仮説には大きく三種類がある。「仮説の一つ目の種類は、検証可能なものであり、それはひとたび実験によって確証されるならば、非常に豊かな知見をもたらすような、もろもろの真理ということになる。もう一つの種類の仮説は、われわれを誤謬(ごびゅう)に陥れることなく、われわれ自身の思惟(しい)を固定させるのに有用な道具とみなされるだろう。最後に、仮説の第三の種類のものは、仮説といっても見かけ上そうであるにすぎず、実際には偽装された定義や規約に帰着するものである」(本書五頁)

仮説(hypothèse)は語源的には「下に置かれたもの」を意味するので、知的探究の前提となる事柄ということになるが、科学における「仮説」とは、普通ここでいわれる三種類のうちの第一の意味で使われることが多い。つまり、科学における仮説とは、これまでの実験や観察を通じてとりあえず立てられている仮の原理や法則で、さらなる実験や演繹(えんえき)を通じてより堅固なものにする必要があるような、暫定的真理のことである。本書はこのタイプの仮説の重要性も認めるが、科学という知的活動の本質に光が当てられるためには、この意味での仮説よりもむしろ、二番目と三番目の意味での仮説の果たす役割が決定的であると、多くの例をもって論じている。

著者がとくに注目するのは、第三の意味での仮説、つまり個々の科学的探究の出発点において想定されている、さまざま規約的命題や、暗黙の形で導入されている定義についてである。彼は、科学的探究の本質を理解するためには、この意味での仮説が果たす役割の大きさを知ることが肝心である、というのである(これに対して二番目の意味での仮説とは、別の言葉でいえば、思考や推論のためのア・プリオリな選択ということである。ポアンカレはこの意味での仮説の重要性も認める)。

『科学と仮説』全体の内容は、その表題が表わしているように、数学と物理学が、それぞれこの三種類に考えられる仮説のどれをどの程度まで活用しているのかを、詳しく吟味してみるということにある。そこで、『科学と仮説』における彼の数学・科学の分析を、右のような三種類の仮説の分類に従って、あえて単純化して整理しておくと、次のようになる。

算術において指導的な役割を果たすのは数学的帰納法であるが(第一章)、幾何学においていて重要なのは第三の意味での仮説の役割である(第四章)。そして、力学においていても同じく第三の意味での仮説の働きが重要であるが、幾何学と力学では実験的な観察や経験の役割が非常に異なるので、その全体の性格についても注意深い区別が必要である(第三部の一般的結論)。

一方、力学以外の物理学は、物体の運動ではなく物質を作る素材を扱う学問、つまり光学や電磁気学等を指すが、これらの学問においては、第一の意味での仮説、すなわち有限でばらつきのあるデータから法則的一般化を行うという、従来の意味での仮説が大きな役割を果たす。第二の仮説の重要性も、原子仮説と連続体仮説の例を見れば分かる。しかし、この一般化が不毛なものに終わらないためにも、いくつかの工夫が必要である(第九章)。さらに、熱力学のような非決定論的事象を扱う分野では、確率や統計が重要な道具となるが、確率計算の与える命題の意味は、いまだ完全に解明されているとはいえない(第一一章)。

また、光や電磁気を扱う新しい自然学では、古典的な力学やその後の熱力学の原理でも説明できない、さまざまな逆説的現象が認められている。そのために、この分野では、種々の規約が導入されるとともに、すぐに別の規約に取って代わられるという、めまぐるしい変化が生じている。この最近の物理学の歴史をよく知ることも、科学と仮説(規約)との関係を知る上で非常に有意義である(第一二章、第一三章)。
最後に、「エーテル仮説」を例にとり、仮説と実験検証が物質観転変の営みにどのように働いているかを活写している。第一〇章や第一二章冒頭にあるとおり、著者自身はエーテル実在説とは異なる意見をもっている。このことは、本書が科学と仮説の関係を分析する意図で書かれていることを改めて明瞭にしている(第一四章)。

さて、以上が『科学と仮説』で展開される議論のあえて簡単化した大筋である。このような議論が展開される理由としては、何よりもまずポアンカレの生きた時代が、数学の分野でも物理学の分野でも、激しい変化の時代であったということが挙げられるだろう。彼の活躍した時代は、一方では非ユークリッド幾何学や無限集合論がはなばなしく展開され、他方では熱力学や電磁気学などが発展しつつ、その最終的な統合のヴィジョンがほとんど見えない時代であった。ポアンカレはこうした一九世中頃以降の数学と科学の非常に大きな転換を自ら駆動する一方、科学の絶対的確実性を主張する伝統主義者と、その強い仮説的性格を主張する懐疑論者の間に立たされていた。本書はこうした硬直した二つの見方を批判して、科学についてのもっと柔軟で多元的な真理の理解を深める必要があるのではないか、という思想を提起しようとしているのである。

ところで、啓蒙的な読み物としての『科学と仮説』の特徴として、まず注目されるのは、数学についても科学についても、当時の最前線の研究を描きながら、専門用語の使用は最小限にとどめて、軽快平明な文章で書かれている点であろう。著者はデカルト以来の明晰(めいせき)でくっきりとしたフランス語の伝統を重視していて、そのことが本書の全体に独特の透明感あふれるイメージを与えている。

さらに、幾何学的空間や物理的特性を論じるために、架空の世界を想定した上で、その世界に住む者にとっては空間がどのように見えるのかを問うような、自由な議論が現れるところも新鮮である。たとえば、世界の果てに近づくほど温度が下がって、それに連動して物質の長さが短縮し、光線が円弧を描く宇宙など、いろいろな舞台が次々と登場する。数学や科学の基礎を論じるために、想像力豊かな思考が自由自在に展開されているのは、面白く読めるとともに、哲学的な反省の手法としても非常に斬新(ざんしん)である。

すでに述べたように、本書に始まるポアンカレの哲学書のシリーズは、国内外で大きな成功を収めたのであるが、それが、彼の文体のもつ優雅な明晰さと、発想の自由さ、斬新さに負っていることは疑いえない。たとえば、イギリスのラッセルやアメリカのロイスは、それぞれ哲学的にはポアンカレと立場を異にするとはいえ、この点に関しては賞賛の言葉を惜しまなかった。

そして、わが国の西田幾多郎も、『善の研究』を出版した翌年の一九一二年に、「認識論者としてのアンリ・ポアンカレ」という論文を発表しているが、そのなかでポアンカレの人柄を「真理の研究に全身を同化した真摯な学者」と呼んでいる。その上で、その文体の明晰透明さを指摘して、彼が「論理的と直覚的の両面を兼備した人」であったと論じている。ポアンカレはまさにその両面を具備した人であった。

三　数学の哲学——空間について

『科学と仮説』は、科学の大変革期を迎えた時代の方法論的反省への熱気にあふれた論考である。本書を構成する諸論文の多くは、相対性理論と量子論という二〇世紀最大級の理論的革命の前夜に当たる時期に書かれており、そこに見られる記述と分析は、著者の思考の独創性と、当時の問題意識のダイナミックな交差状況を生き生きと伝えている。そのために、本書は今日の科学史研究が参照すべき資料としても貴重な証言であるといえるであろう。

しかし、本書の主眼点は、先にも見たように、科学の現状の全体的サーヴェイを行うというよりも、科学のさまざまな分野における仮説の意義、とくに偽装された定義ないし規約というものの役割を浮き彫りにすることで、それぞれの分野が知識としてもっている客観性、確実性、信頼性について、明快な認識をもとうということである。ポアンカレの数学の哲学と科学哲学における思想は、この主張のゆえに一般に「規約主義」と呼ばれることが多い。このレッテルは彼の思想の大づかみな性格づけとしては誤ったものではないが、その正確な内容については、注意深い理解が要求される。ここからは、哲学理論として見た場合の彼の主張の内実について、少し丁寧に見ていくことにしよう。

さて、科学的推論に関与する規約という意味での仮説の重要性が最もはっきりとした仕方で理解できるのは、複数の公理系の可能性が明らかになっている幾何学の領域においてである。ポアンカレの時代は、それまでの二千年に及ぶユークリッド幾何学の絶対性が大きく疑われるようになり、いくつかの非ユークリッド的体系の可能性が提起されるなかで、幾何学的空間の真の特性はいかなるものであるか、という哲学的問いが前面に出てきた時代であった。

非ユークリッド幾何学が登場する以前の空間をめぐる哲学的反省に関していえば、当時の哲学において受け入れられていた正統的理論は、カントの超越論的観念論による説明であった。カントにとっては、ユークリッドの公理系によって理解される現象界の空間的特性は、それがわれわれの「直観の形式」として、人間精神にア・プリオリに備わったものであるため、空間的表象がユークリッド的であることは、初めから疑いえないことであった。こうした数学的真理のア・プリオリズムに対しては、本書にも登場するミルのような哲学者によって、その先験的性質を否定して、経験的な一般化としての数学的認識の説明も考えられた。しかし、幾何学的空間の表象の源泉は別として、その表象の内容がユークリッド幾何学の枠組みに従っていることは異論をまたなかった。

ところが、一九世紀中頃から、ロバチェフスキーやボーヤイ、あるいはリーマンらによって、ユークリッドの公理系とは別の体系でも幾何学的空間と、その空間内の対象の移動や運動の記述が可能であることが理解されるようになった。その結果、われわれの幾何学的知識の真理性については、ア・プリオリ対ア・ポステリオリでは対処できない、他の観点からする解釈が要求されるようになった。ポアンカレの空間論はこの点で、一方では空間の表象のア・プリオリ性を否定すると同時に、幾何学的知識の経験的正当化についても拒否する立場である。

彼の考えでは、複数の幾何学的体系のいずれが真であるかを問うことは、メートル法やヤード・ポンド法など、複数の計測法のうちのいずれが真であるかを問うのと同様に「無意味」である。問いうるのは、どの公理系＝規約に従う体系が最も「便利(commode, convenable)」であるかという点のみである。ポアンカレの採用する規約主義とは、基本的には、さまざまな認識の体系に関しては真理性についてのみならず便宜性が問われるべきであり、真偽性の問いが無意味な場合には、どの規約に従った体系の採用が便利か、という問いに帰着するという思想である(なお、幾何学と並ぶもう一つの数学の分野である算術や、集合論などのその他の領域に関しては、彼がカント的な意味での一種のア・プリオリな総合判断を認めていることには注意が必要である。その一例は「数学的帰納法」という推論の原則である。本書ではこの主題は第一章で語られるだけで、その他ではほとんど触れられていない。しかし、『科学と方法』や『晩年の思想』などで展開される、ラッセルやクーチュラ、ヒルベルトらの記号論理学に対する批判においては、この議論が大きな役割を果たす)。

それでは、ユークリッドの体系と、ロバチェフスキーやボーヤイ、あるいはリーマンの幾何学的体系のうちで、どれが最も便利なのか。ポアンカレはユークリッドの体系が最も便利であり、したがってわれわれはこの体系を優先的に採用するべきであるとする。しかし、その理由はどこにあるのであろうか。

まず、複数の体系の間の有意味性と真理に関する中立性の議論はこうである。

周知のように、ユークリッドの体系の絶対的確実性に対する懐疑は、直接的には第五公準(平行線の公準)の位置づけをめぐる議論に関連して生じたが、この公準の書き換えの可能性が発見されると、単に公準のみならず直線などの用語の定義を含む、証明体系全体の出発点となる無定義的前提の見直しが行われるようになり、結果として複数の公理系が認められるようになった。その場合、公理系の候補として容認されるためには、体系は内部的に整合的であるだけでなく、すでに歴史的な観点からしてその健全性と豊かさが保証されているユークリッドと同等の豊かな定理の世界が導出できなければならない。これは別の見方をすると、何らかの非ユークリッド体系は、それが翻訳の規則の下(もと)で、基本的なユークリッド体系への転換が認められるかぎり、少なくともユークリッドと等しい有意味性をもつのである。

しかしながら、複数の体系の有意味性が確保されるとすれば、それらは真理性に関しても同等であるかといえば、必ずしもそうとはいえない。というのも、複数の体系は形式的には同等であるとしても、幾何学的空間にはわれわれの現実の空間との合致に関して相違があるかもしれないからである。形式的整合性とは別に、現実性への条件があるとしたら、それは何であろうか。ライプニッツであれば、それは最善律によって世界が現実化されることを意味するというであろうが、この形而上学的原理の意味は曖昧(あいまい)である。ポアンカレはそこで、どの幾何学的空間のモデルがこの現実世界と合致するかを実験を通じて判定できないか、という問いを立てる。そして、この判定は原理的に不可能であると結論する。

実験を通じた経験的空間の幾何学的特性の判定は不可能である。なぜなら、実験や観察にもとづく位置や運動の数量的把握は、物的対象と測定器具との物理的接触その他の関係を通じて成立するものであり、この物理的関係のなかに幾何学的特性を判断する基準は含まれていないからである。あらゆる物理的現象はその記述の基盤として、無定義的前提を含んだ幾何学の性格を認めてしまっており、複数の体系の前提同士を比較検討する手段をもってはいない。したがって、現実空間を参照することで複数の空間モデルの真偽を決しようとすることは不毛な試みである。真理に関して複数の幾何学は中立なのである。

それではしかし、もしも複数の空間的認識の体系が真理に関して中立であるとすれば、その便利さの優劣は何によって判定されるのか。この判定には、記号的表現としての幾何学的命題(定理)の単純さという観点からする評価基準もありうる。しかし、記号的な表現の単純さというこの指標は、形式的な認識というレヴェルにとどまるかぎり本質的な優劣を示すものではない。空間的把握の便利さの優劣はあくまでも、「われわれ人間にとっての」具体的な便利さとして評価できるのでなければならない。そして、この観点からする評価において重要なのは、幾何学的空間という形式的で計量的な体系の構成に先立ってすでに成立していると考えられる、目や指の触覚など、人間の感覚的認識作用を通じて構成される質的な空間、すなわち「表象的空間」への注目である。

表象的空間は、経験のなかで構成される非幾何学的、質的空間である。この空間と形式的、計量的な幾何学的空間とは、互いに別種の空間である。というのも、幾何学的空間はその公理系がいかなるものであっても、基本的に一様で等方的であるのに対して、表象に現れる空間は全体が一様ではなく、その方向性も同一ではないからである。それゆえ、表象的空間と幾何学的空間とは本来別のものである。一方、それらの間には結びつきがあり、その結びつきの程度には濃淡がある。ユークリッド空間が「われわれにとって」最も便利であるというのは、われわれの表象的空間の成立と、ユークリッド的空間の下で把握される対象的事物の典型的な運動理解の図式が、最も近しい関係にあるということである。

　空間的表象は外界のなかに現れる対象の様子を、感覚器官における印象を基盤にして形成される。外界の対象の空間的性質とは、対象の形状や大きさ、位置、移動の様子である。感覚的印象を通じて形成される表象的空間は、これらの対象の空間的性質を特定する際に利用されている質的構造である。これに対して計量的空間は、表象的空間において把握される対象の位置関係や移動のメカニズムを、計量的に規定するために設定されている形式的構造である。幾何学的空間には、それぞれの公理系の種類に応じて、その運動変化のタイプに相違がある。

　さて、表象空間を形成するために利用される感覚的データは、視覚、触覚、運動感覚などから受容され、一つのシステムへと編成されていくが、そのデータの受容に関して最も根本的な種類の区別は、対象の「性質変化」と「位置変化」の区別である。対象の印象の変化のうちで、位置変化という観点から対象の変化を統一的に理解できるようになることが、表象的空間としての質的空間の形成に他ならない。しかし、この区別を既成の幾何学の知識を前提することなく、われわれが習得できるようになるためには、どのような基準に頼る必要があるのだろうか。

ポアンカレはこの問題に次のように答える。われわれは視覚における網膜像の二次元印象を三次元印象へと変換するために、両眼の視線の調整や焦点の調整など、眼球の周りの筋肉を使う際の筋肉感覚を基準としている。同様に、対象の移動と性質の変化の区別を立てるために、われわれは自分自身の姿勢の変化や身体の移動などにおいて経験されるさまざまな筋肉感覚を用いて、その対象の表象に関する「補償」が可能かどうかを判断する。私に与えられた対象の印象の変化において、その変化が色に関してある場合、われわれの側の行為や筋肉感覚で補償を行い、元の印象へと戻ることはできない。しかし、印象の変化が網膜上の像の位置の変化であれば、われわれは自分の側の運動変化を利用して、網膜上の元の像へと戻ることができる。これが対象の位置変化の表象の補償可能性である。

空間的表象と、その幾何学的編成のためには、こうした人間における対象の位置変化の表象基準に近い公理系が、生活上より便利であろうと想像される。われわれの身体はさまざまな柔軟性をもっているとしても、基本的には固体であり、その運動のパターンは固体的物体の運動を典型としている。それゆえ、位置的移動の規則として、固体的事物の運動パターンに最も類似した幾何学的空間が、われわれにとって最も自然で便利な空間である。そのような空間は、二千年来の歴史をもつユークリッド幾何学の空間である。したがって、この幾何学が、人間という、固体の環境のなかで固体として運動する生命にとっては、最も便利な幾何学なのである。

さて、以上がポアンカレにおける幾何学的空間に関する規約主義の議論であるが、この議論が複数の幾何学的公理系の間の応用可能性に関する、単純な比較検討から主張されているわけではないことに、注意をする必要があるだろう。ポアンカレの議論は、私たちの感覚的経験を通じて形成される質的空間把握がまずあって、それに対する量的な転換によって初めていわゆる幾何学的空間が成立するという考えに従って組み立てられている。そして、より正確にいえば、純粋に知性的な活動としての幾何学に関して表象的空間の次に形成されるべきは、位置と運動についての質的な関係のみを扱う位相幾何学が本来の幾何学であり、それに計量的な側面を加味したものがユークリッドなどの具体的な公理系であるということになる。

すでに述べたように、ポアンカレは位相幾何学という新しい数学分野で最も輝かしい業績を挙げた数学者である。したがって、彼の幾何学と空間の思想を包括的に扱おうとすれば、知覚的空間と位相空間と計量空間というこれら三者の関係をさらに詳しく見てみる必要がある。実際、現在では、宇宙空間のトポロジーについても研究が行われている。ここではそこまで広範な議論をすることはできない。ただ、彼の数学の哲学には、一般にいわれる規約主義というレッテルだけではカヴァーすることのできない、より複雑な奥行きがあるということだけは指摘しておきたい(また、ポアンカレは「幾何学的空間と人間」という主題に関して、ユークリッド空間対非ユークリッド空間という問題とは別に、「われわれにとってはなぜ三次元空間が自然なのか」というテーマについても、いろいろと議論している。この主題については、本書の第五章の「補遺」で簡単に触れられているが、さらに続篇の『科学の価値』で詳しく論じられることになる)。

幾何学においては複数の公理系が可能であり、それらは形式的体系としてはまったく同等であるとしても、われわれが生きている環境と、われわれ自身の身体の特性からすれば、ユークリッドの公理系が一番活用しやすい形式的体系である——これがポアンカレの数学の哲学における規約主義であるが、形式的科学である数学とは異なって、力学と物理学という現実世界を扱う自然科学においては、同じ規約主義といっても、問題とされる規約の意味も、科学の諸分野における規約の役割も、相当に違った姿をとることになる。

四　力学と物理学の哲学

数学の哲学を論じる本書の前半の第一部と第二部は、右に見たようなポアンカレの思想が非常にまとまった整合的な形で展開されているが、力学と物理学の哲学を論じる後半の第三部と第四部では、議論の筋道がかなりぎくしゃくしていて、すっきりとした見通しを得ることが難しい。これは、扱われている領域が古典力学から熱力学、光学、電磁気学など多岐にわたっていることにもよるが、理由はそれだけではない。後半の部分では、力学において見られる規約的性格が、物理学においても同様に見られることが指摘される一方で、当時最も活発に議論されていた電気力学の領域では、同じような発想で理論が発展できるかどうかは未知数だ、ということもいわれている。非ユークリッド幾何学のようにすでに一定のパラダイムが確立している領域ではなく、これからその形成を見届ける必要がある領域では、どのような形で規約や定義が活用されるべきなのか、まだ不確定な状態にあったのである。さらに、序文で述べられた三種類の仮説の働きが複雑に組み合わせられるからである。

まず、力学における規約の問題と、それに類比的に考えられる物理学の規約的性格ということは、次のように論じられる。

数学のような形式的整合性を求める学問ではなく、自然そのものを相手にする力学や物理学では、いろいろな事実についての観察や、観察の蓄積から推論される仮説的法則に関する実験など、無数の経験的操作によって、さまざまな法則の導出が求められる。さらに、幾何学の有効性において、われわれの環境やわれわれの身体の条件が大きな意味をもつとすると、これらの環境や身体の性質を解明するのは、もともと自然に関する経験的法則なのであるから、観察や実験によって明らかにされる自然科学の諸法則の妥当性の方が、ある意味では幾何学の有効性よりも先に承認されている必要があるといえる。その意味で、観察や実験にもとづく事実との照合という制約は、自然科学における規約的性格に大きな制限を加えているともいえる。要するに、自然科学は幾何学がそうであるように、純粋にわれわれの精神的活動の創造物であるとはいえない以上、その人為的な性格は大きく縮小するはずである。

とはいえ、自然科学におけるこうした経験的事実からの制約は、宇宙全体の構造や形成に関する理解、あるいはその変化と運動の体系的説明をめざす一般理論の構築においては、必ずしも強く働くわけではない。というのも、幾何学における実験の役割に関する議論のときと同じように、ニュートン力学のような一般理論の妥当性を問うときには、対象となる事実とそれを計測する実験器具の全体がこの理論に巻き込まれているために、実験による決着を得ることができないからである。したがって、個別的な事象をめぐる局所的な説明を超えた一般理論に関しては、実験によっては白黒のつけられない次元が必ず現れてくる。それが力学と物理学における規約の働きであるが、それは具体的には「原理」という形で登場する。そして物理学の法則と原理の関係は、「第三部の一般的結論」の最後に明確に述べられている。

このような原理にもとづく自然の理解という性格は、ニュートンの力学を基盤とする古典力学において、すでに目立った形で示されていた。ニュートン力学では、慣性の原理が重要な柱となっていることはよく知られているが、その実験的検証が無意味であることは容易に理解できる。また、質量という概念と加速度という概念も相即的な関係にあるので、これらは加速度の法則という命題のなかで、偽装された仕方で定義されている概念であると考えた方がよい。

そして、ニュートン力学が前提にする絶対時空と相対時空の区別は、ライプニッツの批判でも明らかなように、経験的な文脈ではほとんど無効であり、たとえフーコーの振り子の実験の巧妙さを認めたとしても、厳密な意味では有意味なものとは認められない。絶対的空間の前提が非ユークリッド幾何学の登場によって崩れたように、絶対的時間の前提もすでに崩れている。しかし、空間の場合と異なって、時間に関しては、意識のレヴェルで知覚される質的時間と測定される物理的量としての時間の関係は、さらに複雑な考察が必要になりそうである。

このように古典力学には複数の規約が関与しているが、こうした約束事や偽装された定義によって構成される機械論的世界像をよりいっそう推し進めるなら、物体の広がりを捨象して、質量を物体の中心点にのみ位置づけ、この架空の図式によって物体同士の力の作用・反作用を説明するという説明図式にも帰着する。その試みを一例とする、さまざまな考え方のなかで古典力学の原理中の原理というべき「最小作用の原理」――自然の内なるすべての変化は最も作用量を小さくするべく生じている――が定式化された。

古典力学以降の力学は、複雑な現象への数理物理学的説明の進展に伴って、物体の大きさを捨象して中心点の作用・反作用を考察するという分析手法から徐々に離れていった。これに代えて、複数の天体間の運動構造を扱う天体運動から、無数の空気や水の粒子が担う熱現象や流体現象を分析的に説明する、複雑な現象の力学が発達していった。しかし、これらの力学においても、最小作用の原理の下に分類できるような種々の原理が立てられる、という本質的な構造は変わらなかった。すなわち、エネルギー保存の原理(ヘルムホルツ、マイヤー、クラウジウス)や質量保存の原理(ラヴォアジエ)、エネルギー減衰の原理(カルノー)など、単純な古典的力学ではカヴァーできない自然現象の数理物理学的解明においても、原理を軸にした科学の構築という手法が維持された。あるいはむしろ、力学と物理学は、古典力学の時代以降に、原理の科学という性格を強めていったのである。

こうした複雑な現象の物理学が発達する上で、第二の仮説、すなわち「われわれ自身の思惟を固定させるのに有用な仮説」が大きな役割を果たしていることもまた明確にされている。その代表的な例は原子仮説である。もとより、物質がそれ以上小さく分割できない原子からなるという考えは、古代ギリシャの哲学者デモクリトスらの自然観にさかのぼる。自然科学の対象として原子仮説が登場するのは一九世紀初頭である。しかし一九世紀当時は、原子の存在を検証することは不可能であり、そのため原子仮説にもとづく理論には学界の一方から強い批判が浴びせられた(今日の統計物理学の礎(いしずえ)を築いたボルツマンが自殺する一因になったとされるほどであった)。ポアンカレの立場では、本書の第九章に述べるように、原子論にもとづくモデルも連続体モデルも、いずれも検証できないゆえに、双方とも物理現象を理解するための中立的な仮説である。そして、「具体的なイメージでわれわれの知性を支える」(本書二六八頁)とみなすものである。このことは、科学に携わる人間精神の自由な創造性の発揮を重視する、ポアンカレの思想の根幹をはっきりと表わしている。そして、このポアンカレの思想の特徴は、原子仮説をめぐる硬直した発想と明確な対照を示している。

そして、古典的力学以降の新しい自然科学的探究における「原理の物理学」という観点から、マクスウェルによる電磁気学の体系化を描いている。マクスウェルは電気や磁気の現象について、それ自身の力学的方程式を得ようとはしない。代わりに、これらの現象が力学的な説明をもつとしたら、それらの説明が満たすべき必要十分条件を考える。そのような条件は、これらの現象を構成する二つの量(運動エネルギーと位置エネルギー)の関数を一つにまとめるような、ラグランジュ方程式が得られることであり、この条件もまた最小作用の原理の維持のために考えられることである。マクスウェルはこの条件を見定めた上で、実験的法則との照合を行い、この方針が実際に有効であることを確かめた。彼はさらに、さまざまな種類の電気現象と磁気現象のみならず、光と電磁気という表面上異なった分野を統一する一般理論が可能であることを示したのである。

このように、新しい力学においても、その延長上の光学や電磁気学においても、とりあえずは、いくつかの既存の「原理」を保存するような仕方で理論の体系化が図られていることが、何よりも重要な特徴であり、その道筋で中立的仮説も重要な働きをしている、というのが本書の後半部分の主張である。

とはいえ、話はこれですべて終わり、というわけではない。本書の最後の方で出てくる、電気力学や放射性物質の理論では、こうした旧来の原理の保持ということがもはや有効に働かなくなっている。そのために、さまざまな規約が次々と交代するという事態も生じている。ここから、とくに電気力学を論じた第一三章では、この勃興しつつある科学の現場を実際に観察することが、科学的探究の本性を理解する上できわめて有益だ、といわれるのである。

この章では、アンペールからヘルムホルツ、マクスウェル、ローランドへと移行していく理論的発展の筋道がトレースされるが、最終的にはオランダの物理学者ローレンツの理論的格闘への共感でまとめられている。ポアンカレのこの共感は、個人的な尊敬の念という側面もあったかもしれないが、それだけではないと考えられる。というのも、この章で扱われている主題は、先の空間の問題と並ぶ哲学上の大問題である、時間の本性という主題へと直結するからである。

数学の哲学者として空間を論じたポアンカレは、当然のことながら、科学哲学者として時間の問題にも注意を払っており、そのことがすでに触れた古典力学の絶対時空・相対時空の問題とも関係している。そして、この問題は本書で扱われるテーマを超えて、この後のポアンカレの重要な研究テーマとなっていく。ここでは、この章の内容とからめつつ、このテーマについて触れることにしたい。

五　時間の問題へ

電気力学(électrodynamique)という学問は、電気現象から磁気現象、力学現象など、さまざまな現象間の関係を明らかにする学問であり、基本的には、運動している物体が有する電磁気的現象の研究を意味している。その著作にこの学問名を使ったアンペールは、いわば電気力学の創始者とも目されるが、彼自身はこの学問を単に電磁気学の別名のように考えていた。しかし、アンペールからローレンツへと辿られる電気力学の歴史は、実際に、それまでの電磁気学の領域を広げて、運動体の電磁気現象というより謎の深い複雑な領域へと進んでいった。

本書の第一三章での電気力学の歴史は、だいたい次のようなストーリーになっている。

まず、電磁気学の祖ともいうべきアンペールは、閉じた回路のなかを循環する電流と放電のような開かれた電流とを区別して、前者についてのさまざまな実験を考案することで、電気に関するいくつかの法則を打ち立てた。ただ、この法則には不自然なところもあったため、ヘルムホルツはアンペールの暗黙の前提に誤りがあると考え、いくつかの理論的修正を行うことで、電気ポテンシャルについてのより正確な理解をもたらした。しかし彼らの理論はなお、電気を伝える媒体についての理解をもたなかったために、電磁場の性質についてほとんど何も説明しないという欠点をもっていた。この欠点を克服し、電磁現象を統一的に解釈する図式を打ち出したのが、マクスウェルである。彼の理論によって、開かれた電気の概念は廃棄されるとともに、電磁気的現象と光の現象との間にも架け橋がもたらされた。

ただし、マクスウェルの理論は電磁気学の体系化の可能性を示しはしても、当初には、光行差、光の波動の随伴現象、磁場による偏光、ゼーマン効果など、多くの謎を未解決なまま残していた。これらの難問のほとんどすべてを解決して、エーテルと電子から構成される電気力学的現象を整備し、電子論の理論的整備を行ったのがローレンツである。とはいえ、ローレンツによる電子論の構築が電気力学という学問の一つの達成点であるとしても、これを先に見てきた物理科学の課題である、基礎的な原理の保存維持という観点から見ると、大きな問題を孕(はら)んでいることが分かってきた。というのも、本書の第一〇章「現代物理学の諸理論」においても詳しく検討されているように、電子の運動を静止エーテルに対する相対運動として描きだすこの理論は、作用・反作用の力は等しいという、ニュートンの原理を破っていると考えられるからである(エーテルは電子に作用を及ぼすが、逆は直ちには成立しないため。実際のところ、作用・反作用の法則は、マクスウェル応力やポアンカレ応力の導入により、物質とエーテルで作用・反作用を考えるのではなく、物質と場に対して考えることに変わっていく)。

本書では、こうして、すでに複雑な経路を辿ってきた電気力学という主題が、(ポアンカレにとっての)現代物理学において、一つの非常に重要な根本的解決を要求する分野として示されているわけであるが、この問題は実際には、単に物理学の問題にとどまることなく、哲学的な角度から見ても大いに興味深い、重大な謎であると見られている。

ここで、空間と並ぶ力学・物理学の最も基礎的な概念である時間の問題に議論を移すと、ポアンカレは先に触れた、古典力学における絶対時空の問題を論じる箇所(第六章)でこう書いている。

「絶対的時間というものも存在しない。二つの持続が等しいという言明は、それ自体としては意味をもたず、ただ規約によってしか意味をもつことはできない。われわれは二つの持続の等しさに関して、直接的な直観をもってはいない。それだけでなく、二つの異なった場面において起きる二つの出来事に関して、それらの同時性ということについての直観すらもたない。私はこのことを、「時間の計測」という題の論文で説明した」(本書一七〇頁)

この引用文にあるように、彼の時間論は本書の出版より四年前に発表された「時間の計測」という論文で最初に論じられたのであるが、本書では簡単に紹介されただけのこの論文は、次の著作『科学の価値』には全文が収録されている。彼はそこで、右の引用にあるように、二つのことを主張した。一つは、われわれの意識のレヴェルでの時間の観念(質的時間)に関しては、時間に関する前後関係などの漠然とした知覚はあるものの、二つの持続の等しさに関する明確な直観はなく、場所的に離れた二つの事象が同時であるかどうかを判定する直観もない。さらに、意識のレヴェルではなく、外界の事実に関する客観的な時間(量的時間)の計測に関しても、厳密な意味での同じ長さの持続や同時性についての判定には多くの規約が関与していて、決して素朴な意味での時間規定は成立しない。

この「時間の計測」という論文では、前者の質的時間に関して、空間論の場合と同様に、ポアンカレの非常に鋭い議論が展開されているが、ここではその内容には触れないことにする。問題は後者の客観的時間の計測もまた、規約的なものだという彼の主張である。この点について「時間の計測」の議論はこうである。

われわれの日常的な時間は時計によって計測されており、その計測の基礎には振り子の周期の等時性や、北極星などの天文学的対象を参照した計測法があるが、これらはあくまでも日常的な有効性をもつだけで、振り子に働く気温や湿度の影響や、地球の自転に働く他の天体の影響を考えれば、真の厳密性をもつものではない。客観的時間における事象の先後関係ということには、さらに、事象同士の因果関係と時間的関係との間に横たわる概念的曖昧さ、という問題もつきまとう。しかし、何よりも厄介なのは、われわれが非常に離れた物体に生じた出来事の同時性を語るための、厳密な方法をもたないことである。

非常に離れた位置で運動する物体の現象を、自らも運動している地球上で観測し、そこに同時性を認定するためには、光に関する正確な力学が必要である。同様に、ベルリンとパリの間で電信によって時計の調整を行うためにも、正確な電気力学が必要である。しかしながら、その基礎を提供するべき電気力学がいま見たように未完成であるとするならば、われわれにはこれらの計測技術として工夫してきた、たくさんの実用的な規約的方法を応用する以外に、対応するすべはないのである——。

論文「時間の計測」の内容はだいたい以上のようなものであるが、この問題意識は、『科学と仮説』を出版した後のポアンカレにとって、一貫して追求され続けることになる。

たとえば、この論文と同じように『科学の価値』に収録された論文として、「数理物理学の歴史」「数理物理学の現在における危機」「数理物理学の未来」という三つの章があるが、これらはもともと一九〇四年に、アメリカによるフランス領ルイジアナ州の買収から百年という年を記念して開催された、セント・ルイスでの芸術科学国際コングレスで発表された、ひと続きの招待講演である。彼はこの講演で、今後の数理物理学にとって、電気力学の成功如何（いかん）が決定的な意味をもつことを強調する。というのも、それ以前の物理学の歴史に現れた数々の「危機」とは異なる、本当の意味での重大な危機が訪れようとしており、その危機の最も顕著な例が電気力学における理論上の不整合として現れているからである。ポアンカレはそのためにローレンツの理論を紹介し、「ローレンツ変換」という言葉を初めて導入しただけでなく、この理論が主張する。

「相対性原理」というガリレイ以来の力学の原理に新しい重要性をもたらしていると主張する。

ポアンカレの理解する相対性原理とは、「物理学の諸現象をめぐる法則は、静止している観察者と、その観察者に対して一様な平行運動を行っている観察者にとって、同一のものでなければならない」という原理である(本書第一〇章参照)。ローレンツの電子論にとっては、マクスウェルの場の方程式を活用した基礎方程式が、静止する座標系を特別視するという点で、この原理に抵触する恐れがある。そこでローレンツ自身はすべての慣性系で方程式が同じになるような、空間と時間の座標を変換する方法(これが、ポアンカレのいう「ローレンツ変換」である)を考えたが、これでも問題は残っている。

というのも、すでにマクスウェルにより指摘されているように、エーテル内を進む地球の運動を検出できるようになるはずであったが、さまざまな実験はその予測を裏切ったからである。そのために、ローレンツは「収縮仮説」という別の仮説を組み合わせて、この困難を乗り越えようとした。本書でもこの主題に触れた箇所があるが、ポアンカレ自身はこうした解決法に完全に満足したわけではない。

ところで、二〇世紀初頭の物理学の大革命の歴史に興味のある人にはよく知られているように、一九〇四年というこの年は、アインシュタインが特殊相対性理論を含む一連の論文を発表したいわゆる「奇跡の年」の一年前である。アインシュタインは一九〇五年に、ブラウン運動に関する新しい見方や、量子仮説に関する論文など、五篇の論文を集中的に発表したが、なかでも「運動物体の電気力学について」という論文は、相対性理論への最初の最も重要な取組みであると考えられている。

この年に相対性理論への決定的な一歩を踏み出したアインシュタイン自身が、本書『科学と仮説』の初版を読んでいたとされる一方で、同じ問題を扱う前年のポアンカレの講演記録に接したのかどうかは、科学史的には興味深い問題ではあるが、現在でもあまりはっきりしていない。はっきりしていることはただ、アインシュタイン自身はローレンツとはまったく別の視点に立って、エーテル中の地球の運動の検出不可能の理由を説明したことである(彼は相対性原理と並んで真空中の光の速度一定の原理を導入することで、この検出不可能の理由を与えると同時に、エーテルを想定することを無意味なものとした)。

そして、ポアンカレもまた、アインシュタインの論文の登場後も、その相対性理論には格別の興味を示すことなく、引き続きローレンツの電子論という理論的枠内で、電気力学と時間の問題を考えていくことになる。彼は、すでに述べた一九〇四年のセント・ルイスでの講演で、「局所的時間」という概念を用いて時間を説明しようとするローレンツの理論を紹介しつつ、それに独自な解釈を加えた。

ローレンツの局所的時間とは、エーテル内で静止している物体についていわれる時間が「真の時間」であるのに対して、エーテル内で運動している物体についてその固有の時間を指すために導入された「虚構の時間」である。ローレンツは物体の速さと光の速さ、物体の位置を使って、この時間を真の時間へと近似させる式を考案したが、ポアンカレはこの時間が、エーテル内を移動しつつ、電信技術を使って複数の場所の時間を同期させる技術者の手順と等しいことを示したのである。

そして、『科学の価値』に続く第三の著作『科学と方法』には、「力学とラジウム」「力学と光学」「新しい力学と天文学」という三章を収録しているが、これら三章ももともとは、『純粋および応用科学の一般的評論』に発表した「電子の力学」という一篇の長い論文(一九〇八年)を三分割したものである。彼はこの論文では、ラジウムの娘核種の放射線の一つβ線や電磁場を運動する電子の質量の問題を論じつつ、物理学における「対称性」という概念の有効性を吟味しているが、ここでも光の運動論における光行差の問題を扱いながら、エーテル論という枠組みの下での時間の測定というテーマを扱おうとしている。

ローレンツはこの頃、自分の局所的時間の問題を改良して、真の時間と調整された局所的時間が「同一」となる方法を考案したが、ポアンカレによれば、このことは改めて彼自身やローレンツの重視する相対性原理の有効性を証明し、エーテル中の地球の運動が検出できない理由を与えてくれる。さらに、この理論によって、光や電波の伝達によって得られる見かけ上の時間が、互いの見かけ上の距離に比例することも示されるという。

そして最後に、ポアンカレは「空間と時間」という論文(イタリアの雑誌『科学評論』に一九一二年発表し、『晩年の思想』に収録)で彼の晩年の考えを示している。注目されるのは、彼はこの論文では、これまで積極的に表明していたローレンツの理論に対する共感について、むしろ慎重な姿勢を前面に出していることである。

ポアンカレはこの論文で、空間という形式がもつ規約的性格について、本書以来の自分の立場を再説した上で、時間についても同じように規約的な性質が認められると主張する。しかし後者の規約的性格は、「時間の測定」以来の多様なテクニックの選択という次元を超えて、より根本的な理論的選択を迫るものであるという。そうした選択を迫るのは、ローレンツが固定された軸に結びついた座標から見られる事物の運動と、回転する軸に結びついた座標から見られる運動との間に、相対性を確保しようとして導入した理論的工夫である。ローレンツはこのような運動の同等性を確保するために、「ローレンツ群」と呼ばれる新しい形式的概念を導入するとともに、座標の変換において保存されるのは、現象において観察される事実間の法則的結びつきではなく、その種の法則の微分方程式であるとする。

ポアンカレは、このような理論的工夫の下で認められる世界の時間と空間という形式が、もはや従来の意味での二つの独立の参照軸ではなく、ミンコフスキー空間と同様の一つの四次元時空になるという。そして、こうした理論的帰結がきわめて大きな革新性をもつことを認めた上で、この種の革新的帰結はわれわれに従来の理論的選択以上の大きな決断を要求するという。その上で彼は次のように書いている。

「この理論の下では、あたかも時間が空間の第四の次元であるように、すべてが生起する。〔……〕重要なことは、この新しい考えにおいては、空間と時間とはもはや互いに別々に考察することのできる二つのまったく別個の存在ではなく、あまりにも密接に結ばれているために容易に分離できない二つの部分となっていることを、理解することである。われわれはこうした新しい考えに対して、いかなる態度をとったらよいのか。われわれには従来の結論を修正することが義務づけられるのであろうか。まったくそうではない。われわれは自分たちに便利だと思われたがゆえに、自分の規約を採用したのであり、この点では何ものもわれわれを拘束することはない、といわれてきたのである。今日では、幾人かの物理学者がこの新しい考えを採用したいと表明している。〔……〕しかし、この意見に与することのない者は、自分の旧来の習慣を乱されることなく、昔からの考えを保持する正当な権利があるはずである。私の信じるところでは、われわれの間ではこれからまだ長い間この習慣が守られるであろう」

さて、これがポアンカレの晩年の空間と時間の立場であるとすれば、少なくとも次のような二点が注目されるであろう。

一つは、彼の哲学においてその基本的なスタンスであるいわゆる規約主義の立場は、『科学と仮説』以来一貫して変わらないということである。本書のなかでもたびたび指摘されるように、数学や自然科学における仮説や規約の意味と役割は一様ではない。しかし、その性格の厳密な意味を特定することで、科学に携わる人間精神の自由な創造性の発揮の余地を理解することができる、という彼の思想の根幹は最後まで貫かれている。

第二に、彼はまさしくその規約主義のゆえに、アインシュタインの相対性理論の強力さを目の当たりにしながらも、必ずしもそれに積極的に加担することなく、従来の時間と空間の分離の立場にとどまろうとしているようにも見えることである。このことは結局、ポアンカレの哲学思想に関して何を意味しているのであろうか。

まず、このことが、彼の思想に内在する一種の保守主義を表わしているということは疑えない。本書の随所で語られるように、理論の革新性を称揚するポアンカレはまた、旧来の理論モデルの廃棄に最大限の慎重さを要求する思想家でもある。彼はいかにめざましい理論モデルが登場してきても、従来の理論の無効性が完全に認められるまでは、安易に新しい仮説に加担することをしばしば諫めている。

それと同時に、相対性理論という物理学への賛同を保留するこの態度は、ポアンカレの哲学的反省の特徴についても再考を促す面をもっている。本書で何度も繰り返されているように、彼の思想の出発点は、感覚的知覚の作用や身体的運動を行う人間の能力と、形式的体系や論証的推論を行う知性の作業とを、具体的な理論的局面に即して考察しようという方法論にある。この方法論にとっては、空間と時間の問題は、あくまでも計量的空間の認識を土台にして、その上に力学や物理学の構造を積み上げていく、という性格をもっている。そのような立場にとって、四次元時空を導入するアインシュタインの物理学とは別の道を探ろうとすることは自然であったと思われる。(2)

(2) 一方で、ポアンカレは「ローレンツ群」を一般化した「ポアンカレ群」を独自に提示している。ポアンカレ群は、時空の変換を表わす数学的形式であり、特殊相対性理論にとって基本的な変換群であるとともに、相対論的場の量子論に至っても用いられる概念である。本解説の第三節の末尾で「より複雑な奥行きがある」と指摘したことの一例でもある。

ポアンカレのこうした姿勢がいまなお有効なものであるといえるかどうかについては、いろいろな意見があるにちがいない。しかし彼自身は、最後の著作『晩年の思想』で数学の学派を二つに分類し、自分の姿勢を「観念論的プラグマティズム」の側に位置づけていたことを記しておきたい。プラグマティズムとはこの場合、規約主義の別名を指しているといえる。そして、観念論的ということは、人間精神の積極的な働きを重視する、という意味だと考えられるのである。

＊

現代の科学に親しみ通暁している読者には、本書を読んで不思議な感覚を受ける方々も多いだろう。取り扱われている題材が、一世紀以上前の数学や物理科学であって、古めかしい事柄ばかりである。それなのになぜ、書かれて百年を経ても科学者に生き生きとした感覚を与え続けているのだろうか、と。

本書では、著者自身の壮大な研究は、触れられているとしても極端に切り詰められている(たとえば位相幾何学(トポロジー)の創生については、「位置解析」という標語と数行の説明を述べているにとどまっており、そのような例はいくつも挙げることができる)。

逆に、科学における仮説に関する深い省察を述べるために、多種の仮説(たとえ自らの科学的な考え方とは違っていても)を取り上げ、科学にもたらす発展を説明している。そして、この省察こそが本書による刺激の源泉である。本書刊行後のこの一世紀に、科学自体は大きな変貌を遂げてきた。しかし、その過程において、科学者たちが創造的な成果を挙げていく上で、どのように「規約」を仮設し、検証や棄却を繰り返してきたかという道筋は、著者の省察の予言した道を辿ってきたといってよいだろう。

たとえば、非ユークリッド幾何学について、第四章の結論において、経験は幾何学の選択において「われわれに、どの幾何学が最も真であるかではなく、どれが最も便利であるかを教えてくれるのである」（本書一三八―一三九頁）と断言している。ポアンカレの時代の経験的知識にとっては、ユークリッド幾何学が最も便利で明快であった。二〇世紀に入り、天文学的考察が深まるにつれ、一般相対性理論がアインシュタインによって提示されたが、それはリーマン幾何学で定式化されている。これは本書で示された洞察の予測したとおりであろう。

また、別の例としては、古来より宇宙を満たすと想像されてきたエーテルが、光学を初め古典物理学の発展を促す仮説として活用されてきたことを省察している。エーテル仮説は廃棄されてしまった。そして現在では、「ダークマター」や「ダークエネルギー」と名づけられたものが宇宙に満ちているという仮説の下（もと）、その正体を突き止め、新たな法則を見出すべく、科学者たちは知恵を絞っている。その道筋では新たな多数の仮説が提案され、論理的整合性の検討に活躍し、検証と棄却を繰り返しながら明確な法則が探求されている。これもまた、本書で示された洞察の道筋に沿っているといえよう。

現代の科学に親しみ通暁している読者が受ける不思議な感覚とは、今日、科学の最先端で知恵を絞っている精神の働き方が、本書に百年も前にすでに早くも洞察されて書かれているということにあろう。そして、また、「ダークエネルギー」などの正体を適切に理解させる法則が得られる日が来たその時にも、私たちが新たな謎に直面し、新しい規約や仮説を考案し検証に努めていることを予感させることにあろう。

本書は今後とも生きた古典であり続けるだろう。

＊

本書は世界中で翻訳され、わが国でも多くの翻訳が出版されてきた。なかでも、河野伊三郎氏の訳は、岩波文庫の一冊として広く愛読されてきた。河野氏の翻訳には、今回新たな訳業を進めるに当たって教えられるところが多かった。この場を借りてお礼を申し上げる。また、数物科学の専門用語については、伊藤公孝(物理学者、実弟)のコメントを得たことを感謝する。

原著の時代の雰囲気を生かしつつ、今日の読者の理解を得るように努めた。そのため、今日では奇妙に感じられる言い回しもあるかもしれない。訳者の努力にもなお不十分なところがあるのではないかと思う。読者のご批判を乞う次第である。

また、この解説で述べたことは、拙著『フランス認識論における非決定論の研究』(晃洋書房、二〇一八年)、および筆者の発表論文「ポアンカレと数学的真理の厳密性」(『龍谷大學論集』第四八七號、二〇一六年三月、四二―六一頁)、「ラッセルとポアンカレ」(『現代思想』四五巻二一号、二〇一七年一一月、一八―二九頁)、「ポアンカレの時間論」(『龍谷哲学論集』第三三号、二〇一九年一月、一―一八頁)も参考にしていることを付記する。

この新訳刊行については、岩波書店の市こうたさん、大山美佐子さん、古川義子さんにお世話になった。とくに文庫編集長の永沼浩一さんには、翻訳の文体の調整、構成や表記に至るまで一貫して懇切な御助言、御協力をいただいた。心から感謝申し上げる。

恵子に感謝する。

付録 人名解説

原著にはないが、独自に「人名解説」を付す。本書がポアンカレの広い知的背景を踏まえて書かれていることを知る上で役立つだろう。（訳者）

ア 行

アブラハム Max Abraham
一八七五‐一九二二。ドイツの理論物理学者。ベルリン大学のマックス・プランクの下で学び、物理現象一般を電磁気学的説明で統一しようとする電磁的世界観を唱えた。主著『電気理論』が広く読まれた。

アルキメデス Archimēdēs
前二八七頃‐前二一二。ギリシャの数学者。シケリアのシュラクサイに生まれ、アレクサンドリアで学び、帰国して数学、物理学の研究をした。アルキメデスの原理（物体が受ける浮力は排除した流体の重さに等しくその重心に働くこと、または、量の測定の基本定理）、梃子の原理、円の内接および外接多角形から円周率を求める方法、兵器の考案など、多数の発見・発明をした。浮力の原理を着想した時の言葉「エウレカ」は、発見を知らせる言葉となった。

アンドラード Jules Andrade

一八五七―一九三三。フランスの数学者、物理学者。ブザンソン大学で力学の教授となり、解析学、幾何学、物理学で業績を挙げた。一九〇二年以降、時計学の研究に専念し、ブザンソン・クロノメトリー学校を創設した。

アンドリューズ Thomas Andrews

一八一三―一八八五。アイルランド出身の化学者、物理学者。グラスゴー大学で学位を取得。クイーンズ大学ベルファスト教授。化学反応が高温で早くなることを示し、また、気体の液化の研究を行い、炭酸ガスの臨界点を発見した。

アンペール André-Marie Ampère

一七七五―一八三六。フランスの物理学者。リヨン大学、理工科学校の教授を歴任し、のちにフランス科学アカデミー会員。デンマークのエルステッドが一八二〇年に行った電磁気学の実験を発展させ、「アンペールの法則」と呼ばれる一連の法則を確立した。気体分子運動論の研究も行った。電流の単位アンペアは彼の名にちなむ。

ウィーヒェルト Johann Emil Wiechert

一八六一―一九二八。ドイツの地球物理学者。ゲッティンゲン大学教授。地震学を研究するかたわら電磁気学の研究を行い、地震計の数学理論を発展させた。ウィーヒェルト式地震計を考案した。

ウェーバー Wilhelm Eduard Weber

一八〇四―一八九一。ドイツの物理学者。ハレ大学で学位を取り、ゲッティンゲン大学教授。ガウスとともに磁気を研究し、世界初の磁気地図を作成する。電流は荷電粒子の運動と考える描像を提示し、荷電粒子に働く力を論じるなど、電磁気学の確立に寄与。磁束密度の単位ウェーバーは彼の名にちなむ。

ヴェルヌ　Jules Verne
一八二八‐一九〇五。フランスの作家。パリ大学で法律を学んだ後、文学に転向。オペラの台本などを書いていたが、科学的空想冒険小説という新しい文学ジャンルを開拓した。代表作に『地底旅行』『海底二万里』『八十日間世界一周』など。

ヴェロネーゼ　Giuseppe Veronese
一八五四‐一九一七。イタリアの数学者。無限の概念を精緻(せいち)化する超限数やモデル理論に発展する重要な概念を提示した。幾何学の基礎を論じ、非アルキメデス幾何学(量に関するアルキメデスの原理を必ずしも要請しない)の発展を促した。

ヴォルタ　Alessandro Volta
一七四五‐一八二七。イタリアの電気化学者。ヴォルタの電池を発明し、電気学の発展に貢献した。一七八〇年頃からカエルの足を使った電気の実験が行われていたが、ヴォルタはその誤りを正した。銅板と亜鉛板と塩水を含ませた「ヴォルタの柱」を考案し、電池で電流を生み出すことに成功した。電圧の単位ボルトは彼の名にちなむ。

オーム　Georg Simon Ohm
一七八九‐一八五四。ドイツの物理学者。独学で物理学を学び、ケルンの高等中学校の教師などを経てミュンヘン大学教授となった。ガルバーニ回路の実験を行い、電流の強さ、抵抗、電圧の関係を示す「オームの法則」を発表した。電気抵抗の単位オームは彼の名にちなむ。

カ　行

ガウス　Johann Carl Friedrich Gauß
一七七七―一八五五。ドイツの数学者、天文学者、物理学者。幼い頃から神童として知られ、ゲッティンゲン大学で学び、ゲッティンゲンの天文台長を長く務める。近代数学のほとんどすべての分野に影響を与えるなどきわめて豊富な研究成果を挙げ、数学や物理学の各分野にガウスの名を冠した多数の法則や手法を確立した。また、多くの指導的数学者を育てた。物理学のCGSガウス単位系は彼の名にちなむ。

カウフマン　Walter Kaufmann
一八七一―一九四七。ドイツの物理学者。ベルリン大学とミュンヘン大学で学び、ケーニヒスベルク大学で教えた。電子についての研究を行い、電子の質量が速度に依存することを実験的に検証した。アインシュタインやローレンツの相対性理論ついての実験的検証も試みた。

カーライル　Thomas Carlyle
一七九五―一八八一。スコットランド出身の評論家、歴史家。エディンバラ大学を卒業し、ロンドンに出てドイツ・ロマン派の紹介者として有名になった。功利主義や物質主義に反対して「チェルシーの哲人」と呼ばれた。代表作に『衣装哲学』『当世批評』など。

ガリレイ　Galileo Galilei
一五六四―一六四二。イタリアの物理学者、天文学者。近代科学の創始者の一人。ピサに生まれ、ピサ大学で医学を学ぶ。その間に振り子の等時性を発見する。ピサ大学数学講師からパドヴァ大学数学教授となる。その間に落体の実験を行う。トスカーナ大学の数学と哲学の教授となり、フィレンツェに戻る。月面観察や木星の衛星の発見を行い、『星界の報告』を出版。『天文学対話』で地動説を擁護したために、異端審問所に呼ばれ、「異端誓絶」を強いられた。さらに『新科学論議』を出版。

カルノー Nicolas Léonard Sadi Carnot 一七九六―一八三二。フランスの物理学者、数学者。フランス革命のさなかに生まれ、理工科学校で、電磁気学をアンペール、熱力学をゲーリュサックに学んだ。蒸気機関の研究を行い、主著『火の動力に関する研究』で、物体の温度、圧力、体積からその熱力学的状態を規定する方法を編み出すとともに、状態が元の状態に戻るカルノー・サイクルの理論を生み出した。

カント Immanuel Kant 一七二四―一八〇四。ドイツの哲学者。ケーニヒスベルクで生まれ、ケーニヒスベルク大学を卒業し、同大学教授、総長を歴任。ニュートンらの自然哲学の展開にも興味を示しつつ、科学的合理性と啓蒙的人間理性、合理論と経験論を統合して批判哲学を創始。近代哲学の基礎を築いた。人間の認識能力を分類し、その限界と能力を確定する企てとして、超越論的哲学を展開した。いわゆる三批判書、『純粋理性批判』『実践理性批判』『判断力批判』など数多くの著作があり、多岐にわたる分野の学問を論じた。

キルヒホフ Gustav Robert Kirchhoff 一八二四―一八八七。ドイツの物理学者。ケーニヒスベルク大学で学び、ハイデルベルク大学で教えた後、ベルリン大学物理学教授。オームの法則を一般化したキルヒホフの法則を導いた。電線中の電気振動と光の速度が等しいことを計算し、マクスウェルの研究への道をひらいた。黒体の概念を導入し、プランクの量子論への道もひらいた。『力学講義』は一九世紀の代表的なテキストとして大きな影響を及ぼした。

グイ　Louis Georges Gouy
一八五四―一九二六。フランスの物理学者。パリ大学で学び、リヨン大学で教え、のちに科学アカデミー会員となった。光学研究の他、ブラウン運動の研究などを行った。

クライン　Felix Christian Klein
一八四九―一九二五。ドイツの数学者。ボン大学で学び、エルランゲン大学、ゲッティンゲン大学で教えた。エルランゲン大学就職講演において、幾何学とは何らかの変換群の下(もと)で不変な性質を研究する学問であるとし、変換群の分類により幾何学の分類が可能になることを示した。就職前にはパリで学び、ポアンカレと交流するとともに、リーと群の研究を行った。「クラインの壺(つぼ)」は位相幾何学の有名な概念である。

クラウジウス　Rudolf Julius Emanuel Clausius
一八二二―一八八八。ドイツの物理学者。ベルリン大学、ハレ大学で学び、チューリッヒ工科大学などで教えた後、ボン大学教授、学長を歴任。熱と力学的な仕事とが互いに交換されることを論証し、熱素説を退けてエネルギーとしての熱の理論を考案した。エントロピーを導入し、熱力学の第一法則、第二法則を確立した。これ以外にも幅広い研究を行い、理論的物理学の祖の一人とみなされている。

クルックス　*Sir* William Crookes
一八三二―一九一九。イギリスの科学者、物理学者。王立化学大学で学び、王立協会フェローとなり、会長を歴任。タリウムを発見、高真空度の放電管(クルックス管)を用いた陰極線研究を初め、幅広いテーマで業績を挙げる。陰極線が荷電微粒子からなることを示した。クルックス管による研究は電子やX線の発見をもたらし、物理学や化学の変革に寄与した。

クレミュー Victor Crémieu
一八七二—一九三五。フランスの物理学者。ソルボンヌのリップマンの下で物理学の学位を取得。荷電粒子の運動による磁場生成の実験や、万有引力の測定に携わった。

クロネッカー Leopold Kronecker
一八二三—一八九一。ドイツの数学者。ベルリン大学で学び、師のクンマーの跡をついで教授となった。代数的整数論の分野で先駆的業績を挙げた。数学のすべての分野を自然数論に還元する立場をとった。二〇世紀の数学の発展に影響を与えた。

クーロン Charles Augustin de Coulomb
一七三六—一八〇六。フランスの土木学者、物理学者。摩擦の研究を出発点にして、電荷と電荷との間に働く電気力の大きさと向きを定める「クーロンの法則」を実証的に確立するとともに、電荷間の力が距離の二乗に反比例することを示した。静電気の定量的な分析を可能にした彼の研究から、ポアソン、ガウス、グリーン等のポテンシャル論の道がひらかれた。電荷の単位クーロンは彼の名にちなむ。

ケーニッヒ Johann Samuel König
一七一二—一七五七。ドイツの数学者。ヨハンおよびダニエル・ベルヌーイ父子に学び、J・ヘルマンの下でライプニッツの哲学を学ぶ。女性科学者として名高いシャトレ公爵夫人に数学や哲学を教えたことで知られる。

ケプラー Johannes Kepler
一五七一—一六三〇。ドイツの天文学者。惑星の運動に関する三つの法則を確立した。テュービンゲン大学で神学を学んでいたが、コペルニクスの天文学に触れて、天文学に転向した。一六〇〇年、プラハのティコ・ブラーエに招かれ、その膨大な天文学的観測データを駆使して、惑星の楕円軌道からなる画期的な太陽系のモデルを構築した。『新天文学』や『世界の和声学』などの著作によって、ニュートンの力学体系への道を用意した。

ゲーリュサック Joseph Louis Gay-Lussac 一七七八-一八五〇。フランスの物理学者、化学者。理工科学校で化学、ソルボンヌで物理の教授を務め、熱力学や化学反応論に進歩をもたらす。ゲーリュサックの第一法則(本文にも触れられている)や第二法則(気体反応の法則)を提示。

ケルヴィン卿 → トムソン

コーシー Augustin Louis Cauchy 一七八九-一八五七。フランスの数学者、物理学者。理工科学校などで学んだのち、フランス科学アカデミー会員、理工科学校教授となる。学問的には多産であり、複素関数論や微分方程式の解の存在定理など、代数学、解析学で大きな成果を挙げた。光学、弾性論など物理学にも寄与がある。

コペルニクス Nicolaus Copernicus 一四七三-一五四三。ポーランドの天文学者、思想家。太陽を中心にして惑星の運動を説明する地動説の創始者。クラクフ大学で数学と薬学を学び、カトリックの僧となった。イタリアに留学した後、東プロシアで行政や教会関係の仕事につくかたわら、天文学の研究を行った。地動説を説く『天球の回転について』が完成したのは一五三〇年代であったが、出版は死の直前まで延期された。

ゴルトシュタイン　Eugen Goldstein
一八五〇-一九三〇。ドイツの物理学者。ポツダムの天体物理学部長を務める。真空放電現象を研究。陰極から放出されるものを陰極線と名づける。陰極に隙間(すきま)や穴があるとき、そこを抜ける粒子線(カナル線。陽子やイオン)を発見。

サ　行

ゼーマン　Pieter Zeeman
一八六五-一九四三。オランダの物理学者。アムステルダム大学教授。磁場内にある発光体のスペクトル線に関する「ゼーマン効果」を発見し、師のローレンツの電子論に実験的確証を与えた。一九〇二年にローレンツとともにノーベル物理学賞を受賞した。

タ　行

タンヌリ　Jules Tannery
一八四八-一九一〇。フランスの数学者。パリ大学教授や科学アカデミー会員を歴任。実変数の関数論、集合論で活躍した。また、ディリクレの書簡の編集を行った。

デカルト　René Descartes
一五九六-一六五〇。フランスの数学者、自然科学者、哲学者。イエズス会の学校で学び、ポアティエ大学で法学を学んだ。三十年戦争に従軍し、科学者のベークマンによってアリストテレスを否定する新科学に目を開かされる。『精神指導の規則』『方法序説』『省察』『哲学原理』などの著作を通じて、新しい機械論的自然像を提示するとともに、その形而上学的・認識論的根拠を解明した。心身二元論の存在論や、「コギト・エルゴ・スム」による精神的自我の確立の議論は、以後の西洋近代の哲学の進むべき道を決定した。

デデキント Julius Wilhelm Richard Dedekind

一八三一－一九一六。ドイツの数学者。チューリッヒ工科大学を経てブランシュヴァイク工科大学の数学教授を務めた。現代の代数的整数論の重要な概念を多く生み出した。無理数の説明のために「切断」という概念を導入し、解析学の基礎を作った。著書に『連続と無理数』『数とは何か、何であるべきか』など。

テート Peter Guthrie Tait

一八三一－一九〇一。スコットランド出身の物理学者。ケンブリッジ大学で学位を取り、クイーンズ大学ベルファストやエディンバラ大学で教える。熱力学の開拓や、結び目理論(後世のグラフ理論に発展)などで成果を挙げた。

デュ・ボア＝レーモン Paul David Gustav du Bois-Reymond

一八三一－一八八九。ドイツの数学者。ケーニヒスベルク大学やベルリン大学で学ぶ。フライブルク大学教授などを歴任。無限小の研究を初め、フーリエ級数の概収束についてデュ・ボア＝レーモンの問題を提示するなど、多くの研究業績を挙げた。

トムソン William Thomson

一八二四－一九〇七。アイルランド出身の物理学者。叙爵されケルヴィン卿。グラスゴー大学教授から学長となり、王立協会会長も歴任。電気伝導の数学理論、絶対温度の概念、海底電信の研究など、古典物理学の幅広い分野で成果を挙げ、電子論の発展にも貢献した。絶対温度の単位ケルビンは彼の名にちなむ。

ナ行

ニュートン *Sir* Isaac Newton
一六四二-一七二七。イギリスの数学者、物理学者、天文学者。西洋近代の力学的体系の完成者。ケンブリッジ大学で学び、ルーカス講座二代目教授となり、王立協会会長を歴任。光のスペクトル分解、万有引力の法則、微分積分学は、「ニュートンの三大発見」と呼ばれる。主著の『プリンキピア』(一六八七)は、力学の三法則と万有引力の法則によって、地上の物体の運動も、天上の天体の運動も等しく説明するような、全体的自然像を完成させた。力の単位ニュートンは彼の名にちなむ。

ノイマン Carl Gottfried Neumann
一八三二-一九二五。ドイツの数学者、理論物理学者。ライプツィヒ大学教授。ポテンシャル論、光学、電気理論で業績を挙げた。

ハ行

パストゥール Louis Pasteur
一八二二-一八九五。フランスの生理学者、微生物学者。高等師範学校で学位を取り、パリ大学などで教えた。光学異性体を発見。腐敗や発酵の現象が微生物によって引き起こされることを明らかにし、低温殺菌法を考案した。炭疽菌ワクチンを羊や牛に投与する実験を行って、ワクチンを接種した動物が炭疽病を発症しないことを突き止めた。パリに狂犬病治療のための研究所を設立し、生涯そこで研究を続けた。

ハミルトン *Sir* William Rowan Hamilton
一八〇五-一八六五。アイルランドの数学者、物理学者。ダブリンのトリニティ・カレッジで学び、在学中に天文学の教授となる。光の伝播(でんぱ)と質点の運動を統一的に扱い、変分原理としてハミルトンの原理を与えた。正準運動方程式として解析力学の基礎を確立。複素数を拡張した四元数を構想して理論物理学に提供、二〇世紀の量子力学において現実に活用された。

ヒムステッド Franz Himstedt

一八五二―一九三三。ドイツの物理学者。ゲッティンゲン大学で学位を取り、フライブルク大学などで教える。主に電磁気学の実験に従事する。

ヒルベルト David Hilbert

一八六二―一九四三。ドイツの数学者。ケーニヒスベルク大学で学び、同大学を経てゲッティンゲン大学教授となり、整数論、抽象代数学、幾何学の基礎などに関して大きな業績を挙げた。一九〇〇年の国際数学者コングレスで数学が取り組むべき挑戦的課題を論じ、「ヒルベルトの二三の問題」を発表して幅広い影響を与えた。数学の基礎に関しては、ラッセルらの論理主義と異なる形式主義を唱えたが、ポアンカレはこれら二つの学派をともに批判した。

ファラデー Michael Faraday

一七九一―一八六七。イギリスの化学者、物理学者。王立研究所の助手から実験所長まで務めた。『ロウソクの科学』は同研究所での講演を編集して書籍化したもの。初めはベンゼンの発見など実験化学の分野で活躍したが、やがて電磁気学の研究に移行し、電磁気回転(電気モーターの原理)や電磁誘導現象の発見、電磁場の概念の確立を通じて、マクスウェルの理論への道を用意した。電解物質における「ファラデーの法則」や、磁気光学における「ファラデー効果」の発見もある。静電容量の単位ファラド(F)は彼の名にちなむ。

ファン・デル・ワールス　Johannes Diderik van der Waals

一八三七―一九二三。オランダの物理学者。アムステルダム大学教授。気体に関する実験から、「ファン・デル・ワールスの状態方程式」を導き、完全気体からのずれを示すとともに、気体から液体への転移を論じ、臨界状態を説明した。一九一〇年にノーベル物理学賞を受賞。

フィゾー　Armand Hippolyte Louis Fizeau

一八一九―一八九六。フランスの物理学者。初めフーコーとともに光学の研究に携わる。歯車の方法を用い、地上で光速を初めて計測することに成功。運動物体中の光速度を測定し、フレネルの光の随伴係数の仮説を証明した。光にもドップラー効果があることを示し、星の視線方向速度が決定できることを示した。

フィッツジェラルド　George Francis Fitzgerald

一八五一―一九〇一。アイルランドの物理学者。ダブリン大学教授。光の電磁気論を研究し、運動に伴う長さの短縮仮説を提唱し、マイケルソンとモーリーによる実験でエーテルとの相対運動が検出されない結果を説明した。

フェヒナー　Gustav Theodor Fechner

一八〇一―一八八七。ドイツの哲学者、物理学者、心理学者。ライプツィヒ大学物理学教授を務め、退職後、哲学に転じた。『精神物理学の要綱』を著して実験心理学の方法を確立し、その後、美学の実験的研究に進んだ。物理的刺激と感覚の間の相関関係を表わす「ウェーバー・フェヒナーの法則」で有名。

フーコー　Jean Bernard Léon Foucault

一八一九―一八六八。フランスの物理学者。医学を学んだ後に物理学に進んだ。パリ天文台経度局の技師を務めるかたわら、空気中と水中の光の速度の相違などを研究した。パンテオンで巨大な振り子を用いた実験を行い、地球の自転の存在を実証した。渦電流の発見や、反射望遠鏡の鏡の改良など、多くの業績を残した。

プトレマイオス Claudios Ptolemaios 二世紀のギリシャの天文学者、地理学者とされるが、生涯は不詳。アレクサンドリアで活躍。『天文学大全』を著し、地球中心に立った宇宙体系(天動説)を示し、多くの天球を組み合わせ、惑星や天体の運動を説明した。また、地球球体説にもとづいた最古の体系的地理学書『地理学』を発表した。その後の宇宙観や世界観に大きな影響を与えた。

ブラウン Robert Brown 一七七三―一八五八。イギリスの植物学者。顕微鏡を用いた研究を行った初期の植物学者であり、細胞核と原形質流動や花粉微粒子のブラウン運動を発見した。

ブラーエ Tycho Brahe 一五四六―一六〇一。デンマークの天文学者。天体の位置観測に関して多くの業績を残した。コペンハーゲン大学で法学と天文学を学び、フヴェン島にヨーロッパ第一の天体観測所を設けて研究を行った。しかし国王の不興を買い、亡命してプラハに新しい観測所をもった。この観測所にケプラーを招き、画期的な惑星運動モデルの構築への道をひらいた。

フレネル Augustin Jean Fresnel 一七八八―一八二七。フランスの物理学者。理工科学校で学び、土木学校で工学を学ぶ。光の直進、屈折、偏光、干渉などについての研究を行い、横波と考える光の波動説の実証に貢献。

現在も灯台などで使われているフレネル・レンズも開発した。フランス科学アカデミー会員。

ベーコン　Francis Bacon

一五六一―一六二六。イギリスの政治家、哲学者、随筆家。デカルトと並ぶ西洋近代哲学の創始者とされる。ケンブリッジ大学を卒業後、下院議員となり、ジェイムズ一世の時代に王の愛顧を得て、大法官へと上り詰めた。『随筆集』『学問の進歩』『ノヴム・オルガヌム』などの著書があり、とくに三番目の著書はアリストテレスのオルガノンに代わる、新しい科学的探究の論理の企てとして重要である。そこでは真理への道を妨害するものとして、四種類の「イドラ」の存在が説かれている。

ペラン　Jean Baptiste Perrin

一八七〇―一九四二。フランスの物理化学者。一九一〇年よりパリ大学物理化学教授として活躍し、パリ大学生物物理学研究所長も務めた。コロイドの研究やブラウン運動の観察から、分子の実在を明らかにした。物質の不連続的構造などの研究により、一九二六年にノーベル物理学賞を受賞した。

ヘルツ　Heinrich Rudolf Hertz

一八五七―一八九四。ドイツの物理学者。ベルリン大学などで学び、ヘルムホルツに師事した。カールスルーエやボンの大学などで教えた。マクスウェル理論の仮説を実験的に検証する道をひらいた。電磁波の実験的検証を行い、光と同じ性質をもつことを示した。その後、力学の新しい体系化の道を模索した。周波数の単位ヘルツは彼の名にちなむ。

ベルトラミ　Beltrami Eugenio

一八三五―一九〇〇。イタリアの数学者。ピサ、ボローニャ、ローマ、パヴィア大学の数学教授を歴任。微分幾何学を専門としたが、弾性学にも寄与した。「ベルトラミの擬球」と呼ばれる、双曲型非ユークリッド幾何学が成り立つ曲面を考案した。

ベルトラン Joseph Louis François Bertrand

一八二二-一九〇〇。フランスの数学者。理工科学校とコレージュ・ド・フランスで教え、フランス科学アカデミー会員。数論、確率論、経済学、熱力学などで成果を挙げた。素数に関するベルトランの予想や、ベルトランの逆理で知られる。

ヘルムホルツ Hermann Ludwig Ferdinand von Helmholtz

一八二一-一八九四。ドイツの物理学者、生理学者。一八四七年、ベルリンの物理学会で「力の保存について」を講演。マイヤーとは独立に、エネルギー保存の原理を普遍的法則として確立。ケーニヒスベルク大学やハイデルベルク大学などの教授を経て、ベルリン大学物理学教授となり、同大学総長を歴任。熱力学、流体力学、音響学、熱化学と電気化学などの研究で大きな業績を挙げた。プランク、マイケルソン、ウィーンやヘルツ等、多くの後進を育てた。

ボーヤイ János Bólyai

一八〇二-一八六〇。ハンガリーの数学者。ロバチェフスキーとは独立に、ほぼ同時期に双曲型非ユークリッド幾何学の体系を創始した。軍の技術学校で学び、仕官したのち、ユークリッドの第五公準の研究に集中し、その成果を父の出版した数学書の付録として発表し、非ユークリッド幾何学の創始者の一人とみなされるようになった。

ホルツ　Wilhelm Holtz
一八三六―一九一三。ドイツの物理学者。グライフスヴァルト大学教授。電磁気学を研究。回転運動する円盤を用いて静電気を蓄(た)める静電誘導装置を考案した。

マ　行

マイヤー　Julius Robert von Mayer
一八一四―一八七八。ドイツの医師、物理学者。エネルギー保存の法則を最初に提唱した一人。熱帯地方で人体の発する熱や消費を研究し、「エネルギー」の転換と保存についての着想を得た。運動、熱、電気、磁気、化学に見られるすべての「力」の現象が、相互に転化することを証明する実験的事例を示した。

マクスウェル　James Clerk Maxwell
一八三一―一八七九。イギリスの物理学者。エディンバラ大学からケンブリッジ大学に移り卒業。ケンブリッジ、アバディーン、ロンドン大学を経てケンブリッジ大学実験物理学教授となり、キャヴェンディッシュ研究所を設立した。トムソンやファラデーの理論を進展させ、電磁気現象の統一理論を求めた。論文「電磁気場の動力学的理論」で基本方程式を発表し、『電気磁気論』で研究を集大成した。気体分子運動論の分子の速度分布を示すマクスウェル分布、熱力学のマクスウェルの関係式などに代表される、広範な業績を残した。

マッカラフ　James MacCullagh
一八〇九―一八四七。アイルランドの理論物理学者。ダブリンのトリニティ・カレッジの教授となり、数理物理学を発展させた。光の波動力学モデルを研究し、エーテルの力学理論を提案した。

マリオット Edme Mariotte

一六二〇頃－一六八四。フランスの物理学者、聖職者。気体についての研究を行い、ボイルが発見していたボイルの法則を再発見し、マリオットの法則と呼ばれるようになった。肉眼における盲点を発見した他、晴雨計の考案など、幅広い分野で業績を残した。フランス科学アカデミーの設立メンバーの一人。

ミル John Stuart Mill

一八〇六－一八七三。イギリスの哲学者、経済学者。父ジェイムズ・ミルの影響で、父の友人ベンサムの功利主義の思想を継承、理論的に深化させた。『論理学体系』において、経験主義の立場から科学的探究の論理を体系化し、『経済学原理』や『自由論』において、経済と政治の理論を展開した。

ヤ 行

ユークリッド Eukleidēs

前三〇〇年頃のギリシャの数学者。生涯については不詳。アレクサンドリアで『原論』を著したとされる。これによりギリシャの幾何学は公理論的体系にまとめられた。一九世紀に非ユークリッド幾何学が現れるまでは、唯一の幾何学体系と考えられていた。『光学』では光の直進と反射の法則を述べている。「幾何学に王道なし」の言葉でも知られる。

ラ 行

ライプニッツ Gottfried Wilhelm Leibniz

一六四六－一七一六。ドイツの数学者、哲学者、外交官、万学の天才。ライプツィヒに生まれ、同地の大学で学んだ後、ハノーヴァー家から招かれて図書館長兼顧問となり、フリードリヒ一世が創設したベルリン・アカデミーの初代会長となった。その間にパリやロンドンを訪れ、ホイヘンスに数学を教えられた。ニュートンとともに微積分学の創始者とされる。記号論理学の創始者でもあり、哲学ではモナドを基礎とする形而上学を構築した。著書に『形而上学叙説』『モナドロジー』『弁神論』など。

ラグランジュ　Joseph Louis Lagrange

一七三六－一八一三。フランスの数学者、物理学者。ミラノ陸軍学校やベルリン・アカデミーで教えたのち、新設の高等師範学校と理工科学校の教授となる。変分法や微分方程式論、楕円（だえん）関数などで多くの業績を挙げる。ラグランジアン（運動エネルギーとポテンシャル・エネルギーの差）や一般化座標という概念を力学に導入し、『解析力学』を著して力学の発展に貢献した。

ラプラス　Pierre Simon *Marquis* de Laplace

一七四九－一八二七。フランスの数学者、天文学者。フランス科学アカデミーの会員となり、科学的研究を行った。微分方程式、確率論、天体力学などで大きな研究成果を挙げた。現在もラプラス方程式やラプラス変換などは広く用いられている。大著『天体力学』はこの学問の古典であり、宇宙全体の初期条件が知られていれば、その後の運動はすべて予言できるという決定論的自然観に大きな影響を与えた。

ラーモア　Joseph Larmor

一八五七－一九四二。アイルランド出身の物理学者。王立協会会員。ケンブリッジ大学のルーカス教授（ニュートンがかつて在籍した）を務める。電磁気学や磁場中の電子の歳差運動などを研究。著書に『エーテルと物質』があり、電子理論の歴史的体系的記述を与えた。

ランジュヴァン Paul Langevin

一八七二-一九四六。フランスの物理学者。ソルボンヌのピエール・キュリーの下で学位を取得。コレージュ・ド・フランス教授となり、イオンの研究、ブラウン運動に関してランジュヴァン方程式、磁性の研究などの業績を挙げた。

リー Marius Sophus Lie

一八四二-一八九九。ノルウェーの数学者。クリスチャニア(現オスロ)大学で学び、同大学の数学教授となったのち、クラインの後任としてライプツィッヒ大学教授となった。偏微分方程式の研究から出発して、今日「リー群」と呼ばれる連続変換群の理論に到達した。この理論は二〇世紀に重要性が認められ、数学・物理学に広く影響を与えた。

リップマン Gabriel Lippmann

一八四五-一九二一。フランスの物理学者。ルクセンブルクに生まれ、パリおよびドイツで学び、パリ大学の教授となる。電気現象を含む多くの実験装置を考案。光の干渉を利用したカラー写真法を考案し、実験に成功。この成果により一九〇八年にノーベル物理学賞を受賞した。

リーマン Georg Friedrich Bernhard Riemann

一八二六-一八六六。ドイツの数学者。ゲッティンゲン大学とベルリン大学で学び、ゲッティンゲン大学数学教授となる。いわゆるリーマン面の概念導入や素数分布の予想、幾何学的関数論の基礎など、多くの先駆的成果を挙げた。教授就任講演「幾何学の基礎となる仮説について」で、新しい幾何学の体系を提示した。

ルニョー Henri Victor Regnault

一八一〇-一八七八。フランスの物理学者、化学者。理工科学校と高等鉱業学校で学ぶ。ゲーリュサックの後任として、コレージュ・ド・フランス物理学教授。実験、計測に秀で、蒸発理論、気体の熱、空気中の音の伝播、写真フィルムの化学など、非常に幅広い分野で活躍した。

ル・ボン Gustave Le Bon

一八四一−一九三一。フランスの心理学者、社会学者、物理学者。とりわけ、群衆心理の研究で名高く、大きな影響を与えた。パリ大学で医学博士の学位を取ったのち、非常に幅広い分野で活躍した。物理学にも造詣が深く、質量とエネルギーの等価性を論じている。

ル・ロア Édouard Le Roy

一八七〇−一九五四。フランスの数学者、哲学者。ベルクソンの影響を受けて、科学的知識の恣意的性格を強調する知識論を展開した。コレージュ・ド・フランス教授。著書に『ドグマと批判』『直観的思考』など。

ロバチェフスキー Nikolai Ivanovich Lobachevskii

一七九二−一八五六。ロシアの数学者。カザン大学でガウスの友人バルテルスに学び、カザン大学の教授、学長となった。平行線論の研究から、非ユークリッド幾何学の公理化が可能であることを発見し、ロシア語で成果を発表した。著書に『平行線論の幾何学的研究』など。

ローランド Henry Augustus Rowland

一八四八−一九〇一。アメリカの物理学者。ジョンズ・ホプキンス大学教授。荷電粒子の運動によって磁場ができることを実証。さらに、回折格子を高精度化し、太陽スペクトル研究にも大きな進歩をもたらした。アメリカ物理学会初代会長。

ローレンツ Hendrik Antoon Lorentz
一八五三―一九二八。オランダの物理学者。ライデン大学で学び、同大学の理論物理学教授となる。物質の電子論的説明を発表。ゼーマン効果を説明。運動に伴う時空の座標変換(ローレンツ変換)を提案。理論物理学全般、とくに電磁気学、電子論、相対性理論で大きな成果を挙げた。一九〇二年に弟子のゼーマンとともにノーベル物理学賞を受賞。オランダの干拓事業にも大きな功績がある。

本文索引

数字は本訳書の頁を表わす．なお，網羅的な索引とはせず，訳者が必要と考える箇所のみを掲げた

あ 行

か 行

さ　行

た　行

な　行

は　行

ま　行

や　行

ら　行

科学と仮説　ポアンカレ著

2021年12月15日　第1刷発行
2024年5月15日　第3刷発行

訳　者　伊藤邦武

発行者　坂本政謙

発行所　株式会社 岩波書店
〒101-8002 東京都千代田区一ツ橋 2-5-5

案内 03-5210-4000　営業部 03-5210-4111
文庫編集部 03-5210-4051
https://www.iwanami.co.jp/

印刷 製本・法令印刷　カバー・精興社

ISBN 978-4-00-339029-0　Printed in Japan

読書子に寄す

――岩波文庫発刊に際して――

岩波茂雄

真理は万人によって求められることを自ら欲し、芸術は万人によって愛されることを自ら望む。かつては民を愚昧ならしめるために学芸が最も狭き堂宇に閉鎖されたことがあった。今や知識と美とを特権階級の独占より奪い返すことはつねに進取的なる民衆の切実なる要求である。岩波文庫はこの要求に応じそれに励まされて生まれた。それは生命ある不朽の書を少数者の書斎と研究室とより解放して街頭にくまなく立たしめ民衆に伍せしめるであろう。近時大量生産予約出版の流行を見る。その広告宣伝の狂態はしばらくおくも、後代にのこすと誇称する全集がその編集に万全の用意をなしたるか。千古の典籍の翻訳企図に敬虔の態度を欠かざりしか。さらに分売を許さず読者を繫縛して数十冊を強うるがごとき、はたしてその揚言する学芸解放のゆえんなりや。吾人は天下の名士の声に和してこれを推挙するに躊躇するものである。このときにあたって、岩波書店は自己の責務のいよいよ重大なるを思い、従来の方針の徹底を期するため、すでに十数年以前より志して来た計画を慎重審議この際断然実行することにした。吾人は範をかのレクラム文庫にとり、古今東西にわたって文芸・哲学・社会科学・自然科学等種類のいかんを問わず、いやしくも万人の必読すべき真に古典的価値ある書をきわめて簡易なる形式において逐次刊行し、あらゆる人間に須要なる生活向上の資料、生活批判の原理を提供せんと欲する。この文庫は予約出版の方法を排したるがゆえに、読者は自己の欲する時に自己の欲する書物を各個に自由に選択することができる。携帯に便にして価格の低きを最主とするがゆえに、外観を顧みざるも内容に至っては厳選最も力を尽くし、従来の岩波出版物の特色をますます発揮せしめようとする。この計画たるや世間の一時の投機的なるものと異なり、永遠の事業として吾人は微力を傾倒し、あらゆる犠牲を忍んで今後永久に継続発展せしめ、もって文庫の使命を遺憾なく果たさしめることを期する。芸術を愛し知識を求むる士の自ら進んでこの挙に参加し、希望と忠言とを寄せられることは吾人の熱望するところである。その性質上経済的には最も困難多きこの事業にあえて当たらんとする吾人の志を諒として、その達成のため世の読書子とのうるわしき共同を期待する。

昭和二年七月